不安全的时代

〔英〕拉里·埃里奥特　丹·阿特金森　著

曹大鹏 译

商务印书馆
2001年·北京

Larry Elliott and Dan Atkinson
THE AGE OF INSECURITY

中文简体字版经 VERSO 出版公司授权,根据该公司 1998 年英文版译出。

目 录

前言　不安全的时代…………………………………………… 1
导言　战争结束了,祝圣诞快乐………………………………… 3
第一章　企业文化的兴衰………………………………………… 23
第二章　钱才是真的,要不我怎么学会了不再发愁
　　　　而且爱上大企业呢?…………………………………… 81
第三章　制度的失败:战斗中的自由市场……………………… 123
第四章　心向国外之一:英国左派与美国……………………… 189
第五章　心向国外之二:英国左派与欧盟……………………… 223
第六章　无路可通:左派在两条死胡同里行进………………… 266
第七章　让我们替卡尔·马克思捎个信:市场秩序下
　　　　不平等也不安全………………………………………… 307
第八章　重大抉择………………………………………………… 343
第九章　安全的时代……………………………………………… 409

注释………………………………………………………………… 411
索引………………………………………………………………… 417

1

前　言

不安全的时代

我们所处的时代,自由放任的资本主义和主张对经济实行民主控制的社会民主主义之间正在进行一场重大的斗争。前者代表的是金融利益,后者则代表老百姓的利益。这两种意识形态之间的矛盾是不可调和的。从经济方面讲,社会民主主义最根本的特点是"安全",而东山再起的自由市场恰恰毫不掩饰地排除了这一基本经济特征。假如社会民主不能带来安全,那么它就一文不值;自由市场要是能够为人们提供安全的话,那就不是自由市场了。不过,自由市场倒是以牺牲大多数人为代价、为金融利益提供了安全。每逢自由市场制度经历周期性危机时,一切调整和风险的负担总是被转嫁到大多数人身上。

那些以出卖劳动力求生存的人感到不安全,并不限于他们的工作场所,他们的恐惧还延伸到担心丧失居所和抵押贷款,担心被盗和遭到入室抢劫,担心他们的孩子受到一氧化碳和汉堡包的毒害。而且,如果大量的文章中教给你如何处理各种关系你都照办,人类能不能繁衍下去也就成了令人担心的问题了。我们这个国家对自己也不放心了,这个国家已疾患缠身,需要好好治疗一下了。

除此之外,我们这个民族也是一个处于严密监视下的民族。自由放任主义对公平的信条只适用于金融利益和大企业。不安全时代产生自己的政治控制手段,即新型的指令经济,在这种控制之下,资本是自由的,而劳动人民反倒国有化了。现在,公民不仅对毒品和战争心怀恐惧,还怕儿童福利巡视员来拜访。

我们这本书贯彻始终的一个主题是,我们需要社会的经济公正,这种公正能够兑现。目前阻挠我们获得公正的人既有伪装的朋友,也有不共戴天的敌人。

拉里·埃里奥特

丹·阿特金森

1998年1月伦敦

导　言

战争结束了,祝圣诞快乐

谁掌握过去,就掌握了未来;谁掌握现在,就掌握了过去。[1]乔治·奥威尔这句名言至今仍被人们铭记在心。自奥威尔时代以来,我们一直在为谁来写历史而进行着一场战斗。不过目前对历史的阐述仅仅集中在描述不断展现在我们眼前的图景,我们将这一时区称之为"现在"。迄今我们在这场斗争中取得的进展是微乎其微的。这场斗争伴随着电子计算机、通讯工具和最新的摄影技术的出现而起,使用这些武器的人都是一些高度专业化的舆论制造者和宣传家,还加上他们麾下的"反击"和"进攻"部队,其服务对象却是公司的和政治的巨大利益。法国哲人雷吉斯·德布雷曾把一个国家的生命比作国家领导人创作的小说,"在这部小说里,我们所有的人都是一些小人物,其微不足道的程度连他们自己都难以想象。"[2]或者,正如英国军队在困难时期所说的:"究竟是谁在写这部戏的脚本呢?"

1997年的英国就像一部戏剧,它表现了一个重大的大融合主题,把"历史的终结"写得完美无缺。在英国,在不同程度上还包括其他发达国家,左右两派进行了长达200年之久的斗争已经停止了。年轻的英国领导人托尼·布莱尔主持了这个胜利的停战日,就在这一天,左右两派应邀以久享盛誉的圆桌会议形式坐在一起,来对这一具有历史意义的和解作出他们的贡献。右派贡献的是经济学,左派贡献出来的则是同情心,其核心就是宽容。这个亚瑟王式①的政治制度以外的人都是一些原始人,野蛮人,或者是一些愤世嫉俗的人;更糟糕的是这些人与这个政治制度"毫不相干"。当年轻的国王在暖洋洋的宫廷宴会大厅里与他的臣子大摆宴席之时,谁要是落得个在阴冷的山脚下瑟瑟发抖总是不好受的。此时,自己能和新秩序达成和解,重返舞台同其他演员同台演出,接受这个已写好的剧本而不是与它对着干,这些对他都有很大的诱惑力。

2 尽管如此,就像迂腐的老校长们常说的那样,"学校里难免有捣蛋的学生",也总会有人(包括我们自己在内)认为,这些捣蛋的角色能够发挥可贵的作用。我们对1997年发生的大事提出了不同看法,认为1997年并非标志着什么大融合,也不可能把政治传统中濒临枯竭的精华抢救出来,这些事件只是激化了一场将自由放任的资本主义确立为世界唯一的社会-经济制度的战争。一个悲天悯人而极富活力的新不列颠(或新法兰西,或新欧罗巴),只出现在《时代》杂志的封面上,或见于颂扬"豪情满怀的英国或戴安娜王妃"带鲜花的革命的空洞千字文中,除此之外,实际上它并不存在。在为建立国际资本主义至高无上的地位而进行的征战中蒙受伤亡却是不争的事实。我们认为相互矛盾的说法反映了人们的观点各不相同,一种是虚无飘渺的一厢情愿,另一种却是脚踏实地的态度。左派自以为大有收获,其实大都是幻想。首先是年代的幻

---

① 亚瑟王式(Arthurian)源于英国传奇中的亚瑟王(King Arthur),据说他是圆桌骑士团的首领,后被引申为征服世界的人。这里指西方的一批政治精英人物。——译者

想,其根据是右翼的货币主义开始压倒已显式微的战后一致主张至今已有20年时光,现在已经到了转变方向的时候了。

在这种想象出来的情景下,自战后体制瓦解以来,已经过去了20年。在这20年中,英国曾于1976年被国际货币基金组织强制实行削减开支,同样重要的是1997年英格兰银行曾实行高利率来抵制国际货币基金组织的意向书(IMF Letter of Intent,其中规定要保持制造业的竞争能力),利率如此之高以致不得不取消对英镑的管制。美国也同样受到影响(比尔·克林顿的"新民主党思维"的前身吉米·卡特的"新自由主义",为货币紧缩政策铺平了道路),同时也影响到法国(吉斯卡尔总统首次遭到第一代长期失业者的困扰而不得脱身)和德国(施密特总理的反通货膨胀立场使来自土耳其的外来劳动大军受到压力)。

简言之,70年代中期以来,生活变得十分恶劣,而现在已经出现转机。甚至在遥远的爱尔兰,自60年代后期燃起的熊熊大火在新出现的充满乐观希望和同情心的情绪中也即将熄灭。这是必然的趋势:时间是不会骗人的。

确实,60年代以来地球上的庞然大物似乎都是这种情况。克林顿夫妇同布莱尔伉俪在伦敦的新潮餐馆里共进晚餐,布莱尔先生在法国度假时与若斯潘总理共享午宴,德国总理科尔访问了切克尔斯官邸,[①]托尼·布莱尔拜访叶利钦总统时以个人身份出现在俄罗斯广播电台的系列报道中,香港回归中国使中英两国在全世界的电视屏幕上显得关系格外良好。

---

① 切克尔斯官邸(Chequers)都铎王朝时代的大宅邸,位于伦敦西北35英里处的白金汉郡,现为英国首相的乡间官邸,因此以官邸成为英国首相的代名词。——译者

经过了20年的对抗、不平等、战争、意识形态冲突和互不相容之后,一切迹象表明时钟的钟摆已经开始悠长地向回摆动,爱心(或者实质上大体是这个意思)再次成为你所需要的东西。

对于厌倦战争的人们来说,哪怕仅仅暗示一下两方体面地打了个平手,或者取得某种意义上的胜利,在眼前也是求之不得的。一个时期以来,当战争一直朝着有利于敌人的方向发展时,对于那些疲惫不堪的老兵来说,这种迹象具有双倍重大的意义。

在这种影响得到强化的状态下,出现了一批极力捍卫这种最成功的社会-经济制度的人,这在西方世界还是从来没有过的现象。这种制度有着不同的名号,如社会民主主义、混合经济、"社会戴高乐主义"、基督教社会传统、美国式自由企业制度(在这个名称中,重点是"美国"和"制度"这两个词)以及战后格局等等。自从东欧共产主义崩溃以来长长的八年中,在他们意想不到地战胜了苏联的专制主义及其在西方的代理人之后(他们认为这是一件大事),他们一直在同自由放任的资本主义进行斗争,并且自以为取得了胜利。就像哈罗德·戈德温森①一样,在取得斯坦福布里奇的胜利之后,立即挥师向黑斯廷斯进军,与另一支部队交锋,西方社会民主党人也把自己投入了另一条新开辟的战线,又同哈罗德国王的命运相似,他们在第二条战线上的战斗打得颇不顺利。

自由放任主义的反对者阵营内部存在着战略上的分歧。他们拥有的一些最坚固的堡垒已经失去了保卫的价值;他们的战线上

---

① 哈罗德·戈德温森(Harold Godwinson)英格兰最后一位盎格鲁-撒克逊时期的国王哈罗德二世。这里说的是1066年哈罗德二世与诺曼底公爵威廉的一场战争。哈罗德在斯坦福布里奇打了胜仗后,又在黑斯廷斯开辟了第二条战线,结果兵败身亡,结束了盎格鲁-撒克逊时代。——译者

一些守备要塞洞门大开；他们的最高指挥部声名狼藉，其中包括心怀不满的老工党贵族，一些出身高贵的保守党人，一群过去的欧洲共产党的响应者，教皇，查尔斯王子以及那些梦想一步登天的乳臭未干的游击队领导人，至于法国的右派、美国共和党里令人生厌的机会主义分子就更不必提了。由这样的人组成的指挥部是不大可能让人们对它充满信心的。以上这些都是不利因素。在这种情况下，却有一种看法认为，这场斗争表面上不甚乐观，实际上却进展顺利。有些人很愿意接受这种见解。而暗示敌人实际上已在乞求和解的看法则更是大受欢迎。自从特洛伊木马首次出现直到戴高乐总统向阿尔及利亚的殖民者响亮地宣告"我理解你们"，历史上有大量事实表明，饱受战争创伤的人是很容易争取过来的，但是同样也有许多足以警世的故事表明，那些被争取过来的人是多么愚蠢。

1997年，英国的社会民主党人，还有欧洲其他国家的社会民主党人，尽管后者在程度上稍逊于前者，都从战壕里探出头来听到了一个消息，说是交战双方已经取得了大和解。战争结束了，即便说尚未彻底结束，至少也是停火了。这是因为"动力中心"出现了不同以往的新一代领导人，主要是英国的托尼·布莱尔，法国的利昂内尔·若斯潘，还有待人宽厚积极走中间路线的自由放任主义大叔克林顿总统，他们异口同声地宣布意识形态之争已经无限期地停火了。社会民主党人感到意外的是，据说他们一直在进行的这场生死搏斗本来就不是那么了不起，本来就该结束而不致造成更大的伤亡。在远离火线的地方，中间派政客与国际资本主义就和解问题做成了一笔交易，在这笔交易中，前者确实对后者作出了很大的让步：资本自由流动，对一切投资彻底取消管制，永远执行合理的货币金融政策,废除不堪负担的福利制度,以及建立灵活流动的劳动力市场。"动力中心"方面当然也有所获,其交换条件就是创造一个更富有同情心、更加宽容开放的健康社会。

只需粗略地看一看这些交换条件就会发现一个不可回避的事实,那就是所有实质性的让步都由一方单方面向对方作出,而自己这一方得到的仅仅是各种良好愿望的空话。这也算不得是什么学术观点:劳动人民——这里指的是那些只能依靠出卖劳动力维持生活的人——在这一和解中不仅受到了一次损失,而且可能是双倍的损失。对于他们来说,压倒一切的需要就是人身、金钱和物质的安全。准确地说,这一切在已签订的和解协议中都被一笔勾销了,而他们由于文化和阶级背景则很可能使自己在所谓争取健康社会的努力中成为靶子而不是受益者。

说实话,大概没有人会把一部《新闻自由法》或一部成文宪法当成失去就业安全的人得到的公平补偿。讨伐饮酒、吸烟和大吃大喝的运动可能只是更增加他们的痛苦而不是减轻他们的负担。至于对那些时髦疾病的可怜的受害者深表同情,这种廉价的同情还是留给那些名流和"准"名流吧。

5　　1989年,奥斯汀·米切尔声称:"社会主义并不是要把每个人都变成白领和工党议员那样的中产阶级"。[3] 可悲的是,到了现今布莱尔时代,这倒真的成为唯一的目标了。这一笔忍痛牺牲的和解交易只对一方有利,具有一边倒的性质。在这种情况下,能够报道一下战壕里传出来的怀疑论,他们拒绝放弃阵地,也不放下武器,他们要坚守防线,倒是可以算得一吐为快。遗憾的是我们这些社会民主党人就和他们的前辈特洛伊人一样,在沉醉昏睡过去之前还在开怀畅饮。只是到了现在,他们才迷迷糊糊地发觉正有一

8

些黑影从木马的腹部爬将出来。

那么这场徒有虚名的和平目前的进展状况又如何呢？来自不同战场的几篇战况报告可能对和平的条件作一点评估。

战地报告之一：来自国内战线

1997年9月，伦敦圣·詹姆斯公园的林荫道上出现了1945年胜利日以来从未见过的景象。当送葬行列往北行进，走向戴安娜在米兰德的一生最终归宿地时，英国的一切都停顿了。一个星期前，法国内务部长宣布威尔士公主在巴黎市中心因车祸身亡，震惊了全世界。一周后，全世界媒体面前演出这部不寻常的戏剧最后高潮的一幕。正常的生活完全被颠倒了过来：出殡的那一天，没有几家商店开门营业，电视和广播几乎全都在报道这出悲剧（整整一个星期都是这样），凡是临近送葬队伍途经的地方，交通都作了必要的调整，以便送葬队伍通行。仅仅在芬奇莱路就有100万人站立在道路两旁。这些人彻夜排队在圣·詹姆斯宫里的吊唁簿上签名。戴安娜的住所肯辛顿宫门外堆满了花圈。这些花圈据说都是终于不再控制自己情感的国民摆放在那里的。

这时，一些医学专家和其他方面的"专家"出面，通过印刷和电波教导英国人什么样的哀悼方式才是适宜的，有些地方却可以听到窃窃私语，将这些专家称为"管制悲伤的警察"。王室通过书面表达情感的方式声称他们已经哀悼过了，人们认为这还不够，认为王室必须当众表示哀悼，于是王室也不得不顺从这种要求，女王适时地在电视上露面，确认她对戴安娜之死是悲痛的，查尔斯王子和他的两个儿子也应要求出现在巴尔莫勒尔城堡（Balmoral）外检视花圈。情绪化的文字看来成了用来描述"感情法西斯主义"的工具。

但是,政治权势当局对于"无约束的英国"是否可取则有少许疑问。《星期天电讯报》9月7日引用了一位政府大臣的话说:"英国人曾经度过了两个难熬的十年。托尼和戴安娜都让英国人动了感情。"托尼在布赖顿①举行的工党年会上成了中心人物。19年来,工党首相在年会上发表讲话还是第一次。这次聚会的安全措施却一点也没有显示英国正在解除束缚。沿海大片地区和向内延伸数百码的街道都被封锁起来,警备森严以确保包括会议中心、大都会饭店和欧迪电影院在内的地带彻底安全。警方的飞艇在空中盘旋,维持治安。这种架势超过了撒切尔夫人对任何一次活动要求的规模。正是在这个坚不可摧的要塞城堡里,首相宣告"付出的时代"②开始了。

所谓的"付出的时代",严格说来,最终将是一种宗教式的心路历程。新工党最初采取的行动包括取消学生的奖学金,开始实行学费制;这次会议结束后不久提出的将病人诊费提高到10英镑的建议没有遭到否决;布莱尔首次任命的大臣之一弗兰克·费尔德在社会保障部里不遗余力地推出一些"匪夷所思"的福利制度改革举措("匪夷所思"这里可理解为凭空臆想出来的肢解社会保障制度的建议,这些建议正是右翼思想库苦苦追求的目标)。到了那年的

---

① 布赖顿(Brighton),位于伦敦以南、英吉利海峡的北岸,为英国旅游休假胜地。——译者

② "付出的时代"(the Giving Age),即国家要求国民为某种伟大的目标作出牺牲;后面出现的"获取的时代"(the Taking Age)与之相对。这里是指要求国民牺牲自身的利益,而大企业则从国家对其作出巨大让步中获得好处。——译者

12月初,政府第一次遭到后座议员①的反抗。这次叛乱是由削减单身父母补贴计划而引发的。紧接着就该轮到残疾人了。

11月,工党财政大臣戈登·布朗的"绿色预算(讨论稿)"简要说明这种所谓的"新思维",其中只字未提对资本的控制。对资本的控制早已被工党所抛弃,被认为既不可能做到,也不可取。如果说控制数以十亿计的英镑在英国流进流出无法做到,却也没有提出控制烈性酒和烟草的禁令。布朗先生全盘接过了这类商品的喧嚣黑市。烈性酒和烟草之所以形成嚣张的黑市是因为英国对这些商品实行高关税,而欧洲大陆则普遍实行低税率;黑市是税率差异的产物。根据单一市场的法律,任何人都可以把任何数量的此类物品带入英国,只要他们能证明这些物品是供个人消费使用的。工党对于这种肆无忌惮的贩私行为作出的反应是授予海关新的强制性权力。由此看来,所谓的"付出的时代"似乎不大可能与公民自由权利观点有什么密切联系。工党将警察法案确立为法律。这个法案是保守党政府下野之前遗留下来的。根据这一法案,执法部门可以不经法院批准闯入私人住所,窃听电话,同时在诉讼制度上向美国式"不胜诉、不交费"制度靠拢,而这些早在中世纪时英国已宣布为非法行为了。在工党大会几天之后,竞选失利的保守党在尤斯顿登上了破旧的"圣玛利亚"号火车前往布莱克普尔进行反思。这些卸任的大臣们第一次有机会对他们实行铁路运输私有化的情况进行亲临现场的视察:火车肮脏不堪,没完没了而又无理可说的误点,其状况之恶劣绝不亚于英国铁路时代最黑暗的日子。

---

① 后座议员(backbencher),指通常坐在议会后排座席(backbench)的议员,这些议员一般是年纪轻、资历浅,在政府中地位都较低。英国议会讲求资历(seniority),资历深、地位高的议员在议会中起着举足轻重的作用。——译者

工党不仅接受了私有化，而且信誓旦旦要把私有化进程继续下去。在1997年的竞选中，工党抛出了一个主意，要卖掉空中交通管理权，借此来筹集5亿英镑的资金；10月，工党又宣布了它做成的第一笔出售交易，卖掉了联邦发展公司(Commonwealth Development Corporation)。这家公司是1948年艾德礼政府创办的，旨在优先援助英联邦内部较为贫困的国家。

20世纪80年代，英国曾经是世界上实行私有化的试点国家；而现在布莱尔却同意公有部门的规模继续缩小，与撒切尔时期的作为有许多共同之处。几乎无人能否认实行私有化的企业中有许多是成功的，这些企业主要处于政府一开始就不该介入经营的领域，最明显的例子是那些豪华宾馆、免税商店、火车站的饮食柜台。毫无疑问，第二类公司归入私营部门也确实较为明智，只要商业和技术上做得到，比如英国电讯公司、英国造船厂、英国石油公司等等。但是在撒切尔－布莱尔的方针中缺少了一个概念，那就是私营部门仅仅是经济中的一个部门而不是生活的全部。

公用事业机构如水电供应和铁路是不宜私有化的，私有化带来的后果在公众中引起越来越强烈的不安，与此密切相关的是，以往的公务员转变为"企业家"，手中还掌握着发行的股票，他们私欲膨胀，贪婪地攫取股票、奖金、大手大脚地发放年金做交易以及实行其他种种物质刺激，从而在全国引起一片愤怒。凡是最初实行私有化越不恰当，对公众的服务越差的部门(其中最主要是供水系统)，董事会里的不轨行为就越发令人震惊。

产业界的老板们迫不及待地纷纷加入这个行列。90年代中期曾试图通过英国商界大人物组成的各种委员会来抑制这股狂潮，用意虽好，结果却是可悲的失败。1997年10月，商业道德监察机构PIRC揭露,在实行了私有化的企业和原有的私营企业中,老板们自己为其经济效益设下了障碍,在大多数情况下,越过这些障碍实在是太容易了,即使这些公司的表现远远落后于其竞争对手,它们仍然可以拿出钱来实施物质刺激计划。PIRC宣称,这样的盈利率到了世纪之交,肯定会在一般公众中燃起愤怒的烈火。

总之,产业界的老板们就像第一次世界大战时期的将军们,他们悠闲地坐在离前线40英里的欧洲庄园里,呷着从酒窖中挑选出来的美酒,一边向泥泞不堪的战壕里的士兵发布命令,要他们跃出战壕时心中要想着国王和祖国,唯一区别是接受命令的不是战壕里的士兵,而是面临更长的工作时间和排着长队领取救济金的工人,要记在心头的不是国王和祖国,而是公司必须在全球性激烈竞争中生存下来。

与其说这个时代是"付出的时代"倒不如说是"获取的时代",至少对于少数上帝的宠儿来说,这是"获取的时代"。到了1997年底,"付出的时代"按其自身决定的条件,也变得不太让人喜欢了。一位"英格兰保姆"(实际上是一位"互裨"姑娘①)路易丝·伍德沃德在美国马萨诸塞州被指控谋杀了她照顾的孩子,被陪审团判定有罪,引起了公愤。这一事件暴露了"冷静的英国"的阴暗面。美国人倒是同情这位年仅19岁的姑娘,认为判处终身监禁是不公正的。尽管如此,当法官宣布撤销原判决时,这些怀有同情心的美国人仍感到震惊,而法官的改判在这位姑娘家乡的酒店

---

① 互裨姑娘(au pair),指一些年轻女子到一户人家做服务工作,这家人则为她提供条件让她上学或学一门技能,作为交换条件,建立一种"互裨"关系。——译者

里却引发了欢呼胜利的场面,这一场面通过电视传播到美国的每个家庭。享有宽容美誉的"新英国"在世人面前的表现,完全暴露了这个国家在发高烧,而且自欺欺人。在这样一个国家里,最要紧的是将"我们中的一员"从美国最为开明的一个州争取回到自己的家园,与此相比,一个混血孩子的生命又算得了什么。在一些小报的想象中,把美国的这个州一下变成了沙特阿拉伯式的专制统治了。

就在此时,女王和爱丁堡公爵在不声不响地庆祝他们的金婚纪念日中度过了这一年,而那个令人讨厌的约翰·梅杰此时则在大斯图克莱村①自家花园的观赏池塘边晒太阳,为了维护地方上和全国性报纸记者的利益,三缄其口,一语不发。"最酷的"激动来势之猛使狂热中姿态最高的受害者似乎在兴奋状态中度过了一年,而最大的受益者托尼·布莱尔却在为处理一件"小小的"丑闻的后事而苦苦挣扎。本来一级方程式汽车大赛是不准烟草公司赞助的,工党政府却解除了这一禁令。这就是那件现已臭名昭著的丑闻。据透露,这次大赛的一家主要赞助商在大选之前曾向工党捐赠了 100 万英镑。布莱尔即以一种典型的方式作出反应,提出了抗议,声称工党是清白的,并谴责这种筹款制度,主张为政治活动"付账单"的应该是纳税人,同时又暗示,在酒店和餐馆里强制设立禁烟区实际上是逼迫成百上千个小酒店、小餐馆关门歇业。

至于那个一级方程式汽车大赛的赞助商,他已经从那个窘态百出的政党那里收回了他的钱。这件事赋予"付出的时代"一个全

---

① 大斯图克莱村(Great Stukeley),1990~1997 年担任英国首相的梅杰在该村建有私人宅邸。——译者

新的含义。1998年来临,保守党内部仍然意见分歧,士气低落,工党为此感到庆幸。内务大臣杰克·斯特劳的17岁的儿子威廉·斯特劳因向《每日镜报》的一位记者提供大麻而被捕。斯特劳先生声称,此事不会改变他反对大麻合法化的立场。与此同时,英国政府下令禁止出售带骨牛肉,为的是防止感染疯牛病,尽管这种危险极其微小。工党在保健问题上的行事方式就像保姆照看孩子。这就在公众中引发了第一次反对浪潮。政府为庆祝千禧之年制定了一个计划,其中心内容是耗资7亿英镑在格林威治建造一座圆顶建筑,这引起了人们持续的敌对情绪,特别是这件事发生在削减福利开支的时候,自然是起了火上加油的作用。

战地报道之二:来自欧洲战场

在前所未有的金融大炮火力网的轰击下,欧洲大陆的证券交易所震颤了。在1997年初秋几个狂风暴雨的日子里,跨国界的企业合并浪潮使一度沉睡的欧洲交易所震荡不已。这是自由放任主义对曾为"社会传统"堡垒的冲击,也就是冲击了莱因河以西的企业格局。对此持赞同态度的战地记者幸灾乐祸地发现,甚至法国现在也接受了这种含有敌意的接管以及随之而来的观念,例如"持股人价值观",而这种观念以往对法国人来说是十分陌生的。

当金融利益横扫欧洲大陆时,实业界的步兵也再次遭到重大伤亡。仅在1997年10月份,欧洲的公司就砍掉了成千上万的就业机会:国际电气工程公司ABB宣布削减10 000个工作岗位,相当于全部劳动力的8%;铁路运输合资公司Adrands在ABB和戴姆勒-奔驰公司的支持下,削减了3 600个工作岗位;瑞典的滚珠轴承制造厂SKF砍掉了2 000个工作岗位。德国电器集团西门子公司、Elecfrolux、瑞典的家居用品公司、法国的标致(Peugeot)和雷诺(Renault)汽车制造公司以及米其林(Michelin)轮胎集团公司,在大量裁员方面都名列前茅。被解雇的工人不仅受到伤害,还受到侮辱。他们从充当资本主义参谋长的立约权威和思想库的专家们那里得知,工人受到这样的痛苦只能怪他们自己;置他们于死地的并不是战斗的猛烈火力,而是因为他们"落伍",满足于现状,疲沓懈怠;而这一切都是当前欧洲过时的社会模式造成的。

资本主义的突击部队有充分的理由向欧洲的证券市场挺进,因为他们知道,欧洲正在制造的一件并不很机密的秘密武器已接近完成,那就是欧洲单一货币欧元。法国、德国和意大利政府为达到货币联盟的标准,正在加紧对他们的福利国家进行改革。到了1997年底,很少还有人费尽心机地佯称发行欧元只不过是全欧范围内货币紧缩的一种手段,是货币主义者议事日程上的一项防御措施。到了10月22日,甚至美国的财政部长拉里·萨默斯也觉得向《金融时报》的读者亮明华盛顿的以下观点已经不会引起多大争议,因而也就不那么谨慎了:

> 政策制定者必须进行重大改革,他们已经不能再让EMU(经济与货币联盟)分散他们的注意力了。通过最近跨国界的合并和购并浪潮,我们已经看到欧洲的私有部门已经在对新形势作出反应了。各国政府应该统一思想以利改革付诸实施,并在此基础上完成真正的变革。

萨默斯先生笔下的"统一思想"当然只适用美国和欧洲的统治

精英。

1997年10月22日,马丁·沃克在《卫报》上写道:

> 意大利、法国和德国被迫实行紧缩性预算,对其传统的福利国家进行改造,以便在金融上取得实行欧元的资格。这反映了这些国家正在悄悄地接受某种形式的撒切尔主义。……德国和法国大量的失业和证券市场疯狂的火爆同时来到。通货膨胀看来已得到抑制,但大多数欧洲人的实际收入却处于停滞或下降状态,而公司利润和证券价格却高高上扬。

战地报道之三:来自太平洋地区战场

德国入侵苏联几天之后,约瑟夫·斯大林终于承认他的"盟友"阿道夫·希特勒确实已经入侵苏联了。1997年夏秋之交发生了相似的戏剧性情况。"亚洲虎"此时与国际资本主义之间发生了一场争吵。马来西亚总理马哈蒂尔在十多年时间里被推崇为东方撒切尔,可是由于黄金枪手拥资亿万的投机家乔治·索洛斯(只是部分原因),吉隆坡的证券市场跌入低谷,林吉特①崩溃,马哈蒂尔却大骂这个犹太人搞阴谋诡计。同样还是那批国际资本家,纷纷寻找出路,马来西亚的邻邦泰国首当其冲,成为第一个受害国家。这批国际资本家早就看到今日的太平洋地区已经在做明天的事,因而对这个生机勃勃的地区赞不绝口。泰国的破产太严重了,政府不得不向国际货币基金组织求救。印度尼西亚和菲律宾也遭到打

---

① 林吉特(ringgit),马来西亚货币单位。——译者

击。投机家们认定这些"小老虎"的经济管理虽然以往备受赞扬,其实却都是不负责任的经济过度膨胀。

这种扩散性的传染起初看来是可以控制的,其范围只限于几只新出现的"小老虎"(或称为"小龙")。离其他远东地区的经济还很远,这些经济指的是"小虎俱乐部"的创始者新加坡、香港、韩国和台湾。到了1997年10月底,这种幻想破灭了。韩国和新加坡在投机风潮冲击下经济停滞。10月25日前的一个星期,香港也发现自己处于风暴的中心。正当北京任命的首席长官董建华争取伦敦的投资者和实业家时,恒生指数出现了前所未有的暴跌。因为要维持港元对美元的联系汇率,利率居高不下。董建华先生宣布他愿意花掉香港数额达860亿美元的全部外汇储备。

但是危机远未得到抑制。到了11月底,韩国不得不含羞忍辱向国际货币基金组织贷款,据说数额达到1 000亿美元。该国麇集在银行周围的工业联合体一度被吹得天花乱坠,却原来是债台高筑。最严重的是,亚洲最早发展起来的最大的日本经济也是在濒临崩溃边缘的状态下度过了1997年。日本最大的四家经纪商之一山一证券公司(Yamaichi)宣告破产。评论家估计,日本银行中有一半都有严峻的清偿债务问题。政府不得不大大放松银根,发行大量货币,以防东京市场下滑失控。尽管西方对泰国发生的危机可以一耸肩膀,说一声爱莫能助,但是当多米诺骨牌效应已经威胁到日本头上时,警钟就响彻欧洲和美洲了。于是,政客和金融家就挥去30年代大萧条的历史灰尘,发现随着奥地利一家小银行的倒闭,大萧条又再次降临了。

无独有偶,伴随着毁灭金融的原子弹蘑菇云而来的是自然界大量致癌烟雾从印度尼西亚的文莱升起,迷漫了整个地区。尚处于刀耕火种阶段的原始资本主义失去了控制。印度尼西亚政府允许那些与之保持友好关系的土地所有者烧毁雨林,把火当成开垦耕地最经济的手段。完全可以预料,最近出现的干旱会带来什么后果。尽管如此,焚烧雨林却已持续了相当长的一段时间,文莱岛的大部分地区已经变成了一片火海。任何人都难以否认这是史无前例的最大的环境灾难,其长远后果超过了切尔诺贝利的核泄漏事件。医疗部门奋力抢救受到烟雾毒害而生命濒危的孩子,当局则发放口罩这种最简陋也方便使用的用具来抵御污浊空气的毒害。

对于这种并发的危机,西方的反应又如何呢?是不是要对资本实行控制,并实行严厉的环境标准呢?事实恰恰相反。9月份在香港举行的国际货币基金组织会议上,泰国的财政部长和中央银行行长被拿出来示众。他们在会上承认了他们在经济上所犯的罪行,并承诺,无论多么苛刻的一揽子计划,只要提出来,泰国都会在上面签字。同年10月,在石油和汽车工业进行了一番紧锣密鼓的游说之后,美国将温室气体排放量减少至1990年水平的计划延到2008年至2012年实施。当涉及最近有关自由贸易的建议时,美国就无法容忍此类推迟了。在自由贸易问题上,美国恰恰反其道而行之。开放金融服务的"新政",允许美国投资者不受任何约束地向全世界投资,成了华盛顿的头等大事。白宫遵照华尔街的旨意,要求全世界在12月12日午夜前解除对银行和金融服务的管制。12月11日夜11时,世界就按时遵命行事。下一步就是签订一个"多边投资协议",这个由多国签署的纲领性文件使泰国这样的国家更容易受到打击,何况这些国家在变幻莫测的国际资本主义面前本来就已经十分脆弱,无力保护自己了。

世界贸易组织这个机构就是要监督各民族国家以确保它们服从自由贸易的规则。一些较为贫困的国家要向一个多边组织承诺它们必须取消更多的对经济的控制,这不免使它们产生某种疑虑,在它们加入世贸组织有了一些经历之后,就产生了更多的疑虑。其中一例就是那些生产香蕉的英法过去在加勒比海地区的殖民地。这些国家享受向欧盟出口的优惠待遇。1997年一家在拉丁美洲拥有香蕉种植园的美国公司"契基塔"(Chiquita)做了一番策动之后,华盛顿在世贸组织中进行了一番斗争,迫使欧盟放弃其配额制度并取得了胜利。这样一来,加勒比地区的一些单一经济的香蕉生产国自然要受到损害。顺便提一句,就在美国政府在日内瓦向世贸组织提出这一提案后的第二天,契基塔公司就向民主党提供了50万美元。

如此说来,以下就是为停火提出的条件:任何事情,只要有损国际资本和大企业的利益,就会被认为不切实际而遭搁置,或干脆拒不考虑(例如有关控制资本的各种方案);任何事情,只要对金融利益有利,就毫不迟疑地采取行动。

一个人对于一场交锋持何种见解取决于这个人是否以旁观者的态度来看待它。我们认为会有一些人敦促社会民主党人不要错过这些和平条件,把它们看成是最有利的条件,甚至是仅有的条件。这些人全盘接受了右翼保卫自由市场的主张,他们相信,万一不幸产生了副作用,那么可以通过温和的立法,集中进行教育培训以及国际合作来加以扭转和消除。虽然他们一度将资本视为危害全世界的一匹狼,应当把它关进笼子里去,但是现在他们却把资本看作是一匹纯种种马,只要有一位合适的、有爱心的、能理解的驯马师,就可以把这匹马调教得驯良可爱。与右派唯一的不同处在于右派认为这匹马本来就十分驯良,并不需要中间派和中间偏左派的调教。取消对资本的控制,实行彻底自由的服务和货物交易,取消对劳动力和产品市场的管制,根本不是什么难题,而是解决难题的手段。只有那些对市场这只无形之手横加阻挠的人才会阻挠我们这个世界迈入一个做梦也想不到的繁荣时代。只要从这个观点出发,那么一切都会顺利发展。

本书却与此持对立的观点。我们并不否认70年代到90年代这20年间资本取得的胜利和巨大的商业价值,而且本书的前几章恰恰阐述了这一切是如何发生的。但是我们要理论的是,为了这个目的而创造的制度本身是失败的;这一制度使全球经济处于长期不稳定状态,使社会和环境濒临深渊。我们在后面还要表明,对于亲近商业利益的新左派为迎合国际资本主义而提出的种种建议,我们也是不欣赏的。我们认为,左派提出的种种方案只是一份引不起胃口的菜单。他们的方案只不过是把舶自海外的(克林顿的美国和欧盟的)妙方和两种采自国内的妙方(修改宪法和社会权力主义)加以调和折衷而已。我们认为,采用这种折衷的解决办法,不仅取得理想成效的机会很小,而且从传统意义上说,如果说他们还有一点左派的味道的话,这种味道也已经稀薄得可怜了。

我们反对这种世界新秩序有两重含义。第一,从操作上讲,它不可能顺利运作。第二,即便可以运作,从道义上也是应该反对的,因为自由放任主义从本质上说就是承担风险的不公平性,在发达的西方国家如此,在属于南方的穷国则更为尖锐,甚至是致命的。自由放任制度已经为普通百姓带来了一个不安全的时代。

我们的结论是,解决的办法只能是把狼重新关到笼子里,而且从此就不要把它放出来。

第一章

企业文化的兴衰

对电磁机①了若指掌而对圣经却一无所知,现在的孩子就是在这种文明中成长的。

乔治·奥威尔《狮子与独角兽》

按照三十多年前第一份政府关于图书馆服务的报告,图书馆在晚上和星期日都应该开放。这份报告的结论是,图书馆是人们娱乐世界的一部分,它们必须为人们在工作之余提供高技术参考书,同时也提供低档次的通俗读物,并按这个标准相互竞争。

《泰晤士报》,1997.2.20

"你们知道吗……我以为政府在扼杀小企业问题上,必须十分小心。""银行实际上并不是小企业呀。""我说,伯纳德,如果我们卡银行的脖子,那么银行就成为小企业了。"

摘自《遵命,部长先生》
(BBC 电视节目,1980~1982)

---

① 电磁机(magneto),一种电器设备,可以发出火花点燃内燃机。可泛指现代科技,也可理解为孩子们从小就知道如何发动汽车。——译者

景:在托基市①一家家庭经营的旅馆的一间客房里。时间已经是早晨了,但这间客房内仍半明半暗,因为窗帘是拉上的。一个男人身着睡衣坐在床上,脑袋一直低垂到前胸。此人显然已经死了。巴兹尔·福尔蒂端着早餐盘走进房间。

巴兹尔:汽车工人又罢工了。真太妙了。是不是?纳税人每年给他们千百万英镑,倒让他们可以罢工。这就叫社会主义!他们要是不爱造汽车,为什么不找个别的行当干干?比如设计天主教堂,或者创作一部小提琴协奏曲?就叫《英国莱兰②协奏曲》吧,四个乐章,都是慢节奏的。中间还有四个小时的喝茶休息时间。

16　　巴兹尔·福尔蒂是英国电视有史以来创造的最有趣的人物。他集中反映中产阶级在 70 年代的沮丧和不满情绪。70 年代是战后最重要的十年。由于巴兹尔这个角色是由约翰·克利斯扮演的,巴兹尔一时成为这个神经濒临崩溃的国家的象征。在这个国家里,似乎一切都不能正常运转,原有秩序受到形形色色的"垃圾和不三不四的人"(巴兹尔对那些够不上他的高标准的客人就是这样描述的)的威胁,而外部世界也是既可怕又充满敌意。《大人物福尔蒂》这部电视连续剧只编演了两部,每集播映半个小时,共 12 集,第一部是 1975 年播出的,那一年通货膨胀率高达 27%,达到战后的最高峰;第二部是在 1979 年初那个"怨声载道的冬季"播映的,实际上第二部的六集只播出了五集,第六集因为当时电视台的技术人员发生了一场有关工业的争论而停播。在巴兹尔看来,这件事无疑最典型地反映了"社会主义"的无序的新世界。

---

①　托基(Torquay),位于英国康沃尔半岛英吉利海峡沿岸的一座城市。——译者
②　莱兰(Leyland),英国 70 年代的一家国有汽车制造厂,后被法国的宝马汽车公司兼并。——译者

到了20世纪90年代,巴兹尔·福尔蒂仍可被视为深感苦恼的中产阶级典型。在美国的"公路上的愤怒"这个概念尚未传入英国前多年,这位脾气暴躁的旅店主就已经在路边折断一根树枝鞭打他那辆破旧的"奥斯汀1100"汽车了,原因是这辆老爷车在路上熄了火再也发动不起来。在70年代中期,中产阶级眼见他们的生活水平因通货膨胀而下降;工会会员为了"啤酒和面包"在唐宁街10号进进出出地游行,使他们的阶级优越感受到威胁;而他们的高雅和体面也遭到嬉皮士、蓬克以及大卫·鲍伊称之为不男不女的人们的冒犯。巴兹尔·福尔蒂就是这个阶级的代言人。巴兹尔表面也尽力想装出老于世故的模样,"我们饭店的住客分不清波尔多葡萄酒和干红葡萄酒。住客说波尔多就是干红。"但是他却一路跌跌撞撞,从一个灾难走向另一个灾难。在中产阶级眼里,在那些1975年创建全国自由联合会(National Association for Freedom)并坚信哈罗德·威尔逊是共产党的人眼里,福尔蒂大饭店就是70年代英国的缩影:在冲突中分崩离析,对消费者的需求漠然置之,产品工艺粗糙因而生产停滞不前。饶有趣味的是,唯一能够让饭店运转的人物是巴兹尔那位专横跋扈的妻子西尔比。就像70年代中期显赫一时的另一位女人[1]一样,她徐娘半老,碧眼金发,言辞锋利,市侩作风,而且绝对地冷酷无情。

---

[1] 这另一位女人似指撒切尔夫人。——译者

时代的标志：从玛丽安·费思富尔到"公路上的愤怒"

文化事关重大。这里讲的不是英国的文化史，也没有打算讲文化史。但是文化的变迁是经济和政治气候变化的重要先兆。自然，有的时候是政治变革引起文化的变化，但是相反的情况则更为常见。1973～1976年这三年标志着战后格局的终结：这是一个西方获得史无前例的发展、和平和稳定的时期。所有的西方国家，各社会阶层的生活水平飞速提高。但是取而代之的却是一个不安全的时代。这个时代产生于以下理念：工人们获得这一切太轻易了，享受的时间也太长了。只有人们认识到需要苦干，并改变以往30年形成的旧习，才能保证持久的繁荣，站在90年代后期来看问题，自由放任主义要反革命已是不可避免之势。不过在当时看却不见得是这样。保守党在五次大选中有四次遭到失败，其地位大大削弱，实际上已成为英格兰东南部的一个地区性政党；在美国，共和党因越南战败和水门事件而一蹶不振。如果新右翼的反革命只不过是要实行米尔顿·弗里德曼的经济学、弗里德里克·哈耶克的哲学[①]和玛格丽特·撒切尔的政治学，那么，战后凯恩斯这座宏伟大厦可能不至于倾覆。但是撒切尔和罗纳德·里根实际上是用文化

---

① 米尔顿·弗里德曼(Milton Friedman，1912年生)，英国自由放任主义经济学家，著有《资本主义与自由》，主张废除社会福利制度，代之以所得税制，只对低于法定收入者发放补助。1976年获诺贝尔经济学奖。弗里德里克·哈耶克(Friedrich von Heyek) 1899年生于奥地利，1938年入英籍，观点保守，对凯恩斯的福利国家持批判态度，认为政府对自由市场的控制和干预只能作为防止经济失调采取的措施。1974年获诺贝尔经济学奖。——译者

变化的砂砾来磨损它,并利用中产阶级的恐惧和蓝领工人阶级的希冀在他们之间取得了一致意见。虽然对战后体制的致命打击来自1973年阿以战争引起的经济危机,但是人们居住地发生的变化,他们对于如何度过闲暇时光和如何看待自己发生的变化,也是对集体主义的一种慢性侵蚀,而这种集体主义曾在贝弗里奇[①]和甲壳虫乐队时代将西方团结在一起。

我们要争论的一点是,90年代可能被证明同70年代同样重要,不过这次文化变迁之风是从另一个地方吹来的。现有制度似乎再次面临瓦解,不过人们发现他们需要的是右的模式。过去,巴兹尔·福尔蒂只是鞭打他的破旧汽车,以这种温和的方式图个痛快,但是现在却是开汽车的人被逼离开公路被人用刀捅死;过去,犯罪似乎只限于犯罪团伙,而现在却是人人生活在恐惧之中,因为随时都有精神变态者、连续作案的杀手和无家可归的流浪者在威胁着他们;过去,西方道德沦丧的缩影仅仅是玛丽安·费思富尔嗜巧克力如命,而现在却因沉湎海洛因而失去劳动能力;过去,判断"大政府"未能尽责保护环境只是看有多少树篱消失,而现在小政府的生态悲剧却是雨林的消失和全球气温上升。

总之,自70年代中期以来,拥护自由放任主义和支持大企业兴起的力量结成的联盟现在看来同当年凯恩斯的社会民主主义一样脆弱,不堪一击。80年代,撒切尔主义似乎来势汹汹,有着横扫一切的力量,赢得了知识分子、私有部门的资产阶级和大批工党蓝领阶级长期的支持。但是到了90年代,这部力大无穷的机器,零

[①] 贝弗里奇疑指英国经济学家威廉·亨利·贝弗里奇(William Henry Beveridge),他于二战期间,应英政府之邀,为英国战后制定福利国家的蓝图。——译者

件散落,最后只剩下了一个铁锈斑斑的驱壳,前途一片渺茫。

这种文化上的转移产生的政治后果是左派在政治上取得了令人瞩目的胜利。这不仅发生在英国,同样也发生在法国、加拿大和美国。下一个世纪的头几十年内可能会出现一个左翼称霸的时期,把西方从社会、经济和灾难的边缘挽救过来。布莱尔和克林顿在讲话中不时提到什么"年轻的国家"和"新国家",说明他们已经意识到20世纪90年代存在着文化上的反潮流思潮,但是他们的本能不会有多大的变化。他们使用的还是大企业的语言,谈论的是全球化和货币主义,追求的是建立一种单一的、无所不包的全球政治,以此来适应单一化的全球文化。

不幸,这是一种误导,使左派终生只有一次的机会有丧失的危险。主张自由市场的右派在战后的30年中并非一直都在为凯恩斯主义的出现铺平道路。从1944年哈耶克撰写《通向奴役的道路》到30年后创立政策研究中心,右派一直在与集体主义作斗争。这是顺应着文化潜移默化的变迁而不是反其道而行,其结果是,当凯恩斯主义在70年代搁浅之后,右派已经稳稳地居于领先地位,可以充分加以利用了。

我们打算花一点时间来考察自由市场右派兴起的文化根源,正如我们即将看到的那样,体育、娱乐、技术和人口流动等方面发生的变化已经预示着右派上升的趋势了。对于左派来说,了解右派如何和如何能够在过去20年中使其基本政策宣言得以推行是十分重要的,除非左派觉得拥有一点虚有其名的权力就心满意足了。

创造紧张:"巨无霸"与历史的终结

在市场的兴起中,左派的教训是,文化不仅重要而且在根本性的对抗中一直起着作用。摇滚乐的能量有两个来源:一是黑人音乐的节奏与布鲁斯音乐和白人的浅唱低吟两种不同音乐传统的冲突和融合,二是摇滚乐能让青少年立即叛逆他们父母的形式。最优秀的喜剧也是以竞争为基础的:《莫克姆与怀斯》(*Morecambe and Wise*)中滑稽演员同他的搭档间的竞争,又如《有出息的小伙怎么了?》(*Whatever Happened to the Likely Lads?*)中工人阶级和中产阶级的竞争。文化上的斗争是永远不会止息的,也不会有什么预先确定的或注定的结局。在这场斗争中,麦当劳快餐、迪斯尼乐园和可口可乐不可避免地主宰了我们的生活,全球化和跨国公司的扩展无疑已经形成了一种以单一文化为基础的模式,但是,同战后格局一样,它也存在着内在固有的不稳定性,甚至有过之而无不及,它的存在靠的是不平等,以及对失业和环境问题采取漠然的态度。正如在70年代初,右派向依靠大量公共开支维持充分就业的传统观念彻底投降,实际上意味着推行凯恩斯主义。因此,弗朗西斯·福山(Francis Fukuyama)在他的著作中宣告的"历史的终结"和新右派政策带来的不安全引发的文化上的强烈反应恰恰不谋而合。这一点连右派自己也是承认的。理查德·科克特著有一本论述自由放任主义思想库的著作,这本书得出的结论是,以反对自由主义为目标的反巨大变革还刚刚开始,离"历史的终结"还遥远得很。[1] 本章的其余部分将试图说明文化紧张状态的某些方面是如何促成了当代世界的政治学和经济学的成形。例如地区和全球之间显然存在着对抗,而全球又介入了另一场环境保护主义和物质主义之间的斗争,在个人与集体之间的斗争中则是一种互为消长的关系,就像自由与控制、怀旧和现代主义、工人和资本家以及消费者和生产之间的斗争。不过在今后的年代里,文化冲突的重点(这种对立会影响到其他方面)将是对"家庭"的渴望与商业的专制独裁之间的斗争。左派在这场斗争中不可能左右逢源,脚踩两条船,尽管左派给人的印象是他们可以做到这一点。至于左派最终应该倒向哪一边,我们没有丝毫疑问;不幸的是他们将倒向哪一边,我们也是十分肯定的。

恋家情结:文化归根

哪怕只是随意看一眼蹒跚学步的儿童在玩捉迷藏游戏,我们也会发现"家庭"这个概念在我们的文化中占有何等重要的地位。小孩子奔回家中就是为寻找一个安全的所在。孩子们在成长过程中就有这种本能。无论是在"宜家"(Ikea)购买组装式家具的年轻夫妇,还是不愿进养老院的老人,对于他们,家庭都意味着安全和独立自主。关于人需要一个家,奈·比万为我们提供了一个最有力的论点:"反社会主义者断言,人们愿意在经济活动中进行冒险。这一断言就宣告了反社会主义者根本不讲科学性。你可以把家庭当作进行冒险活动的根据地,但是把这个根据地本身也变成一种冒险活动,那就十分荒谬了。"[2]

上面这段话提出了两大要素。第一个,也是最为明显的要素是提到了"家",在这里,"家"的含义包括有职业,有稳定的收入,有过得去的居住条件,而且还享有保健和福利待遇。这是战后体制的支柱之一;要不惜任何代价让人们过安全的生活,并把这一点作为制定政策的压倒一切的目标。第二个要素则较为不明显,这就是比万所说的"冒险"。他并不主张培养一种压抑而冷淡的社会人格(这与斯堪的纳维亚式的社会民主国家有关,虽然这样并不公平),以此作为获得安全的交换条件。安全的"家庭"应该成为一个站台,个人可以从这里出发去进行生活中的伟大冒险行动。这种冒险行动应该是一生中过去岁月的点滴片断,但无需为贫困、饥饿或领取失业救济而心怀恐惧。本书的书名即从此处引用而来,涵盖了一个目标,那就是"不要生活在恐惧中"。60年代开始前八年,比万曾鼓吹一种新的社会和文化理念:冒险而无风险。家庭和冒险的结合为战后体制提供了文化基础。40年代末,它是"从摇篮到坟墓"的福利国家产生的根源,它也是一代人追求更高的生活水平和更充分的自我表现的指路明灯。对于加入工会的工人阶级来说,"家庭"这个概念是个人安全的保障,对于新近获得解放的知识中产阶级而言,冒险却激励他们去探索新的生活方式。尽管没有明说出来,但是工人阶级和知识中产阶级之间已经达成了某种协议。

1945年后的30年中,这种家庭与冒险的结合不仅在英国而且在整个西方世界都证明是有成效的。在50年代即将过去时,英国的当政者逐渐察觉到,其他国家如法国、德国和美国比英国更为成功,而且日本也开始快速地赶上来了。这种相对衰落的感觉在60年代使保守党和工党两党政府忧心忡忡,到了70年代则转而成为一种恐惧,生怕英国不仅要居于中游,而且还可能落入后进行列。尽管如此,同此前和此后的任何时期相比,1945~1973年这段时间还可称为名副其实的黄金时期。大萧条时期,失业率高达

22%，此时则维持在大大低于50万人的水平，只是到了60年代末才开始略有上升。通货膨胀随着经济的停滞－发展周期时起时落，虽然由于战后体制不胜重负而难以支撑，通货膨胀率呈明显上升趋势，但是仍可维持在0－4%之间。经济平均增长率为3%，劳动生产率与此大体持平，1950～1960年，投资增长率保持在6%上下，1968～1973年间下降为2%，后来在70年代的其他年份，实际上已经停滞了。在40年代和50年代初期，人们对大萧条和第二次世界大战时期的匮乏记忆犹新，他们当时重视家庭确实不足为怪。从50年代中期往后，人们却对压抑和顺从产生了一种反动，这种反动在艾森豪威尔当政的美国和艾登执政的英国盛极一时。到了60年代，等式中"冒险"这一部分显然变得更加突出了。在社会政策上，国家更加开明了。美国通过了有关公民权利和"大社会"的立法，英国则废除了死刑。堕胎和同性恋合法化，放松了新闻检查，离婚也较为容易了。总之，政府对大企业越来越严厉，对人民则温和多了。但是这还是有限度的，并不像当前的右翼神话所说的"干什么都行"。1967年6月25日那个"爱的夏日"，因甲壳虫乐队队员身穿奇装异服、高唱"你需要的只是爱"的形象第一次通过全球卫星转播在全世界亮相而达到了极至。四天后，"滚石"乐队的两名成员米克·贾格尔和基思·理查兹因持有毒品被投入监狱。当时的《泰晤士报》编辑从教皇的"谁用车轮压死了一只蝴蝶"得到启发，撰写了一篇社论，抨击对他们的刑罚过重，但是在公众中并没有表现出支持里斯·莫格先生（现在已被授予爵士封号）的任何倾向。一般都认为甲壳虫乐队，尤其是约翰·伦农"在嘴上长毛"以后，变得有些怪异了。当这支乐队的经理布莱恩·爱泼斯坦承认伦农服用了迷幻药之后，公众愤怒之强烈致使下院对此事进行了讨论,然后由铁杆自由派洛伊·詹金斯任大臣的内务部发表了一个声明,声称一位重要公众人物居然不可思议地服用迷幻药,实在令内务部感到"震惊"。同年,有关当局对私营广播电台也采取了强制性措施。1967年8月,在托尼·本的努力下,通过了马林广播(违法)法,这一事态发展反映了公众对于摩尔人谋杀案、克雷斯和理查森两个犯罪团伙之间的火并以及哈利·罗伯茨谋杀三名警察被判处无期徒刑的憎恶。三案罪犯目前均在服刑中。

经过磋商后约定,政府管就业和福利,个人私生活则由个人自行安排,条件是不能过分。英国人向来具有克制和宽容的美德。战后形成的秩序要维持下去,这两种价值观念是必不可少的。一旦人们越过了界线,就像60年代和70年代之交所表现的那样,那么战后建立的秩序就必亡无疑了。

积极进取的主动性:
自由经济和强大的国家

在十年内,"家庭与冒险"文化已被"商业文化"所取代,而政府的作用也已经颠倒了过来。商业文化谈论的都是自由经济、管理权回归管理者、甩掉"国家干预"这只"死手"的恶劣影响、让人们充分发挥聪明才智、逼退集体主义,等等;但是商业文化使用的武器却又是秩序、纪律和控制。管理上兴起"反革命"之风,其基本哲学就是福利国家已把全民族娇惯得既脆弱又懈怠,尤其是劳动大军不经工会同意就可以随意举行罢工,或者躲在工厂的一个角落里聚众玩纸牌而不做他们领取了丰厚报酬应该做的本职工作。英国经济持续处于可悲状态(与它的竞争对手相比较而言),工会权力膨胀以及随之而来的官僚主义和缺乏文化素养,引起了强烈的不满。这一切都意味着商业文化在80年代和90年代能够扫尽障碍,取而代之。这种哲学是维多利亚时代价值观回潮的一个组成部分,其核心是确立一种新的规范。"家庭与冒险"这一观念实在是太不缜密,弹性也太大了。"给予"得太多,只要不过分,谁都可以得到。凯恩斯时代的口号就是伙伴加宽容,即使参与者都想置对方于死地也仍然是伙伴,而且要宽容以待。商业文化则与之形成鲜明对照,它不讲情面,公事公办,一切都要在严厉的行为规范内行事,为既定的效益目标服务并接受严格的监督。公司甚至政府部门,都有特定的职责书,按此来确定自己的职能。员工都要经过培训、再培训,使他们具有"正确的"思维方式。人们说的都是"精简"和"重建",业绩只有一条判断标准,就是"利润"。任何组织机构都不能置身于变革之外。国民保健署也开始讨论"病床周转率",意思就是只要说得过去,就尽早把病人送出医院(有时甚至还要提前出院);英国广播公司也按照管理顾问们的意图"殖民地化"了,打破了里思系统[①],分解为自主的一个个"利润中心"。一位重要的教士在威尔士公主戴安娜亡故大约一个月之后发表讲话说,"寻求教会给予精神帮助的人数众多,教会因经费不足无力应付。假如不是经费匮乏到只够买五个面包和两条鱼的话,上帝本来是可以养活全加利利[②]的人口而不仅仅养活5 000人的。"

---

① 里思系统(Reithian Structure),里思(John Charles Reith, 1889~1971),英国现代型公有而独立的企业创建人。1922~1938年曾任BBC总经理及董事长。1946~1950年任联邦电信委员会主席期间,整顿了英联邦的有线和无线电信系统,称为里思系统。——译者

② 加利利(Galilee),位于巴勒斯坦地区北部,现属以色列。说上帝可以养活那里的人是因为基督教起源于该地区。——译者

学术界也难逃商业伦理的侵袭。大学教授不得不花费时间去巴结公司赞助人,以期能弥补学校的亏空,或者利用科学、历史、文学等领域里耸人听闻的"新发现"在新闻媒体上提高自己的形象。汤姆·斯托帕德在家庭与冒险联姻走向末日时是一位坚定的批评者,到了90代年初他将火力转向了新秩序。在他创作的剧本《阿卡迪亚》(Arcladia)中,一位英国教授别出心裁,荒唐地证明拜伦曾在乡间小屋边进行的决斗中杀死了他的对手。[3]这位教授对自己的对手那种必先调查研究、充分获取证据的老式治学方式嗤之以鼻,对自己的方法自鸣得意,认为他即将在学术界同行和公众中一鸣惊人。他自我吹嘘地说,他的论文"将是平淡无奇,非常朴实,绝不值得为此自鸣得意。但是你眼红了吧。不要吃不着葡萄就说葡萄酸,你这个蠢材。"这位媒体上的明星教授要求赶紧订货,以免买不到书后悔莫及。他的对手警告他说:"伯纳德,你真是狂妄自大、贪心不足,又不顾后果。"事实证明她是正确的,不过在她说这番话之前,他的那番自白在"早餐时间"的节目中播放出去了,他的那些异想天开的理论也推销出去了。

商业文化同这位教授一样,也是狂妄、贪婪而且不顾后果的。说它狂妄是因为它容不得任何反对意见,再说只有一个模式,而且工人们必须受训直到他们心领神会,因而也没有反对意见;说它贪婪是因为它把一切传统的行事方式都吞到肚子里去了。比如说,它就看不出为什么教育本身就应该是一种目的,在它看来,教育只不过是一种功能性的手段,目的则是为企业提供充分的、驯服温顺的劳动力;说它不顾后果是因为商业文化最终还是看不到自身的矛盾,具体说,就是看不到作为消费者的个人和作为生产者的个人之间有什么差别:作为消费者的个人有着无限的选择余地,而且自信他(她)永远是正确的,而作为生产者的个人却不得不屈从于越来越严格的控制。在90年代,一家典型的企业总要让其职工担心工会可能被解散,劳动市场会开放,自己则有着被开除的危险;对于所有其他企业的职工,这家企业却希望他们花钱,直到他们无钱可花,然后再利用取消金融管制,让他们无所顾忌地借钱花。那么,毫无疑问,这十年中产生了一种激进的不安全的文化,处于这种文化之中,个人实在不敢肯定那些印刷精美的杂志建议父母应多和孩子在一起,结果会不会导致老板对这些父母没有好感;在这种文化中,世界上"一切都是为了钱",于是这个世界也变得没有灵魂、空洞和冷酷无情了。

啊,多么可爱的一场战争呀:
40年代和如日中天的集体主义

20世纪90年代中期到末期,文化动荡的政治后果已十分明显。在这段时间内,人们已经逐渐地转向信奉各种形式的有效控制了。在一个令人不安的时代,人们希望生活中没有恐惧。本书在探讨他们能否获得一只援助之手前,还需要考察一下战后文化推动力是如何发生变化的。

克莱门特·艾德礼曾告诉我们哪些是我们能够做到的。英国集体主义全盛时期正是在艾德礼主事下来到的,尽管大家并不这样看。集体主义兴盛于战时——当时艾德礼任副首相,留下来负责国内事务,而丘吉尔则忙于处理军事战略问题——并不是如通常认为的那样,兴盛于1945年7月工党在大选中获胜后执政的六年半时间里。1940年英国面临遭到侵略的危险,需要动员全国人民准备进行全面战争,这就让艾德礼、多尔顿、比万和莫里森可以放开手脚推行英国从未有过的最纯正的社会主义。对战争至关重要的工业被置于国家的控制之下。由比万任大臣的劳工部成为工业生产的火车头。劳工部将工厂转为军用,实行中央计划体制,并管理劳动力。财政部采纳了凯恩斯的主张,包括凯恩斯本人也为财政部所用。在1940~1945年的财政部,战前有关收支平衡的预算和自由放任主义的看法就像慕尼黑的绥靖主义一样占据着主导地位。财政大臣的作用大大削弱了。从1939年9月到1945年7月这段时间里,究竟谁在掌管这个要害部门,现在没有几个人还记得他们的名字。而研究这一时期的编年史学家几乎都能详尽地举证,说明那时的英国具有一种全民团结、为共同利益作出牺牲和全体公民公平分配的精神。集体主义如日中天的时期出现于1940年6月从敦克尔克撤退①和1942年11月贝弗里奇报告②出台的这段时间里。但是从那时起直到战争结束,其实是到1946年,还找不到多少根据说明其间曾发生过明显的"退潮"现象。这个时期的文化既反映了意志的力量,同时也反映了英国拒绝回到20世纪30年代的状况和不安全状态。人们意识到,英国的文化从根本上说是一种"听命文化",曾经受到统治精英的支持,但是英国在伊林公司(Ealing film)拍摄的影片《日子过得好吗?》(*Went the Day Well?*)中却表现得十分坚强。在这部电影里,一个英国的小村庄被伪装成英国步兵的德国伞兵占领。起初,轻信的村民都被善于

---

① 敦克尔克撤退,指二战期间的1940年五、六月间被德军围困的英国远征军和其他盟军从法国北部诺尔省的敦克尔克港口撤退到英国。——译者
② 贝弗里奇报告(*Beveridge Report*),指经济学家贝弗里奇为英国战后复兴而设计的福利国家向英政府提出的报告(见第27页译者注)。——译者

欺骗的德国人蒙蔽了,但他们逐渐意识到他们受了骗,不仅如此,他们还发现人人都向他求助的乡绅原来是与敌人勾结的第五纵队队员。尽管他们似乎已陷入绝境,村民们却团结一致,每个人,甚至包括偷猎动物者,都在抗德活动中发挥着自己应有的作用。这部电影具有鲜明的阶级教育意义。正是这个社会下层阶级的偷猎者确保了警报的发出,而那个乡绅在影片的高潮中则因其叛国被他的女友用枪击毙。

战争结束时,英国人希望看到1940~1945年间取得的进步能够巩固下来。他们希望贝弗里奇报告能够付诸实施,他们想得到家庭和工作,希望看到高度增长能够安全地控制在国家手中,不要去冒私有制死灰复燃的风险。正如J.B.普里斯特利1945年写的那部小说《穿三套衣服的男人》(*Men in Three Suits*)中一名退伍士兵所说的:

> 我们不想让战前同一批人来管我们的事。我们要像已经长了见识似地行事,……我们不想违背我们在国难当头时说过的话。我们不再设法去赚那种轻易到手的钱。我们要诚实地为社会工作,获取社会认为我们应该得到的报酬。我们再也不懒惰、愚蠢和麻木不仁了。……我们要的是计划,不要胡乱猜想、胡抢乱夺。我们要的是合作而不是竞争。[4]

艾德礼在1945年之所以强大有力是因为全英国几千万人都有着普里斯特利的梦想。保守党人已经被逼退到乡村里海边的最后阵地。工党第一次在诺福克郡、温彻斯特和圣奥尔本斯这类天主教城镇赢得了七个席位中的六席。人们要求有一个新的开始。

首先要确保不再发生1918年后的背叛,那次背叛终于导致1926年的大罢工。他们还要求为从战场上回来的军人创造较好的前景,提供更多的希望。不过,工党也有自己的难处,特别是战争已经使英国陷于破产的境地。全国1/4的财富耗费已尽,因为战争时期只生产机枪、坦克和飞机,英国出口商品已无影无踪,在海外则是债台高筑。庆祝胜利日的彩饰还没有摘下来,凯恩斯已经受派遣带着英王陛下政府的讨饭碗赶往华盛顿。这位伟大的经济学家把即将就任的政府形容为面临财政上的敦克尔克,经过谈判,终于从美国人那里借贷了37.5亿美元来帮助英国避免一场财政赤字危机。(不过,美国官员还是把一些苛刻的条件强加于英国,其中主要的条件是英镑可以自由兑换,这是因为美国官员不相信社会主义和共产主义有什么差别。)

还有一个次要问题使工党每一位唐宁街10号的主人烦恼不已:不同阶级利益的联合使工党在下院占有146席的多数地位,那么如何使这种联合维持下去呢? 在战时,各中产阶级可能愿意放弃自身的物质享受,现在战争结束了,他们是否还愿意作出自我牺牲就没有把握了。于是,这就成了贯穿40年代至50年代初艾德礼执政时期的紧张关系。本来已经发生了经济危机,而1947年的冬天异乎寻常的寒冷,燃料匮乏更使经济危机雪上加霜。这意味着和平时期还要实行定量供应,而且是比德国潜艇追击盟军护航舰时更要严厉的定量供应。定量供应损害了集体主义者美妙动听的歌喉,因为那时的商店里几乎没有什么消费品可供购买。1951年时,在英国只有10%的人可以拥有一台电视机,所以那时就成了舞厅、酒馆、电影院以及足球板球这种可供欣赏的体育娱乐项目的黄金岁月。1949年伊林电影公司的喜剧影片风行一时,每周电影院里的观众达到 300 万,剧院和体育场两周内的观众数量超过了工业降到最低点的 80 年代初的全年数量。足球观众也达到了历年以来的最高峰;在法定节假日,约克郡和兰开夏郡两支板球队要举行一两场"玫瑰花比赛",观众蜂拥前往观看莱恩·赫顿开球,黑丁利和老特拉福特球场外客满牌高挂,这种热闹景象,让今天去看郡级板球锦标赛的老球迷看到也一定会目瞪口呆。他们怎么也想象不出 1947 年伦敦写字楼的工作人员下班后匆匆奔赴洛兹球场,为的就是一睹丹尼斯·康普顿在球场奇迹迭出的风采。

纳维尔·卡达斯写道:

> 1947 年,夏日的阳光普照当时正在医治战争创伤的英国大地。就在这年天堂般的夏天,我走向洛兹板球场,看见一群群面色苍白、靠定量供应过日子的人,其中大多数人的耳际还响着火箭弹的爆炸声,看见这一大群疲惫不堪、衣着邋遢过时的人在观赏康普顿,看着他精神抖擞,一会儿把球送到这里,一会儿把球送到那里,每一击都是一种愉悦,一种幸福,一种健康生活的动力。这时,多少年的焦虑和痛苦带来的压力都从他们心底、从他们的肩膀飞走了。[5]

在卡达斯的文章中,紧张关系的种种迹象都变得十分鲜活。工党建立的联盟中工人阶级这一社会成分是有依赖性的,他们仍然忠诚地信奉公平分配这一理念,对于增加保健、教育和养老金开支深感慰藉。这些费用一般都不用他们自己支付。但是中产阶级对于消费品单调,缺乏选择余地,政府又以清教徒式的热忱对此严加控制——尽管这对复兴经济都是必要的——却越来越坐不住了。

工人阶级完全有理由保持忠诚,因为工党政府对工人阶级也是忠诚的。当休·多尔顿后来回忆他在战后艾德礼政府中的经历时,他是这样写的:

> 就这样,我们每个人都走上了自己的战斗岗位。我去的是财政部,到那里去迎接各种最为严峻的挑战,广阔的机遇,沉重的负担和艰难的选择。在整个过程中,支撑我的力量是同志般的情谊,是我们在伟大的议会中的多数。而且我们都知道,在我们内部,而且由于有了我们这些人,我们周围的许多情况已经发生了变化。
>
> 起来吧,英国!漫长的黑夜已过去,我们注视着晨曦中的东方,看见黎明已经出现。[6]

50年后,托尼·布莱尔同样以压倒多数组成新一届政府时,他重复使用了"艰难的选择",指的是削减对单身母亲的补贴照顾,学生必须缴学费,以及其他不可思议的事。但是对于多尔顿、克里普斯和艾德礼来说,指的则是一些全然不同的事。当时,"艰难的选择"指的是,尽管英国在海外承担着规模庞大的义务,也要保证福利开支,如有必要,就向那些担负得起的人增加税收。在1945年,政治词汇里是找不到豪言壮语的,如果艾德礼要使用响亮的词汇,他不会用"艰难的选择",他会选用"公平分配"这个词。

英国战后第一任财政大臣多尔顿1945年明确宣布了他的工作重点:"我们一生中曾两次在战时消灭了失业。现在我们必须在和平时期做到这一点。我将尽力挖掘一切必要的资源用于合理的建设项目。"作为财政大臣,多尔顿作出的第一个决定是将英格兰银行国有化。据他的传记作者称,这位新任财政大臣在他接受任命后的第一个星期一对他的秘书说,"我们要把这家银行国有化。我们不知道怎么做这件事,但是我们一定要这样做。物色一个合适的人来制定方案吧。"[7]

29 具有讽刺意味的是,戈登·布朗1997年5月到财政部任职时所作的第一个决定也与英格兰银行有关,不过布朗先生是决定把确定利率的管理权交还给这家银行。他倒并不需要物色一个"合适的人"来制定什么方案,因为他的高级顾问早就为他准备妥当了。

1997年,英格兰银行就像其他中央银行所做的那样,采取了提高利率的行动。多尔顿则与之相反实行低利率政策。当时的钱是便宜的。从1945年到1951年,基本利率一直维持在2%,始终未变(其实从1931年起,除了1939年9月战争爆发时利率有过短期提高外,一直都保持在2%)。这不仅有助于恢复经济,而且也有利于财富再分配并为建设福利国家提供廉价的资金。一位为艾德礼政府撰写编年史的历史学家肯尼思·摩根注意到,在多尔顿的"廉价资金"时代,预算政策中体现了很强的社会成分,包括发放家庭补贴,提供国家援助并为此筹款,放宽住房建设的限制,为公房①住户提供巨额房租补贴。他还注意到,"财政部拨出巨额款项 提供给食品生产者和供应商,以此作为食物补贴的手段,目的是减轻较贫困人口的生活负担,这样就减轻了因发放工资带来

---

① 公房(council house),由市、郡统建并提供的公寓,售价或租金低廉,因为国家提供大量的补贴。——译者

通货膨胀的压力。实际上食物补贴显然具有财富再分配的性质。"[8]

多尔顿的继任者斯塔福德·克里普斯领导下的财政部同样以这种哲学作为指导思想。克里普斯当权时期,管制是很严厉的,但这是建立在公平的基础上的。当时继续实行食物补贴,财政大臣竭尽所能使社会服务不受削减开支的约束。国民保健署的预算自1948年启动以来,严重超支,但大部分都予以补足。为了达到财政收支平衡,克里普斯没有受后来布朗许诺不提高向富有者征收的所得税的约束,在他制定的1948年预算中决定向富有者强制征收一次性资本税。鉴于1945年产生的政府面临各种难题(有些是政府自己造成的),这届政府的政绩确实令人瞩目。到了1951年10月,这届政府任期已满时失业率控制在1.8%;在大萧条时期,东北部地区的失业率曾高达38%,而40年代末期,该地区的失业率仅为3%。此外,美国的贷款让英国得到喘息的机会,1949年货币贬值也为英国带来了好处,加上这一时期美国的强劲发展,这些都有助于英国扭转亏空的局面,至少在出兵干预朝鲜战争的1950年情况还是好的。摩根在他的著作中引用1949年《经济研究》中的话,认为在此之前的几年中,"英国经济生活的每个方面都取得了长足的进步"。他说,这是第一次大战以来经济状况最好的一年,这一年的出口比1947年上升了25%,和1938年相比,则提高了150%,1948年,工业生产增长了12%。

工党在社会方面取得的成就也绝不亚于经济成就。"各种指数,如卫生部门医学官员提供的统计数字,或者学校的医务官员或牙医提供的统计数字,都说明人民的健康水平和体魄强健水平在1945~1951年期间都得到了稳定的改善,婴儿的存活率继续提高,期望过长期幸福退休生活的老人的寿命也稳定地延长了。"[9]

为战后的恢复和巩固付出的代价是严格的定量供应,1945年以后,在某些方面甚至比战时更加严格。但是工党还是获得了坚定而稳固的支持。1945年工党赢得了393个议席,而在此后的六年半时间里举行的补缺选举中,工党仍能保持其下院的所有议席。定量供应是当时伊林公司摄制的电影最典型的核心主题:《去皮姆利科的护照》(*Passport to Pimlico*)于1947年盛夏开拍,1949年发行,讲的是一次意想不到的炸弹爆炸发现了一份中世纪签订的条约一直没有废除,所以皮姆利科的米拉蒙特广场还属于(法国的)勃艮第的一部分,因其为外国领土,那里可以不受任何限制和控制。定量供应本可以扯碎丢弃,酒馆可以继续通宵营业,在女子服装店里可以定购最好的法国时装,那里的一位谨小慎微的银行经理现在可以通知他的总行他要按自己的方式来经营这家分行。接踵而来的是一派莺歌燕舞的气氛,米拉蒙特广场陶醉在它的盛誉和自由之中。此后就开始出毛病了。伦敦以坑蒙拐骗为生的痞子们都来到皮姆利科,当地诚实守法的公民觉得他们的社会正在走向无政府状态。当地的警察无权干预,因皮姆利科从法律上已经是外国了。这些从伦敦涌来的骗子最终还是被驱赶了出去,不过那已经是白厅在边界上设了铁丝网、对边界实行强制性控制之后的事了。正如查尔斯·巴尔在他那本影响很大的专论伊林电影公司的著作中所言:"勃艮第人从此时起进行了一场外交战:他们恢复了战时伦敦的精神,那就是乐观、地方自治和团结"。[10]在影片的结尾,达成了一项非常英国式的妥协,并举行了一次露天宴会来欢庆皮姆利科回归英国,餐桌上放着新发的定量供应本,同餐具放在一起。

右翼的典型见解是,《去皮姆利科的护照》这部电影表现的是一个民族拼命要从小官僚的统治下解放出来,用撒切尔夫人的话说,就是要摆脱"控制之风"。其实这部电影的内涵要复杂得多,其中含有对霸道的官僚统治深刻的疑虑和某些物质享受的正当欲求,而物质享受只能与和平同步而来。但是,这部电影要表达的最重要的意思是,社会只有在人们团结一致而不是各行其是时才能有效地运转,这层含义在布莱尔成为工党领袖后曾在许多场合反复强调过。

不同的是,米拉蒙特广场没有来得及实行自由放任主义,大批从外部涌入的商贩威胁着这个社会原有生活方式的秩序和安全。这些情况必须迅速而坚决地加以处理。"商业文化"对那里的人民来说是令人厌恶的,值得注意的是,米拉蒙特广场只有一个人用现代商业的口气说话,此人就是酒馆老板加兰,他宣称"无人不为己",就是这个人不愿为了摆脱折磨而忍受牺牲,最后越过边界外逃了。

托尼·布莱尔一直在讲要让每所学校的教学与国际互联网联网,由此可见,布莱尔心目中的英国有一点像米拉蒙特广场,虽然不像新勃艮第那样拒自由放任主义于门外。人们会从社会的团结一致中汲取力量,在他们的心目中既有自己也有他人。他们谦逊有礼、宽容体贴。这种观点是没有错的。坦率地说,在一个社会里,人们都靠电子计算机维系在一起,从而部分地体验一下集体主义运动倒也是可取的。不过,《去皮姆利科的护照》最终还只是"虚晃一枪",这就是布莱尔主义,尽管这种逃避有着各种理由。伊林电影公司显然是感觉到了战后的大趋势;这家公司为集体主义精神在个人主义和消费者的要求面前退却而感到遗憾,但伊林公司还是试图佯称，找回英国在遭受德国空袭时表现出来的精神也许是一种解决办法。其实这种情况根本不可能发生。在制作《去皮姆利科的护照》这部影片后不到十年，伊林公司也已不复存在了。布莱尔想给人们造成这样的印象，似乎政府在企业的帮助下，将自由放任主义模式的缺点稍加修正，那么一切都会好起来。

托尼·布莱尔并非第一位思考文化变迁会产生什么社会后果的工党领袖。艾德礼显然意识到，企图维护战时的正统观念是没有前途的。克里斯普式的紧缩政策的背后无疑也有精神上的热忱作为支柱；正如摩根在《执政的工党》一书中所揭示的，除了刑事犯罪和民事过失之外，还曾试图提出一个"社会犯罪"的概念。当休·盖茨克尔要求公民遵守汽油定量供应的规定时就这样做过，他说逃避法律的管束是"对社会的破坏"，因而是"不道德的"。但是在采取这种严厉的态度的同时却又放松控制，目的是防止过去的保守党人转而又向党表示忠诚。这一政策得到伦敦的议员赫伯特·莫里森的坚决拥护，因为他心里十分清楚，工党对近郊的控制本来就相当薄弱，面临着失去近郊的危险。他敦促放宽定量供应，停止国有化进程，放弃有关阶级战争的夸张言论，这种言论具有代表性的是比万在评论保守党人时声称他们是"禽兽不如"。莫里森的分析在伊林公司的电影和当今的工党领导层中均有所反映，认为英国人（至少是大多数英国人）是规矩而正直的，他们信奉通情达理，矢志不渝地争取公平，对于那些热衷于调查人们的不轨行为的官员，他们一般是不信任的。英国文化主张改良而不主张革命，天生就反对极权主义统治，无论是左的还是右的。这些特点在奥威尔的《狮子与独角兽》(*The Lion and Unicorn*)中表达得十分清楚。但是在1940年代末,改良就是改良,没有别的意思。布莱尔的改良却有着完全不同含义:凡是大企业反对改的就一律不改。

伊林公司摄制的电影中刻画英国人特点的最重要作品就是《蓝灯》(The Blue Lamp)①。同该厂其他影片如《去皮姆利科的护照》、《拉文德山的暴民》(The Lavender Hill Mob)、《威士忌酒海》(Whisky Galore)、《令女人倾心的男子》(The Ladykillers)一样,《蓝灯》的故事也是发生在一个特定的地点,这次是帕建顿的街道上。故事围绕着一名年轻的警察展开。这名年轻的警察来到一个派出所工作,同一名巡佐(乔治·狄克逊)住在一起,这名巡佐的儿子在战争中丧生。他们的辖区秩序良好而安定,当地的警察作为社区的一分子,既起惩罚作用,也起着牧师的作用②。所以当狄克逊遭歹徒枪杀时,人们就同心协力追查凶犯。最后这名凶犯在赛狗场落网(赌博在50年代也是工人花费他们多余收入的一种方式)。赛狗场上接受赌注的人用别人看不懂的手语来跟踪这名凶犯在赛场上的行动,最后被离开赛场的人扭送警察局。正如巴尔所说,《蓝灯》这部影片讲述的实际上是一种家庭归属感。这名年轻警察被一个家庭所接受,同时在派出所又有一个职业上的家庭。影片中着重描绘的是一种掷镖队③和唱诗班里培养起来的团结精神。最后就是"国家即家庭"的理念,"在这个大家庭里可能存在着

---

① 警车的警灯是蓝色,此片讲的是警察的故事,故名。——译者
② 牧师的作用,这里指警察与牧师一样对公众起着心灵上的指导作用。——译者
③ 掷镖队(darts team),英国酒店中常设有掷镖游戏,投掷者可组成一队进行集体比赛。掷镖队和唱诗班均需团队精神。——译者

紧张关系和吵闹争执,但其成员有着共同的行为准则和忠诚精神,在发生危机时,警察就可以公众对他们的敬重和与之合作的愿望进行工作。"

《蓝灯》中的掷镖队和社区唱诗班无疑引起了理查德·霍加特的兴趣。他在1957年写出了一本有关大众文化的经典之作《识文断字的功能》(*The Uses of Liferacy*)。霍加特的观点是,工人阶级因受大众文化的影响而变得粗俗了,这种文化主要是(其实全部都是)从美国进口的。例如其中有一章一开头就有一段关于"喜爱投币自动点唱机的小伙子"的议论:"自动点唱机这种东西已成为必备品,越来越多,固然给人以新奇感却毫无变化,这种东西完全可能使消费者越来越没有能力对生活作出反应,由于它只提供有限的选择,可能使人对生存产生某种无目的感。"这些自动点唱机设在"奶吧"①里,其作用就是一种廉价低俗的时髦装饰,一种炫耀和招摇。霍加特总结说,"即使同街上哪儿都有的酒馆相比,这种生活方式只能是一种孱弱而苍白的消亡,在罐头牛奶的气味中精神的枯竭和腐坏。"[11]

霍加特的这段话突出地说明了几点:第一,文化正在成为批量生产的东西,由上而下地强加于人而不是植根于人的心中。第二,存在着强大的反美情绪;霍加特在其他论著中对于青年模仿"美国式的懒散",在自动点唱机里放美国唱片,"在很大程度上生活在一个神话世界,其中含有他们心目中的美国成分",持严厉的批评态度。第三,青少年有获得解放的感觉;尽管《蓝灯》中的青年还愿意

---

① 奶吧(milk-bar)指出售非酒精饮料的商店或柜台,主要出售奶制品。西方国家,包括英国,禁止一定年龄以下的青少年饮用含酒精饮料。奶吧为年轻人常光顾的地方。——译者

以他们的长者为榜样,但是到了50年代中期,他们就自行其是了。1954年,一部由马龙·白兰度主演的影片《狂野的人》(The Wild One),因为其中有青少年反叛性动乱的场面,起初在英国是禁映的,尽管在今天看来已经算是相当温和的了。但是其中有一个场面似乎归纳了霍加特的观点,即50年代的青年人正处于混乱和失控状态。一位迷惑不解的成年人问白兰度饰演的强尼:"强尼,你们到底反对什么呀?"白兰度带着轻蔑的讥笑答道:"你们的一切,这还要问吗?"第四,对于战时和战后最初几年中热忱的道德观念被享乐主义所取代,有一种清教徒式的反感。最后,尽管霍加特多么有先见之明,他对这种现象的看法还是过于夸张了。50年代的英国还是有秩序的,在很大程度上还是一种顺从文化,只要大略地看一看影视媒体反映的现象就可以清楚地看到这一点。一些电视媒体,当时对政治家还是尊重的,在今天看来已有诌媚之嫌。在采访中记者是这样提问的:"艾德礼先生,你还有什么要说的吗?"艾德礼:"没有了"。采访者:"谢谢"。这种情况可能与电视在战后早期还只是中产阶级的专利有关。1953年的加冕典礼和两年后出现的商业频道与英国广播公司的频道间的竞争对于新型媒体的出现起了巨大的推动作用。到了1963年,当麦克米伦政府的艰辛努力受到"一周回顾"节目①的嘲讽时,英国只有10%的家庭没有电视机了。

普遍的看法是,20世纪50年代是稳定的十年,也许算得上是西方、尤其是英国战后仅有过的稳定的十年。这一时期无疑是日

---

① "一周回顾"节目(That Was the Week That Was),电视台的时事评论节目,对上周的各种事件加以评论,往往是讽刺性的,用语尖刻,收视率颇高。——译者

趋繁荣的年代;1945年后需要重建国家,艰苦年代被抑制的需求得到释放,这些因素保证了充分就业、不断上升的利润和较高的生活水平。哈罗德·麦克米伦在1953年的最后一天宣布,保守党已经取得了工党从未有过的成就:在一年内就建造了30万所房子。另外,这年的预算第一次在战后没有增加新的税项,而原有的税项也没有提高税率。相反,财政大臣"拉布"(Rab)·巴特勒还减少了6便士所得税,消费税也全面减少25%。

这十年中,丘吉尔任首相的前5年,征服了埃佛勒斯特峰[①],斯坦利·马修斯赢得布莱克普尔(台球赛)奖杯,戈登·理查兹终于在德比马赛中胜出,英国-澳大利亚板球赛中,英国又捧回了锦标,英国再度沉醉于新的伊丽莎白时代,已经觉得英国取得长足的进步。直到50年代末,这个时代的弱点才浮现出来,这个时期的一些苦恼和被压抑的愤懑情绪至此才释放了出来。回头来看,这十年对于英国来说是被浪费的十年。在这十年中,英国在世界贸易中的份额减少了一半,原来在汽车出口中名列榜首的地位让给了德国,盲目的夜郎自大导致了苏伊士运河的政治灾难,工业上则走进了核能和"闪电计划"(Blue Steak)的死胡同。德国这时已将其经济重点再度放在汽车、照相机、洗衣机和立体声音响设备的生产和出口上(这些都是普通百姓可能想购买的产品),而英国却在设想通过政府渠道出售气冷核反应堆和军事硬件以及制造最为大而无当的协和式超音速运输机。

50年代的电影,从初期的《穿白衣服的男人》(*Man in the White Suit*)到末期的《杰克,我没事》(*I'm all Right Jack*)描述了

---

① 埃佛勒斯特峰(Everest),我国称珠穆朗玛峰。——译者

英国工业在适应已变化的情况方面是多么缓慢。汽车制造技术已存在半个多世纪了，可是直到 50 年代末才看到它突飞猛进。在 20 世纪初，亨利·福特已经在美国批量生产汽车，1941 年威廉·莫里斯访美后将这一技术引入英国。但是大萧条和战争延缓了个人拥有汽车量的增长，到了 1950 年还有 40% 的美国人没有自己的汽车。但是这种被压抑的需求一旦被释放出来，个人拥有汽车的数量就迅猛增长，反过来促进了美国州际公路和英国公路网的建设。汽车在交通中跃居主导地位不仅加速了铁路末日的来临——在英国摄制的电影《蒂特费尔德的晴空霹雳》(*The Titfield Thunderbolt*)中有所表现——同时也刺激了市郊的开发和家庭的分散。家庭小型化，并迁居远离市中心的郊区，反过来又刺激了人们对从电视机到冰箱一系列家用电器的需求。这些可爱的物件在 50 年代电影的许多市郊场景中都摄入了镜头，斯潘塞·特雷西和伊丽莎白·泰勒主演的《新娘的父亲》(*Father of the Bride*)就是一例。

英国在这一次工业革命中名列前茅。战争结束后不久，斯塔福德就曾告诉英国萌芽状态的汽车工业，当时迫切需要生产一种"价格低廉、坚固耐用又美观大方的汽车"，50% 的产品可用于出口。这时又出现了一些听上去耳熟的借口拒绝采纳这一建议，说这种汽车太小，对美国市场不合适，从长远看缺乏取得成功的潜力。这种大众甲壳虫汽车后来成为一直畅销的五种汽车之一。英国汽车工业根本没有伸出双手抓住这个天赐良机，它所作的唯一反应是询问能不能拆掉沃尔夫伯格汽车厂的机器，来阻止德国恢复其汽车制造业。

这就是《穿白衣服的男人》这部影片讥讽过的英国产业界的心

态。在电影中,那些老板担心青年科学家(亚历克·吉尼斯)发明的永不磨损型布料会导致需求量和利润下降。董事会和担心就业受影响的劳工在破坏这一项上目标是一致的,其结果是这个项目并不如原来设想的那样取得突破性的成功。博尔廷兄弟电影公司(Boulting Brothers)拍摄的《杰克,我没事》也同样揭示了管理层和工会之间类似的默契,尽管这种默契关系是通过对抗和阶级斗争的语言来表达的。一方面是毫无幽默感的马克思主义的工会领导人弗雷德·凯特(彼得·赛特的表演极为出色)总是号召无产阶级借一些鸡毛蒜皮的口实走出去举行鲁莽的罢工,另一方面则是名声不佳的前陆军少校(特里-托马斯)忠于职守,坚持要工人(他把工人们称为"十足的群氓")乖乖地不断作出妥协。夹在中间的是老板那个不切实际的侄子(伊恩·卡迈克尔),他试图提高效益和劳动生产率,但双方都把他看成一种威胁。凯特这个人物的原型是电影业里一个工会官员,实际上他还同博尔廷兄弟公司交过手。这个人物被描绘成英国典型的心胸狭窄的小官僚,描写细致到了身上那件不合身的上装口袋里插着钢笔和一撮希特勒式的小胡须。但是,凯特既是一个可笑的人物,却也是一个威胁。英国工人阶级从来没有长时间地支持苏联,用凯特的话说,那里就是一片庄稼地和一个午前就跳芭蕾舞的国家。但是美国的诱惑力却难以抗拒。凯特那位放荡的女儿(莉兹·弗雷泽)永远也弄不明白他的父亲为什么那么偏执地热衷于政治,她就知道花掉她的工资享受人生。

叛逆的呐喊:爆炸性的20世纪50年代

在青年人解放问题上,英国远远落后于美国。50年代中期,美国1650万青少年购买了40%的收音机、唱片和照相机,一半以上的电影院门票和10%的汽车。青少年走出家门,而他们的父母却坐在家里看电视。美国很快就出现了自己的少年英雄,他们猛烈地冲击着沉闷呆板的市郊生活,冲击着以父母、学校乃至整个制度为代表的权威。白兰度是第一个叛逆偶像,继他之后又出现了詹姆斯·迪安、蒙哥马利·克利夫特和埃尔维斯·普雷斯利。当美国已经诞生了摇滚乐时,英国能拿出来的够得上最佳上品的"反主角"①也只是吉米·波特,其实此人只是一个典型的保守派人物。"我不得不说,生活在美国时代是相当乏味的。当然啰,除非你是个美国人。也许我们的后辈都会变成美国人,这倒是个问题,是不是?"这是波特在《愤怒回眸》(*Look Back in Anger*)一书中说的一番话。对于其他的"愤怒青年",②这种批评大体也适用,比如艾米斯、韦恩、沃特豪斯,他们的作品有意识地拒绝现代主义而赞成狭隘的地方主义,他们笔下的人物面对50年代烦人的生活,只有一个解决办法,那就是避世的幻想。不过,《愤怒回眸》这本书仍可称经典之作,因为它被认为代表了激进青年的声音。其实完全不是这样。吉米是一名脱离实际的哲学家,一个嘴上叼着烟斗的厌世者。他把爵士乐视为异端,他也可能随着支持核裁军运动的人向阿姆斯特丹进军,但是在投票间里却暗中投了麦克米伦的票。此外他还提出一个观点,认为60年代是一个野心勃勃的唯我主义的时代,而自我中心就是其特征。要说到怨天尤人的自我怜悯和霸

---

① 反主角(anti-hero)原为文艺创作中的一种倾向,作品中的主人不按传统的主角特征来塑造,不具有传统主角应备的要素。——译者
② 愤怒青年(angry young men),尤指青年知识分子,他们不满现实的道德、社会和政治制度,通过作品号召大众起来反抗,进行改革。——译者

道的利己主义,难道还有比吉米·波特更为极端的典型吗?其实,《愤怒回眸》的次要内容比书中的主要人物更加意味深长。比如,吉米那位长期遭罪的妻子艾莉森,她就感到她生活在米德兰那所狭小的公寓里就像被关在笼子里,和家人断绝了联系,她只能靠通信和家人联络。其中含义十分明确:家庭已不像《蓝灯》里那样昌盛,家庭已经变得支离破碎,无法发挥其正常的功能。妇女如今对她们拥有省时省力的家庭用具产生了厌倦,她们失去了自由,正如贝蒂·弗雷丹下面的这段文字中所表达的:

> 在美国妇女心中,这个问题已被埋藏了多年没有说出来。到了20世纪中期,美国却出现了一种奇特的躁动,一种不满足感,一种女性的渴望。每个居住在市郊的妻子都在孤军奋战,在这种环境中挣扎。她铺床叠被,为家里采购杂品,寻找适合做家具套的布料,开车送孩子上学,晚上则躺在丈夫身边。这时她甚至不敢悄悄地问自己一个无声的问题:难道这就是生活的全部吗?[12]

于是又出现一个复杂的问题,这个问题将弄皱覆盖在整个50年那块平整的安全之毯。相对而言,英国的经济状况不如其他西方国家,这一阴暗的事实在一系列鸿篇巨制中都有所反映,如迈克尔·香克斯的《停滞的社会》即为其中之一。一个实行规模生产和保护消费者权益的时代正在走向一种具有更强烈的个人主义的文化。这种文化逐渐摆脱家庭和社会的禁锢而发展起来。青少年享有更大的经济自由。对于自上而下强加于他们的限制,如午夜前必须回家、必须服两年兵役、对他们看什么读什么进行检查,他们极为愤慨。战时曾鼓励妇女们出来工作为战争出力,现在又回到了家庭,看看栏目名称含义颇深的《同妈妈一起看》的电视节目,等候一家之主回家来喝下午茶。正如一位撰写这一时期编年史的历史学家所表达的:"1960年前后,在英国干净漂亮的文化表层下面,被掩盖的是郁积的大众,他们对性一无所知,充满偏见,精神十分压抑。从19世纪以来,这种状况只是稍有改善。英国因心理上的紧张而僵化,这个紧张或迟或早总有一天要爆炸的。"[13]

走进千变万化的万花筒:
20世纪60年代

确实是爆炸了,不过不是在1960年而是在1963年。60年代从这一年起才算真正开始了。2月,哈罗德·威尔逊当选为工党领袖;3月,托马斯·比钦这位主管交通运输的首脑手持板斧砍掉了上百条铁路支线,对铁路网络进行了大改组;4月,马丁·路德·金在美国亚拉巴马州伯明翰市举行的公民权利大进军中被捕;5月,蒂莫西·利里因在他的学生身上进行迷幻药试验被哈佛大学开除;6月,国防大臣杰克·普罗富莫在他与克里斯廷·基勒的关系上迟迟不承认他在下院说了谎话而辞职;7月,甲壳虫乐队录制了《她爱你》;8月,在"铁路抢劫大案"中250万英镑在格拉斯哥的夜班邮车上被盗(尽管后来还有更大的抢劫案,这宗抢劫案仍然是二战后最有名的大案);9月,丹宁报告为普罗富莫的丑闻强烈抨击麦克米伦政府;10月,麦克米伦突然辞职并神秘地被亚历克·道格拉斯·霍姆所取代,霍姆为出任首相而不得不放弃他的贵族爵位。同时哈罗德·威尔逊承诺,未来的英国将在白热化的技术革命中重新加以铸造;11月,也就是约翰·肯尼迪在美国得克萨斯州的达拉斯遇刺的那个月,甲壳虫乐队在皇家御前演出中亮相,演出中,约翰·伦农取笑王太后和玛格丽特公主说:"请后面便宜座位上的朋友用手鼓掌,其余的摇动你们的珠宝首饰就可以了。"

在电影方面,1963年是劳工阶级吃香的一年:林赛·安德森[①]的《超级男性》(*The Sporting Life*),托尼·理查森[②]的《孤独的长跑者》(*The Loneliness of a Long Distance Runner*),约翰·施莱辛格[③]的《说谎者比利》(*Billy Liar*)都发行上映了。在电视上放映的是《各就各位、预备、跑》(*Ready, Steady, Go*)的第一集和《无名医生》(*Doctor Who*);在时装界,设计师皮尔·卡丹宣称"服装是一种抗议形式"。

60年代初期,50年代那个静止不变的世界分崩离析。提出挑战的主要是年轻人,其中也包括逐渐富裕起来的工人阶级和郁郁不得志的中产阶级。这一挑战由于当权者自我的麻烦而更加尖锐了,这里指的不仅是普罗富莫事件反映出来的道德败坏,另外还有关于《查特莱夫人的情人》是否属于淫秽小说的审判,在法庭上,控方律师提出了一个令陪审团茫然不知所措的问题:"你愿意让你的妻子和佣人读这样一本书吗?"还有贵族出身的保守党首相兴高采

[①] 林赛·安德森(Lindsay Anderson,1923~),英国作家、评论家、导演。首次提出"自由电影"概念。1963年导演了第一部电影即《超级男性》(*The Sporting Life*),描写一位矿工成了出色的橄榄球员,但在情场失败。此片获国际影评人奖。——译者

[②] 托尼·理查森(Tony Richardson,1928~)英国戏剧、电影导演,1956年导演前文提到的《愤怒回眸》,被认为是"愤怒青年"的代表作。1962年又摄制《孤独的长跑者》,是他以城市工人为题材的作品之一。——译者

[③] 约翰·施莱辛格(John Schlesinger,1926~),英国戏剧、电影导演。《说谎的比利》为其作品之一。1973年任伦敦国家剧院院长。——译者

烈地承认他的经济学是以火柴棍的用途为依据的。不言而喻,有人会担忧,60年代上述各种力量联合起来获得了自由会导致道德败坏,对这种颇具讽刺意味的繁荣持否定态度的是玛丽·怀特豪斯和全国观众和听众协会(National Viewers and Listeners Association)。但是,不知怎的,所有这一切都凑到了一起。60年代出现了战后最好的时刻。英国的流行音乐的爆炸是艺术院校和街道文化相结合的硕果,也是新与旧之间关系缓和的表现。正如伊恩·麦克唐纳所言:

> 如果一个人不幸在1966~1967年间不是一个14-30岁年龄段的人,那么他就永远无法体会到这个时期那种激动人心的大众文化。一种阳光灿烂的乐观主义渗透到每件事物之中,各种可能性似乎都有无限的空间。甲壳虫乐队高居英国的音乐、诗歌、时装、电影等各种艺术领域之上,达到了颠峰状态。人们心怀敬畏仰视着它,把它视为积极的新时代的仲裁者。在这一时期内,寿终正寝的老一代习俗将通过没有阶级的青年一代的创造力得到革新和再造。[14]

这一切都是千真万确的。但是甲壳虫乐队的青春活力和天才,在很大程度上靠的是乔治·马丁制作精品电影乐曲选的技巧,这种作品集表现了乐队成员的天才。马丁在战时曾服役于舰艇空军部队,电影《狂人》(Goons)的制片人,坚定的反毒品者。他是50年代的典型人物,是甲壳虫乐队传奇式的奠基人。此人发明了一种技巧,将以不同音调录制的《永久的草莓园》通过二次录音拼接在一起,完成的作品只有训练有素的听众才能清楚地听出连结的部分。甲壳虫乐队一直保持着自己的传统,甚至在后期迁入萨里郡股票经纪人地带模拟的都铎式宅邸或圣约翰·任德的时髦别墅之后也没有放弃他们自己以往的传统。唱片 A 面同时录制的两首乐曲《草莓园》和《彭尼巷》完全可以被视为同一种心理幻觉,都以他们童年居住的利物浦为背景。彭尼巷是一条普普通通的市郊街道,而草莓园则是一所阴暗的维多利亚式的孤儿院。

甲壳虫乐队象征着"家庭加冒险"心态的顶峰。他们的歌曲既表现了探索和激情,同时也反映了恋旧情结和寻求归宿的愿望。对于每一个"买票上车的人",他们有《她离家远行》;对于每一个"白天出门在外的人",他们有《埃莉诺·里格比》(*Eleanor Rigby*)。甲壳虫乐队、60 年代和英国在 1966 年同时达到了顶峰。那年的《泰晤士报》不无赞美地写下了"伦敦的转变",在评论舞台上的时髦人物时,中心话题是特格威和玛丽·匡特,英格兰拿下了世界杯,工党巩固了手中的权力,大选的胜利使工党在议会中席位从仅占 4 席的多数上升为 97 席。但是就在这胜利的时刻,毁灭的种子却已经播下了。甲壳虫乐队对巡回演出已感厌倦,观众也因他们音量低到听不见的现场音乐会之粗糙而开始产生反感,因此,除了 1969 年 1 月在萨维尔·罗(Savile Row)举行了一次简短的屋顶音乐会之外,他们又回到工作室去了,从此再也没有举行过公演。①当时甲壳虫乐队决定停止公演被认为是职业自杀行为。但是,就音乐界其他许多领域来说,甲壳虫的决定却是变化的先兆。60 年

---

① 甲壳虫四人乐队于 1956 年组成,1960 年以甲壳虫为名在利物浦公演,1966 年停止公演,乐手又回到工作室(或录音棚),以后仅以录制的乐曲问世,这些乐曲显然只是工作室作品,无法在舞台上公演。因此,1966 年应被视为甲壳虫走下坡路的开始。——译者

代末期,摇滚乐和流行乐在各地大型露天音乐会(蒙特雷、伍德斯托克、海德公园和怀特岛)上表现了集体主义精神。从此,越来越多的乐队步甲壳虫乐队的后尘,纷纷退进工作室,花费更多的时间来使其声音更加完美。1969年12月,在加利福尼亚的阿尔塔蒙特举行的滚石乐队音乐会上,一位歌迷被"地狱天使"谋害,这件事反映了四个月前在伍德斯托克表现出来的乐观主义情绪之短暂真如昙花一现。

幻灭感一旦产生,就在战后联盟的各主要成分间弥漫开来。1966年7月,威尔逊为防止英镑贬值,徒劳地强制实施财政紧缩措施;1967年11月,经过长时间的迟疑不决,政府终于承认英镑只能下调到一个更为实际的水平,随后即采取银根紧缩政策,这样一来,1966年以前因实际工资不断提高而娇惯坏了的工人阶级开始离心离德了。正如大卫·马昆德在他的著作《缺乏道德标准的社会》中指出的。问题出在凯恩斯主义只是一种经济理论,其弱点是缺乏政治根基。这一点到了70年代就变得十分明显了。其实在60年代末威尔逊政府号召为大众利益要束紧裤腰带时已经可以看得出来了。凯恩斯主义的另一个缺点是把工人阶级说成是英国经济困难的根源,他们必须加倍努力地工作,少举行一些罢工。

失业率呈缓缓上升的趋势,从1955年的1.4%上升到1960年的2.2%,1964年是2.6%,到了1968年已升到3.7%。

在战后繁荣期的最后五年,即1968～1973年,英国在西方工业七国集团中创造了通货膨胀的最高记录,并同美国一起成为增长率最低的国家,如果1967年11月没有让英镑贬值,增长本来还会更加缓慢,但是,正如1949年那样,英镑低值虽然为英国带来了好处,但是也付出了代价。尽管对罗伯特·马克斯韦尔的"支持英国"运动①的批评成堆,出口额却确实迅猛上升,但是消费却萎缩了。工人阶级已经不像20年前那样心甘情愿地忍受贫困生活,在中产阶级的各种成分中也是怨声载道。布莱尔应吸取的历史教训是中产阶级在政治上是缺乏责任感的。让他们享有安全和富裕的生活,他们就会抱怨开展什么消费者权益保护运动;强制实施放慢经济增长速度的政策,他们又会对提高税收和反企业的政治文化抱怨多多。当然也有一切都顺利的时候。例如,英国和澳大利亚之间进行的第五场也是最后一场板球赛,那一天下了一场倾盆大雨,在椭圆形球场上,无论是买高价票的观众还是买便宜票的观众,都齐心协力花了三个小时把外场的水吸干,为的是让英国队投球手德里克·安德伍德有机会把比分拉平。这是当权者和老百姓齐心协力最完美的一例。但是,当这十年一年年地过去,人们的情绪又逐渐地阴沉起来,各种反对力量又恢复了一些在普罗富莫事件中失去的信心。在60年代中期,甲壳虫乐队队员成为不可接触者②,连他们蓄留的长发也成为攻击的目标,他们吸毒,政治上激进,都在公众中曝光。至于伦农有个日本情妇,也冒犯了当时的民族主义情绪。苹果公司③是甲壳虫乐队试图实行的嬉皮士式资本

---

① "支持英国"运动("Back Britain" campaign),主张削减进口,劝说国人尽可能购买英国产品,提高对本国产品的需求的运动。提倡者马克斯韦尔(Robert Maxwell)是英国大出版商,后转入报界,拥有《每日镜报》等报纸。90年代因企业陷入困境,负债累累,终于自杀身亡。——译者

② 不可接触者(untouchable),原为印度社会种姓制度中地位最低的阶层,这里似指甲壳虫乐队在当时已遭唾弃。——译者

③ 苹果公司(Apple),甲壳虫乐队自己开办的唱片公司,经营甲壳虫乐队的乐曲录制、出版发行和销售。一般流行乐音乐人都依赖各唱片公司录制并销售其作品,但甲壳虫乐队却违背传统,自己经营;另外,他们思想激进,认为企业应造福社会,不计利润,即所谓"嬉皮士式的资本主义"。——译者

主义的样板,但它也是一场十足的灾难;就像 20 年代《去皮姆利科的护照》中表现的那样,伦敦(以及伦敦以外的地方)所有唯利是图的小贩和剽窃成性的艺术家都出现在萨维尔区,想在那里轻松地捞一把,不过这次他们却被准许把"苹果"摘个精光。流行文化虽然雄心勃勃却自不量力;它既不能开办跨国公司,也不能实现更多的政治目标,如争取大麻合法化,由工人控制工业或结束越南战争。此外它惟一留给人们的就是合法地追求激进的个人主义。麦克唐纳说:"60 年代的社会是依靠一些正在衰败的信念维持着的社会,同时,依靠求得眼前满足的愿望维系在一起的人群和个人也在迅速地分化。这十年就是处于这两者之间的过渡时期。"[15]麦克唐纳的这番话还是正确的。说得明白一点,如果没有 60 年代,就不会有撒切尔和里根,也不会出现 80 年代的反革命思潮。80 年代的大部分主题,如自我表现、自由、技术进步的"必然趋势"、有组织的宗教的衰落和种种异教的兴起乃至马歇尔·麦克卢汉和 60 年代大多数人支持的电子媒体向传统印刷提出的挑战,这一切都在悄悄地孕育成长。一方面战后体制的种种表现形式在消退,一方面一种新的右翼联盟正在形成。上文提到的,大众流行文化和左派都未能达到它们的政治目标,并非仅仅是错过了时机,尽管在 1968 年春看起来似乎是这样。那一年,那些设法要把资本主义拉下马的人并不真正了解政治上的当权者对他们的活动有多么的恼怒。实际上英国和美国的(如果法国不算在内的话)政治当权者面对左翼政党的威胁时,是试图建立起某种阶级联盟的。威尔逊和约翰逊也确实干了一些右派的肮脏勾当:镇压和平示威,提议通过法律手段抑制工会,对毒品采取强硬措施,取消了穆哈默德·阿里的重量级拳击世界冠军称号,以此警告黑人,如果他们逃避兵役会有什么后果。回头来看,1968年之所以重要并不仅仅是因为巴黎发生了暴乱,也不是洛杉矶沃茨区的动乱,甚至也不是因为民主党在芝加哥举行代表大会时,戴利市长手下那些嗜血的警察镇压骚乱打伤了数百人之多,而是因为理查德·尼克松当选总统,码头工人穿过伦敦市示威支持伊诺克·鲍威尔①,工党在地方政府选举中遭到巨大损失,在巴黎暴乱一个月后举行的法国议会选举中,戴高乐取得了压倒多数的胜利,最后但绝非不重要的一点是红军的坦克隆隆压过布拉格的街道,镇压了杜布切克的反共主义。

先锋文化很快就失去了对未来的信心,而这时一大群老牌资产阶级却在探索某种途径来保全他们的生活方式,以免被摇旗呐喊、吸毒成瘾的青年学生扫地出门。这里有阶级之间的妒嫉,同时也有一种感到劳工阶级变得不知天高地厚了的感觉。在论及甲壳虫、滚石和其他摇滚贵族经常光顾的心爱场所"任意俱乐部"(Adlib Club)时,乔治·梅利写道:"这主要与年龄有关,那些攻击这个俱乐部的人在很多情况下是出于对年轻人的妒羡,这些年轻人中有许多出身于工人阶级,他们既有财力也有平稳的心态来享受生活。"[16]

60年代末,夜总会对于流行音乐界的百万富翁们来说已经过时了。他们毫无生气地生活在他们的地主式宅邸里,不知道他们是不是还要革命,其中伦农的情况尤为典型。欧洲知识阶层中那些不太富有的人也叛离而去,为的是要拿起新近时兴起来的新马

---

① 伊诺克·鲍威尔(John Enock Powell)(1912~),英国保守党议员,以种族主义观闻名,曾任卫生大臣并与希思争夺领导权。1968年他第一次提出英国的种族问题并就此发表演说,认为民族法允许移民进入并取得公民权将引发血腥的民族战争。——译者

克思主义对战后体制进行一场持久战。从知识阶层中分裂出去的这一派发展到极端,必然导致70年代初对资产阶级发动的暴力攻击。这些团体在英国是"愤怒派"(Angry Brigade),在美国叫"气象员"(Weathermen),在西德则是巴德-迈因霍夫帮(Baader Meinhof gang)。①

艾伦·西利托在《星期六夜晚和星期日早晨》中曾对60年代初期各劳工阶级的心态作了概括。十年中,没有任何迹象表明其主角亚瑟·西顿有多少变化。他还是想过好日子,有更多的钱,至于国家,则可以抛到一边。他没有想过要派人去坚守阵地,他认为那样做人还不如去洗个澡,理理发。正如70年代甲壳虫解体后不久伦农接受《滚石》杂志采访时所说:"许多人蓄留了长发,除此之外,他们没有任何变化。"

其实伦农错了。有些事已经发生了变化,其中尤为重要的是妇女的地位。服务行业的发展提供了更多的就业机会,女性口服避孕药的出现和妇女对平淡无味的家庭生活的反动,为女权主义奠定了基础。70年代初,年轻妇女更可能是在翻阅《全球》杂志,而不是心不在焉地看"同妈妈一起看"电视节目。

20世纪60年代也出现了技术飞跃。50年代末美国对苏联的外空计划疑神疑鬼,致使美国国家航天航空署花费了上百亿美元,结果是尼尔·阿姆斯特朗于1969年第一个登上了月球。英国的玛丽勒本板球俱乐部1962～1963年最后一次乘船前往澳大利亚进行比赛。这十年中我们还看到了人造卫星的诞生,出现了巨型喷

---

① 巴德和迈因霍夫是西德一个帮派两个头头的名字。与"愤怒派"和"气象员"一样,他们以各种暴力手段包括劫持飞机、绑架资本家来反对资本主义,在西方被认为是极端主义分子或恐怖主义组织。——译者

气式飞机和超音速协和式客机,电话的普及以及电子计算机时代的开始。这些技术发展中有些是军事技术的衍生物,但是其他的进步,例如从收看电唱两用机发展到主体音响系统的飞速进步,则都是在消费者的需求和个人偏好的推动下取得的进步。过去,国防工业公司不断亏损的标志,如德卡(Decca)和EMI这类辅助性企业,现在却都是当之无愧的摇钱树。个人的偏好不仅表现在商业大街上,而且还体现在政治中。一旦对主流左派失去了信心,单一问题的利益集团,如要求种族和性别平等、同性恋的权利、环境保护这类的集团就明显地发展起来了。

对当权者进行温和讽刺的电视节目"一周回顾"已被尖刻的滑稽戏《巨蟒蒙蒂》(Monty Pyrhon)和其他生活方式解放运动所替代。《Oz》、《国际时报》和其他正在冒出来的地下出版物正是各种生活方式解放运动的源头。

20世纪70年代:灰色的新世界

《巨蟒蒙蒂》和《Oz》仅仅是少数人喜欢的口味,那么70年代初期的文化潮流是什么? 首先,新来临的十年实际上是60年代的延续,就像一根香烟的烟蒂,只不过更加放肆,更加玩世不恭。第二,流行音乐把自己看得过于了不起了,其实,流行音乐只不过是青春期少女冲着奥斯蒙德兄弟或大卫·卡西迪发出的尖叫,或者是工人阶级大老粗紧追斯莱德而已。音乐人现在都成了摇滚明星,无休无止地出现在音乐会(现在已改称为特约演唱会)上,唱片里(成套的,绝不是单张的)或者所谓的"严肃"音乐报纸的偶像专访中,他们最后总要说一通大话,显得十分可笑,只不过当时似乎没有人这样认为就是了。

电视作为这个时代的传播媒体,已经没有其他媒体可与之匹敌了。这时又开始出现怀旧情结。60年代末,《福尔赛世家》[①]被制成电视剧,讲的是大英帝国在苏伊士运河以东地区的不断扩张而不是为其承担责任;《楼上楼下》(*Upstairs Downstairs*)是一部具有时代特征的作品,摄制的年代恰恰是高个人所得税和家居用品扼杀了家庭服务行业的时期。当代英国现实题材的作品在70年代是不容易找到的;最好的作品也许就算约翰·勒卡里的《补锅匠·裁缝·士兵·间谍》(*Tinker Tailor Soldier Spy*)了。这部作品是1974年出版的,但开始创作却是一两年前的事。这部小说讲的是军情六处追查一名为俄国工作的内奸,当时人们对国家的发展方向存在着深切的幻灭感,在此背景下,这部小说的主题是再合适不过了。勒卡里捕捉到那种腐朽、厌世和衰败的情绪,使这部惊险小说成为战后英国最生动的写照。这名已没有利用价值的间谍吉姆·普里多向韦斯特康垂一所败落的私立预科学校的学生炫耀他那辆心爱的阿尔维斯汽车时说:"这是英国曾经生产过的最好的汽车了。这种汽车已经不再生产了,这都是搞社会主义的结果。"间谍头子乔治·斯迈利和他的助手彼得·吉勒姆在进行一次调查后在一家路边酒店门前下了车,这家酒店过去显然有过辉煌时期。他们在那里买了些食品和一瓶酒。

---

① 《福尔赛世家》(*The Forsyte Saga*),英国小说家和剧作家高尔斯华绥(John Galsworthy,1867~1933)的著名连续长篇小说,第一部《有产业的人》(*Men with Property*)于1906年出版,此后的几部均写第一次世界大战后福尔赛一家的经历。——译者

那个酒店的男伙计再次出现时,手里摇晃着一瓶勃艮第葡萄酒,就像耍杂技时用的瓶形棒似的。

"请打开瓶子让它呼吸一点新鲜空气怎样?"这个服务员瞪大了眼睛直瞪瞪地盯着斯迈利,以为他是个疯子。

"把瓶盖打开,放在桌上。"斯迈利喝道。[17]

后来,斯迈利解释说,15年前他曾企图策反他那位难对付的俄国间谍头子卡拉叛逃西方,他不符合实际地向这位俄国人介绍说,在英国不用花多少钱就能过上好日子。但他没有得手。"我当时的行为真像是一个好心肠的傻瓜,一个典型的难以服人的西方自由主义者。但是我宁愿作我这一类型的傻瓜而不愿当他那样的笨蛋。"

勒卡里并不认为英国的衰落已经到了晚期:斯迈利最终还是揪出了内奸就证明了这一点。但是警示是毋庸置疑的。斯迈利在追查内奸过程中,并没有得到他的同事罗伊·布兰克的支持。这段话是这样写的:"作为一个好的社会主义者,我追求的是金钱。作为一个好的资本家,我就坚持革命不动摇。你要是打不赢,你就暗中监视。别跟乔治学。现今的游戏规则就是这样,你要是想唤起我的良心,我就开走你的美洲豹汽车,是不是这样?"[18]勒卡里的军情六处不假思索地愿意相信天翻地覆的解决办法①已经走入了歧途。如果军情六处要恢复以高质量工作著称的名声,那么这个反间谍机构就需要重振其传统价值观,那就是忠诚、老实和勤奋。根

---

① 天翻地覆的解决办法(big-bang solutions),big-gang 原意为"创世大爆炸",宇宙在这次爆炸中产生,系某些科学家对宇宙起源的一种假设,似也可理解为革命性的解决办法。——译者

据这部小说改编的电视剧是在1979年播出的,正值撒切尔即将上台执政的时候,可谓适逢其时。

如果说70年代的文化还有比正剧更为重要的形式的话,那就数喜剧了。大多数70年代的喜剧从根本上讲,反映的都是阶级状况。剧作并不企图掩饰英国这个国家依然同过去一样存在着阶级差异。在《爸爸的部队》(*Dad's Army*)一剧中,主要表现梅因沃林上尉和威尔逊军士之间的关系。他们之间的紧张关系和幽默都来自这位原是银行总经理的资产阶级上尉对贵族出身的威尔逊军士施威,在平时的工作中如此,同在地方军①的一个排里服役时也不例外。类似的作品还有《前途无量的小伙子们怎么啦》(*Whatever Happened to the Likely Lads?*),这部喜剧比90年代一部相似的喜剧《表现不好的男人们》(*Men Behaving Badly*),还略胜一筹,因为在这部戏里,雄心勃勃的鲍勃和拼命干活的无产阶级特里之间阶级差别表现得更为突出。最初在60年代中期,这两个"前途无量的小伙子"又同时是难兄难弟的学徒工。到了70年代初,鲍勃与一位图书馆女管理员结婚,有了一份稳定的工作,还得到一笔抵押贷款,鲍勃穿上了"三件套"的套服,梳起凯文·基根式的蓬松高耸的发型;而特里却刚从军队退伍,前途暗淡,用该剧主题歌的歌词来说,就是"期盼着回到过去的年代"。鲍勃在1979年将投撒切尔的票,那是毫无疑问的。《美好生活》(*The Good Life*)表现的是,即使是那些自诩为资产阶级进步派、读《卫报》并支持福利国家和财富再分配的人,对政府能否兑现其诺言也已经失去了信心。汤

---

① 地方军(Home Guards),指英国为抗击侵略于1940年建立的志愿部队,其中什么样的人物都有。——译者

姆和巴巴拉决定退出这场个人前途的竞争,不再理睬什么消费者社会,回到他们的苏比顿,在后园里开垦了一块土地。繁荣的后果是消费者的开支增长了14%,房价上升了50%,在这种情况下,人们都有这类的幻想是可以理解的。《小的就是美的》(*Small Is Beautiful*)之所以取得成功,环境保护之所以成为"问题",都反映了一种回归自然的趋势,认为规模虽小,但富有生气,这就是美。《美好生活》内含的幽默与讽刺在于汤姆和巴巴拉与他们的隔壁邻居杰里和玛戈之间形成鲜明对照。汤姆和巴巴拉仍然坚守他们传统的价值观,具有阶级优越感,保持着体面的外表,对职务晋升、生活舒适和安全孜孜以求。当汤姆和巴巴拉清扫猪圈挤羊奶时,他们是想让观众同情他们,但许多观众出于本能却同情杰里和玛戈,因为他们生活在高通货膨胀和好斗的工会之间,其市郊生活方式就像置身于胡桃夹子中间那样两面受压。《美好生活》是70年代喜剧黄金时期一部角色贯彻始终的电视连续剧,若要将它延续下去一直编到1990年代是不会有什么困难的。新一代的汤姆和巴巴拉将是一批从上层降为下层的人物,他们凭着运气在法律界或伦敦的商业中心区赚够了钱,不必再为他们的后半生没有钱花而担忧,他们现在追求的是"自我发现"。新一代的杰里和玛戈将同过去的杰里和玛戈差不多,只是他们更有理由为自己担忧了。在70年代,杰里在公司那架梯子上,地位还是稳固的,他并未受到真正的威胁,可以指望让玛戈生活在蜜罐里。他们可以去外国度假,每季都有整整一柜橱新衣服,尽管衣服的档次很低。但是到90年代,他将不断地回过头去看他的日本籍或美国籍新老板聘请来的管理顾问,从他们的表情中看出他们会不会马上要把他从公司的梯子上拉下来几级。

如果说《美好生活》是20世纪90年代让人想起就不寒而栗的预见性样板,那么《福尔蒂塔楼》(*Fawlty Towers*)大体上就是反映当前现实情况了。《半截入土》(*One Foot in Grave*)中那个脾气暴躁的领取养老金的老汉维克多·梅尔德鲁就是退休后的巴兹尔。但是90年代末的连续剧中却没有一部可与之相媲美的作品。英国的莱兰已不复存在,汽车行业(以及其他行业)的罢工已极为罕见。旅店督查员在水箱里发现了死鸽子,只要军团病①、大肠杆菌和疯牛病毒没有引起公众的狂怒,就让巴兹尔和西比尔继续照常营业,这种事已是难以想象的了。今天凡是35岁以下的观众第一次看了《福尔蒂塔楼》都会问:"这都是真的吗?"这是完全可以谅解的。答案是,如果允许艺术可以有一点夸张的话,那么我们可以说这确实是真的。

大镜子:体育、电影和文化演变

40年代以来,体育也发生了一些变化。到了70年代初期,群众体育严重衰退。在英国赢得了世界杯赛的胜利后体育曾有过短暂的繁荣,但此后是球赛的观众锐减。哈罗德·威尔逊始终认为,1970年在墨西哥,英国在四分之一决赛中败于西德使他在四天后举行的大选中失利。那场比赛尽管令人失望,但是比起1974年和1978年的惨败从而失去决赛资格,还算是好的了。一位英格兰队的经理站起身来,连招呼都没有打一个就走了,跑到中东去找了一个很赚钱的工作。他从前在那里工作过的利兹联队是70年代典

---

① 军团病(legionaire's disease),一种细菌性的肺炎。——译者

型的足球队,玩世不恭,恶毒狡诈。板球的情况同样不佳。自从1968年在椭圆形球场那场雨后比赛以来,1975年8月的一场比赛表明情况已今非昔比了。这也是一场英国与澳大利亚的板球赛,最后一天是在黑丁利球场进行的最后一场赛事,英国队本来有机会打赢的,但是在对球场进行最后检查时发现球场在头一天夜里遭到破坏,这是群众对宣判因武装抢劫被捕入狱的乔治·戴维斯无罪的抗议。比赛终于可以进行了,但是随着英格兰队一再失手,比赛变得越来越粗野了,赛场上的情况也显然发生了变化。一连串的短投削弱了攻球手的攻击力,而守场员则不断地企图用侮辱性的谩骂来分散对方的注意力。1976年的夏天,英格兰队派出45岁的布赖恩·克洛斯和35岁的约翰·埃德里克去对付西印度群岛队或其他任何队派出的最凶狠的快投手也许是正确的。这年夏天也正是国际货币基金组织把整个白厅踩在脚底下,凯恩斯主义即将被吉姆·卡拉汉①葬送的时候。40年代,克洛斯十几岁的时候就在英格兰队打球。那一场球打下来,他浑身青紫,都是被投来的球打成这副模样的。后来他承认,他根本看不清飞过来的球,只好任凭球击中他的身体。随着板球和足球相继衰落(足球则因为各处接连发生球迷流氓破坏活动更加速了其衰败),其他个人化的体育项目流行了起来。《前途无量的小伙子们怎么啦》中的鲍勃和西尔马是打羽毛球的。斯诺克台球在70年代兴起不仅因为亚历克斯·希金斯身上有着"反主角"特色,而且也因为台球赛最适合在小小

---

① 吉姆·卡拉汉(James Callaghan,1912年生),1964年任英内阁财政大臣,1967年因英镑贬值引咎辞职。1974年他在威尔逊内阁中任外交大臣,威尔逊辞职后接任首相。作为温和的工党领袖,他竭力阻挠各大工会提出的要求。1979年保守党获胜,撒切尔上台,结束了工党的统治。——译者

的荧屏上转播。壁球当时也盛行了起来。

电影越来越成为那些不愿留在家里同父母一起看电视的年轻人唯一的特殊爱好。那时的电影似乎有些变态,把潜伏在福利国家公民内心的野蛮残酷揭露出来当成一种愉悦。萨姆·佩金帕的《稻草狗》(*Straw Dogs*)描写了一个美国作家极力想讨好来自英国西南乡村的乡巴佬邻居,当这些邻居凶相毕露时,他不得不用最残暴的手段来保卫自己。《别让卡特跑掉》(*Get Carter*)开辟了一个新的创作领域。在这部影片中,导演迈克·霍斯奇显然以为拍电影并不一定要让观众看到讨人喜欢的角色。电影以纽卡斯尔为背景,其中出现的人物被描绘成自由放任社会背后一群令人震撼的人物,他们不是那种讨人喜欢的、嬉皮士式的看透世道的自由主义者,他们是嗜血成性的匪帮和贩卖淫秽制品的孩子。他们根本不会坐下来解决他们之间的分歧,而是用受到肯定的特德·希思的方式开枪杀人,把人从高层停车场上摔下来,给人注射致命的毒品,用匕首捅死他们。

影评人亚历山大·沃克发现,"70年代最初几年给英国电影和英国社会带来的正是今后艰难时期要遇到的事。"[19]在评论《血腥的星期天》(*Sunday Bloody Sunday*)时,他注意到这部影片的背景伦敦就像一个人头天晚上饮酒过量,正从飘飘欲仙的愉悦中进入次日清晨头痛欲裂的痛苦之中,也就是"从一切都可以做到"的乐观到"你能忍受的极限"的无奈。电影中由格伦德·杰克逊和彼得·芬奇饰演的两个人物同他们两人共同的情人了结了一笔交易。这个故事可以被看作是表现英国中产阶级对战后体制的幻灭,格伦德·杰克逊饰演的那个角色的结论是"这笔交易的条件真是糟糕透顶"。

当时的电影还表现了某种对女性的偏见。在《稻草狗》、斯坦利·库布里克的《发条橙》(*A Clock Work Orange*)和马丁·斯科尔赛斯的《出租车司机》(*Taxi Driver*)这几部影片中,明显地具有这种倾向。《出租车司机》摄于1976年,描写的是水门事件和越战后的纽约,很像《小裁缝》(*Tinker Tailor*)描绘的60年代后的伦敦。斯科尔赛斯本人在影片中扮演一个小市民,他叫了一辆罗伯特·德尼罗开的出租车。他让司机在一幢公寓楼前停车,指给他看一扇窗户,里面有一个女人正在脱衣服,他说这个女人是他的妻子,同一个黑人有不正当的性关系。后来斯科尔赛斯饰演的这个人物威胁说要用一把大口径手枪打烂这个女人的阴部。这是44毫米口径的麦格农手枪。据克林特·伊斯特伍德在《肮脏的哈里》(*Dirty Harry*)中说,这是世界上威力最大的手枪。迈克尔·派伊和琳达·迈尔斯在评论70年代的好莱坞电影时说:"这大概是所有影片中表现厌恶女人最为不堪的镜头。"[20]

虽然很少有女人受到《出租车司机》中描写的那样露骨的性歧视,但是70年代还是一个以男性为主宰的十年。在广告中,女性形象不是家庭主妇就是荡妇;70年末摄制的影片《星期六夜里的激情》(*Saturday Night Fever*),居然理直气壮地表达了女人就是性工具的观点。如果说小型汽车是没有阶级、半男半女的60年代的概括,大众高尔夫汽车是享乐主义的雅皮士80年代的反映,那么代表70年代的就是福特公司生产的状如阴茎的卡普里汽车。有组织的劳工已经处于与中产阶级离异的痛苦过程之中,但是还没有准备采取果断行动开始与妇女建立平等相处的关系。希思政府推行在工作场所男女机会平等的计划。邮政工人工会的副秘书长评论这一计划时说:"绿皮书对我们没有多大影响。我们从50

年代初期起就已经实行同工同酬和提升机会平等了。我们确实没有女性邮递员,但这是因为邮递员是男性的职业,历来如此。"

这种文化传统影响了1979年大选的结果,英国社会一直疏远女性。在这个社会里,同一个无能的政府打交道的是大男子主义的工会领袖。这就是英国的主要形象。在这次选举中,妇女的选票对撒切尔夫人上台执政起着至关重要的作用。在这十年中,已经有了过多的战争贩子,恐怖主义分子以及从阿明到尼克松、从波尔布特到皮诺切特这类的独裁者和暴君。这期间,竞争进入这座万神庙的唯一女性是英迪拉·甘地,是她提出了强制性绝育计划。其他均为男性。对于许多妇女来说,这是他们给撒切尔夫人一个机会的充分理由。

1964年和1966年支持过威尔逊的知识分子也开始投向撒切尔阵营,究其原因,部分地是对工党的修修补补感到厌倦,部分地是看到苏联入侵捷克斯洛伐克,还有就是对工会的关门主义威胁自由而作出反应。原籍捷克的斯托帕德在改变戏剧界争论的调子中起了推动作用。他抛弃了原来的观念,即认为严肃的剧作家的作品应当全力对有争论的重大问题(主要是左派心目中的问题)进行干预,或者应当破除种种障碍,如果两者兼而有之,自然就更为理想。他当时的剧作《越墙者》(*Jumpers*, 1972)和《拙劣的模仿》(*Travesties*, 1974)毫不夸张地说是充满智慧和个人主义思想、卓而不群的作品。《故意犯规》(*Professional Foul*)则更为直截了当地反映了斯托帕德[①]本人对东欧共产主义的抨击,而《日日夜夜》

---

① 斯托帕德的三部剧作 Jumpers, Travesties 和 Professional Foul, 因不知其内容, 只能凭猜想, 恐有误。从上下文看, 应该是思想深刻、技巧高明, 在知识界影响很大的剧作。——译者

(*Night and Day*)则是抨击工会的关门主义以及由于工会好斗的特点使语言变得粗鄙野蛮、格调低下。保罗·约翰逊从左转向右是经过了一段漫长的过程。1976年9月他在《新政治家》上发表的一篇文章中警告说,工会实行强制性会员制是危险的。他问道:"你知道(工会)官员要驱逐一名会员有多么容易吗?我可以告诉你,这是世界上最容易做到的事。"

其他作家,不管他们以何种形式与左派为敌,因为1974年3月亚历山大·索尔仁尼琴遭苏联流放引起了他们极大的关注,使他们勇敢地摘下手套,撇弃了绅士风度准备战斗,向普遍接受的一成不变的凯恩斯主义发起了攻击。索尔仁尼琴在集中营里被监禁了多年后才来到西方,他的来到受到伯纳德·莱文这样的反苏自由主义者的欢呼。西方不健康的道德成为莱文作品的一个主题。按索尔仁尼琴的说法,这种病症使西方人在反对集权主义威胁的斗争中软弱无力,他们甚至不如苏联国内那些因压迫而变得坚强起来的持不同政见者那样有力量。

战后文化回顾

回忆过去,战后联盟的崩溃显然是由于联盟的两大支柱之一倒戈反对其前盟友。这根支柱是知识分子、自由主义专业人员、公务员、作家和学术界人士,前盟友指的是加入工会的蓝领工人。他们还曾反对过连结这两根支柱的横梁——国家官僚机构。在许多方面,政府机关在这场为理念而进行的斗争中受到的攻击确实与工会不相上下。随着战斗的继续,这两个部分结成为一体,政府官员被说成长着工会的头脑,姑息工会,在行动上一般都支持工会的主张,而工会却被描绘成一步步走向官僚化。这种官僚机构引起的日益强烈的困扰在文化上有所反映,表现得最为强烈的是电影和电视剧。电影和电视剧将犯罪编成虚构的故事。《求死》(Death Wish)和《肮脏的哈里》这两部影片讲的都是单枪匹马作战的人,一个是妻子遭到谋杀的治安队队员①,另一个是警察。这两个人都耗不起时间来等待常规程序获准后才采取行动。对于50年代看过《蓝灯》的观众来说,这些影片中表现的不符合道德准则的行为是令人厌恶的,但是25年后,当观众看到查尔斯·布朗森开枪击倒抢劫行凶者时,却兴高采烈地欢呼起来。当观众看到克林特·伊斯特伍德用他那支大口径手枪指着年轻凶犯,对他的猎物说他应该问自己一个问题:"我的运气好不好?"观众此时都会同伊斯特伍德站在一边。

英国的电视在反映这种情绪方面比好莱坞要慢一些。70年代初,尽管严重的不法行为和腐败案件已经闹得沸沸扬扬,特别是伦敦警察局的斑斑劣迹,但电视剧中的警察原型依然还是乔治·狄克逊,他在《蓝灯》中不合时宜地死去,现在又复活了,又出现在《绿色码头的狄克逊》(Dixon of Dock Green)中,或者在《轻轻地、轻轻地》(Softly, Softly)成为巴洛警长。这些影片反映的是社会如何看待警察而不是警察的实际活动,还有一个次要的目的,那就是反映英国人的自我评价仍然是团结一致,脾气温顺,即使是偶尔发发无名之火,人们一般也是宽容的。事实上在很大程度上与乔治·奥威尔在第一次世界大战时所著的《狮子与独角兽》里提出的那一套价值观十分相符。

---

① 治安队队员(vigilante),自发组织起来的社区治安团体成员。——译者

公众想到警察时就如同想到1977年周年纪念日①举行的欢快聚会,并不把他们同诈骗、贪污和残暴行为联系在一起。《斯威尼其人》(The Swenney)这部影片上映时,有迹象表明发生了一些变化。影片中,里甘(约翰·索饰演)和卡特(丹尼斯·沃特曼饰演)因警察当局的繁文缛节和苏格兰场的官僚主义受到阻挠,其程度不亚于他们受到歹徒的阻挠。尽管他的上司对他百般阻挠,里甘的唯一目的还是要"有一个结果"。但是他从来没有使用随身携带的武器,也从来没有违背过《Z型汽车》(Z Cars)、《轻轻地、轻轻地》和《绿色码头的狄克逊》这些警匪连续剧中宽容的传统。稍后才发生了真正的变化。在《专业人员》(The Professionals)这部影片中,有一个政府建立的但是不受官僚机构(即正规的)约束的"除暴小队",除暴小队的章程规定它可以使用"一切必要的手段"。一周连着一周,上百万的观众看到影片中的两个主角驾驶着功能超常的汽车,把形形色色的恐怖主义分子和精神变态的罪犯一个个地击毙。不过这已经是1977年了。一年前,狄克逊终于退休领取养老金了。这一年恰逢国际货币基金组织进行干预,吉姆·卡拉汉已经在警告说,英国再也没有办法摆脱经济衰退的困境了。于是他给经济也开出了一张"可以采取一切必要手段"的处方。

1976年是英国失去控制的一年,不仅是经济危机,只不过当时很少有人认识到这一点而已。卡拉汉政府撕破脸皮,一味地反动起来。对北爱尔兰接连不断的小规模内战,政府采取以武力对武力的政策;对"性手枪"乐队和他们的蓬克现代摇滚则处处作难。

---

① 周年纪念日(Jubilee Day),英国国王加冕周年纪念日,分为钻石纪念日(60年)黄金纪念日(50年)和白银纪念日(25年)。1977年为英女王伊丽莎白二世即位25周年。——译者

嬉皮士们曾把60年代对付反传统文化倾向的威尔逊看成是戴着天鹅绒手套的铁拳。其实他们还算是幸运的。1976年6月庆祝女王加冕25周年的那个星期,"性手枪"在畅销唱片排行榜上与《主佑我女王》并列第二,但是这张唱片在收音机里听不到,在大多数伦敦商业区的唱片连锁店里买不到,也不准许现场演唱,这个乐队的演出已被全面禁止。经济则倒退到传统模式,银根紧缩,公费开支削减,实行一家只有一份收入的政策。但这种反动远不止于此,其内涵更为深刻。老一代人进行了全方位的反攻。老一代人对于能力不同的学生在同一所学校里受教育一直心存疑虑,他们还认为服从权威是公民的天职。新右派的兴起有着雄厚的基础,但还不止于此。在20世纪工业社会中占统治地位的技术模式已经发展到了极限,大部分新产品只不过是现有产品的翻新,录相机只是电视机的延续,个人立体声音响设备也仅仅是高保真音响系统的自然进步。但是重要的是这两种产品(索尼公司的随身听是在1979年撒切尔赢得大选胜利一个月后才传入英国的)突出地说明潮流已从集体主义转向个人的单独行为。多子女的一代人强烈要求拥有自己的家,表明人们正退回到私人领地,只不过收入政策和限量的抵押贷款制约了这种需求。希思主义曾经是战后体制的最后孤注一掷,根据他的理论,可以找到一种创世大爆炸式的解决办法,从效益不好的经济到地方政府改组和工业关系,一切问题都可迎刃而解。不幸的是,希思作为斗士,战绩是最差的,作为首相候选人,也是战后时期公认最弱的一个。不过,说实在的,如果希思和石油输出国这个卡特尔没有加速战后体制的消亡,这种体制最终也会消亡的,只不过时间延长一些,速度放慢一些而已。卡拉汉执政府为撒切尔主义奏响了序曲,走在了她的主旋律之先,比如攻击性的警察力量(在莱迪伍德的补缺选举中第一次在英伦三岛上使用抗暴盾牌),在格伦威克用公共汽车运送破坏罢工的工人,就教育标准问题开展全国性大辩论等等,以及撒切尔的许多其他社会保守主义主张,包括她对循规蹈矩的公民居然在晚上11点以后还不上床睡觉感到惊讶(这是她在回答关于罢工导致深夜电视停播的问题时讲过这样的话)。

战后,各种相互冲突的势力保持着十分脆弱的平衡,这是战后体制的基础。撒切尔用了一个简单得多的概念来代替上述那种基础。照顾好自己和你的家庭,遵纪守法,尊重权威,未雨绸缪(省下一点以备不时之需)。看来她提出的理念还是符合人们普遍的心境的。这很实在,也很有限,但是对于看见过巴兹尔·福尔蒂咆哮如雷的千百万百姓来说,倒是能够拨动人们心弦的。

"我们"这一代人:文化转型期

我们有什么根据可以证明自70年代中期以来文化要经历一次转型呢? 我们在这一章中论及的几乎所有领域都存在着某种新心态的迹象。至少从80年代中期起,电影院里的观众数量一直在增多,好莱坞的作品也有所变化,爱情故事再度成为时尚,类似麻烦不断的30年代。现代迪斯尼影片不约而同地都涉及现实问题:妇女解放{《阿拉丁》(Aladdin)},环境保护{《波卡杭塔斯》(Pocahontas)}和少数人的权利{《钟楼怪人》或《巴黎圣母院》(The Hunchback of Notre Dame)}。

流行音乐在80年代曾经因为费尔·科林斯这样的老牌超级明星红火了一阵而经历了一段悲凉荒芜的时期,现在已显露出生机了。重要的是,像"绿洲"那样的乐队的大部分作品使人们怀着敬仰的心情想起60年代,同时,大型露天音乐会的复出也让人回忆起过去的年代。体育方面,足球再次赢得人们的喜爱,96欧洲锦标赛取得了无以伦比的成功。这是1966年世界杯以来第一次在英国举行国际性锦标赛。尽管林赛·安德森的《英国医院》(*Britania Hospital*)中用讽刺的手法提到了80年代那个腐败和近乎无政府的英国,到了90年代以《伤亡》为主要代表的医院题材作品差不多都成了为国民保健署争取充足经费的宣传片了。90年代,每周必有一部电视剧批评保健事业经费不足。

面对这种变化,言过其实是不对的,同样,夸大60年代和80年代文化的程度也是错误的。足球的东山再起,从根本上说是因为足球在中产阶级中间时兴了起来。96欧洲锦标赛中没有人闹事就是这个缘故。这也反映在"粗犷"杂志数量的增多上,这些杂志就是要让都市资产阶级丢下架子失了身份也不会觉得窘困。甲壳虫和滚石乐队倍受褒扬,六、七十年代的颇有知名度的艺术家,无论他是谁,也不管他在音乐会上的演唱制成的唱片或CD盘录音质量有多次或已从货架上撤下,现在都被唱片公司拿出来重新加以包装。有人怀疑这是一种怀旧情绪显然不无道理。有人说90年代就是60年代的翻版可能是言过其实了,但是宗教式的狂热回潮倒是千真万确的,只要看一看对崇拜的迷恋,热衷于参加各种形式的单一问题抗议活动①就可见一斑。同时,一批不得志而又善于钻营的政客在互助机构中投入一小笔资金,指望有一天某

---

① 单一问题抗议(single-issue protest),指为支持某一特殊目标或特殊信念而举行的抗议活动,为环境保护,妇女权利,退伍军人利益等。——译者

家住房协会或保险公司能在证券交易所公开发行股票时分配到赠送的股票。

但是,变化的可能性是存在的。现在,年轻人追求休闲最时髦的方式是为某件事大家凑分子。中产阶级和富人纷纷涌向市郊,在那里居住了几十年后,某些人90年代又开始搬回城里了。建在城市边缘地带农田上的住宅区规模庞大而又杂乱无章,没有中心也不集中,现在已变得像70年代的高塔楼一样既荒凉又无生气。到处都是死胡同的新市郊象征着新右派也走进了死胡同。正在酝酿一次向外层空间殖民的行动,其实这个计划在多年前已经放弃了。问题是左派是不是也会重蹈覆辙?

第 二 章

钱才是真的，要不我怎么学会了不再发愁而且爱上大企业呢？

如果你现在开办一家公司，比如说正在经营马克斯·斯潘塞公司或塞恩伯里公司，那你就要不断地了解他们对买到的东西是不是满意。政府试图来做这件事，我认为并没有什么错。

> 托尼·布莱尔首相
> BBC,1997 年 7 月 29 日

提供服务的单位和综合部门之间正在引进一种"服务水平协议"，这种协议加强了为消费者服务的观念，支持了本局的中心工作。

> 反重大诈骗局向总检察长提交的年度报告
> 1997 年 7 月

先生，你看，这是一桩公平的买卖，你我双方都得了足够的好处。

> 达希尔·哈米特：《马耳他猎隼》
> 卡赛尔版，1974 年

资本家拉扎勒斯:为什么每天都是集市日?

美国社会学家阿尔文·托夫勒抗议道,市场只不过是一种工具,并不是宗教,是工具就不万能。他在里根政府的头几年写的一部著作中写道,他发现在各生活领域里,人们都热衷于依赖市场解决问题,这种热情值得警惕。在生活的各个领域里,市场实际上并不能为你提供一切。他本不必费心去写这些话,今天,市场这个工具确实已经成了宗教,变成人类世界中对人的行为作出客观评价的"唯一"没有遭到歪曲的标准。一位伦敦金融商业区的分析家特里·史密斯称:"只有金钱才是实实在在的东西,其他一切不过是人们的看法而已。"他自己都可能没有料到他的话是多么掷地有声。(宗教恰恰走了另一条路,变成了工具,只是在信徒们"从中悟出了什么",或"找到了他求索的东西时,宗教才是有用的。")

商业道德准则已占据了主导地位,不仅英国如此,全世界也都是这样,其核心就是市场价值观。这种道德准则极具渗透性,其渗透力之强,即便没有任何法律意义上的企业实体存在,也能在文化中占有统治地位。由于种种原因,中华人民共和国和解体后的俄罗斯以及广大周边地区都不享有产权,也没有其他对形成真正的工商企业至关重要的法律依据,但是在这个地区,商业和市场伦理却同样表现得极为强烈。

由此可见,我们要加以分析的并不是私有工商业本身取得的胜利,而是要分析其价值观和精神实质。在70年代中期,大型工商业从社会福利角度证明自己的合理性;今天,社会福利机构却反过来从企业角度标榜其合理性。70年代中期,工商界的代言人在谈及企业为公众的福利、某些特殊的职业、人民的生活水平和消费者利益所做的贡献时总是振振有词,但是一旦接下去谈到资本主义的实质,诸如利润、利息、垄断、不平等,他马上就一脸尴尬,要为自己辩解了。他们会说:人性天生如此,"私有部门"(这个现成的词随时都可用来表示,与占主导地位的"公有部门"相比,私有部门的经营活动范围是很狭小、很有限的)提供的服务是不可或缺的。他们还会暗示,如果这个世界完美无缺,他们也不必说这些话了。奥伯隆·沃杜撰的一个资本家曾宣称:"工人还是多数。他们自己知道他们需要什么。他们需要更多的钱,更充裕的闲暇时间去享受金钱为他们带来的东西。我们可以给他们钱,不过这些钱不能给那些社会主义者,或者那些哲学家和垮掉的一代。"[1] 工商企业把自己塑造成劳工阶级的仆人,但有一个前提,那就是工人必须生产产品,只是在这个基础上,才能容忍他们的存在。

现在,情况正明显地逆转过来。国家要害部门的那些核心公职人员如警察、外交官、防务官员,也要从企业角度来证明他们的活动是必要的。他们在社会福利事业中的同行如教师、教授、医生、护士、图书馆管理员,早就习惯于接受"市场检验"了。这是一个把公开市场[2]的"行为准则"引入传统公用事业的过程。企业精神或市场精神只是在最近才占据了主导地位。这一现象的产生只是在很有限的程度上与私有化有关。1980年代出现的这一过程

---

[1]　垮掉的一代(beatniks),指五、六十年代出现的主张自我表现,个性张扬,蔑视传统西方道德和现有社会秩序的青年人,与嬉皮士相似。——译者

[2]　公开市场(open market),指在这个市场上,价格由供求关系决定,而且任何人都可以在这个市场进行买卖,与其他地方出现的"自由市场"同义。——译者

使世界各国政府放弃了它们在工业方面的资产。这个过程倒是与战时和战前的大萧条有着更为密切的关系,并非源于任何重要的哲学思想或理论。

那么,市场精神的特质究竟是什么呢?它由三个相互关联的部分构成,接受其中之一就必然接受其他部分:

1)市场——从地方性市场如英格兰德比郡的中国白菜①市场一直到以数百万亿美元计的外汇交易市场——总体上形成了一个客观的、外在的实在(reality),任何活动都要经市场检验才能证明其本来的价值和有效性。一切非市场标准都是"人为的",这种标准可能使这一实在遭到"扭曲"。

2)顺应这一实在的人类行为可能被证明比那些违背或忽视这一实在的行为更有成效。我们这里指的是一切人类活动。所以,1995年10月16日的《卫报》认为,"经济学真正的无知在于它一贯将家庭视为单一的、和谐的经济单位,家庭好像是一个'黑匣子',在这个匣子里,供求关系和交换关系的法则统统不适用。……家庭实际上是一个极有效率的市场。"

3)如果确实如此,那么就可以认为在市场中运作并保存下来的这些人类组织(即大型工商企业),只要其结构和功能能够继续运作并保存下来,所有的人类组织机构就应该接受并加以利用。

稍后我们还将详细地考察这些结构和功能应用于公共领域的情况。这里不妨简单地说,这种机构具有很强的执行功能,类似商业部门的管理层,其成员是一些"不按教条办事的专业人员",这是

---

① 中国白菜(Chinese leaf),此处用来比喻消费者极少、销量极有限的商品,引申为地方性的小市场。——译者

一种"生产性"的立法单位；它们也类似一家公司的薪水阶层，在"执行"法律和税务时能够以"团队"进行工作，并具有强大的政治化的司法功能；它们还像一家大公司的非执行董事，其主要责任就是维护主导文化精神使之免受民主的挑战。

所有这一切带来的惟一结果就是公民们不安地意识到，他们的心愿和他们的忧虑所在，在一份永远不会公之于众的公共目标次序表中的地位已悄无声息地大大往后排了，就像一家之主前几年获悉撬门闯入抢劫案在"警力分配表"上仅有有数的几件被列为重点，于是，普通职工就越来越明白，他们的许多重大愿望（最明显的例子就是就业保障）在官方议事日程上排位是很靠后的。但是，这些愿望都被认为具有"消极作用"，对官方全部完成其议事日程上的项目（比如提高竞争力）起着消极的阻挠作用，因而这些愿望应加以"调整"。

任何人只要用一点闲余时间读一点书、思考一下就会发现往昔的事是值得探究一番的，也许还要记住，过去的这段时间和我们当今的经济社会环境是多么大不相同，这就提出了一个明摆着的问题：既然现在大企业的价值观已经显示出其致命的弱点，那么这些价值观又是如何取得胜利的呢？

历史的周而复始

我们从1976年的纽约新社会研究所开始研究也许特别适宜。那个研究所的罗伯特·海尔布伦纳教授那时刚刚出版了他的《论商业文化的衰落》。这是一本读来饶有兴味的著作，不过在今天看来却算不得有什么独到之处。现在，西方正因通货膨胀和石油危机而受到强烈的震撼:对规模庞大的产业、金融和商业业务普遍存在着一种反常的不信任和鄙视。只要是有关经济学的讲座,如果不抨击跨国公司就算不得全面完整;每家书店都吹嘘他们店里有一整架的书宣称"社会主义是解决世界性危机的最佳途径"。在英国,一位保守党的首相最近公开批评"面目可憎的资本主义",他的一位美国共和党总统朋友已经闭口不谈有关自由市场的大话,反而对收入和价格强制实行紧急控制。战后"混合经济"带来的脆弱的平衡由于通货膨胀和失业的冲击打破了社会民主主义体制,正在走向瓦解。马克思主义(无论根据各自口味不同加以淡化还是保持原汁原味)在西方各大学里享有30年代以来最高的威望。

由于一般公众对私人资本主义的反感,特别是青年对于未来的迷惘,私人资本主义在英国各社会阶层中都受到打击。正是这种反商业文化引起了一位社会学教授的警觉。大卫·马斯兰德教授写了一本管理学的著作,题为《破产的根源》(*Seeds of Bankruptcy*),他在书中警告说,他本人专长的学科有一种偏见,这种偏见不仅有损于其自诩的客观性,而且还毁掉了整个英国经济的前途。他说,普通教育和高等教育的课程中充满了对市场制度的否定观点:"自由市场和私有企业不是遭到忽视,被认为是一种过时的庞然大物,就是片面地遭到否定。"[3] 在1970年代那可怕的十年中,在英国大多数社会阶层中再也看不到对企业的精当的表述,在混合经济如日中天时期通常见到的大规模商业生活中带微笑的形象已被公开的敌视态度所取代。这些带有报复性的反企业文化反映了战后时期保持的平衡已经在内部爆炸中毁灭了。在印刷物中,在荧屏上,大企业经理的形象是一批奸诈之徒。他们窃取千百万的财富,欺负弱小国家,[4] 他们对投资者进行欺诈已是司空见惯,这样说来,现在他们受到别人的欺诈也不能算不公道;[5] 他们的那批外国雇用军也都是唯利是图的人,他们还在外国策动政变。[6]

在这种社会氛围中,当上面提到的那位经济学家海尔布伦纳严肃地指出:"资本主义正在向计划性发展,谁又能否认这个事实呢?"的时候,几乎没有人提出异议(今天会有人提出抗议)。他接着写道:"如此说来,(共产主义集团的)社会主义经济制度在一个不长不短的时期内可能证明比有计划的资本主义更为优越,这种看法看来是有道理的。"[7]

持这种观点的人远不止海尔布伦纳教授。从凯恩斯主义的前辈经济学家约翰·加尔布雷斯(他认为,由于大企业并不真正具有竞争力,它们只不过是你中有我、我中有你的准垄断性"技术结构",因此法律制定者也应该这样对待它们)到绿色运动的先驱弗里茨·舒马赫(在他看来,说大企业使我们这个星球变了形状,无论是事实还是比喻都没有说错),大型私人企业已在受到持久而直接的抨击。

在马斯兰德教授看来,对企业的抨击可能引起强烈的敌对情绪,乃至毁灭整个工业社会。他在其著作中指名道姓地列举了其他与自己抱有同样忧虑的人;N.H.斯泰西写道:"硅谷只能出现在加利福尼亚州而不是英国的坎布里亚郡,原因何在呢? 这是因为英国社会中教育程度高的人没有当企业家的愿望。旺盛的斗志已经不再时兴了。"[8]

马斯兰德教授曾引用当时一位专门为社会事业写文章的评论家格雷厄姆·道森的一段话,这段引文是这样的:

他主张用更强有力的词句来表达我的设想。他坚信,国家福利部门就其本质而言就是反企业的,事实表明从事教育的学术界人士就是一些反企业的宣传家。在生活中,他们所起的作用就是传播反企业价值观。……反企业的学术界其实是认为私有部门承受的商业压力会诱发物质主义观点,而物质主义会阻碍"关心个人"和尊重人类生命的价值观的发扬。[9]

马斯兰德教授说,道森先生"把国家教育系统比作国家福利事业的广告代理商,推销的是后物质主义价值观"。

但是70年代的反企业文化究竟要"销售"多少才算够呢?道森先生的文字之所以被引用,就是表示不能认同现实主义经济学,对于不切实际地认为掌握在国家官员手中的财富可以用来达到那些不可能达到的目标,也不予认同。这种观点不限于受过教育的社会各阶层,或者可以说也不限于受正规教育较少的阶级。正如我们上面已经说过的,这种观点渗透到整个大众文化之中。伦敦经济学院的教授甚至发现,那个时代的小说里最受读者青睐的特工人员是反企业的旗手詹姆斯·邦德:"詹姆斯·邦德的神话认为国家政权是好的,全球性大企业则是坏的,就是公然宣扬民族国家,是收税人讲述的宣扬道德精神的故事。"[10]

安杰尔教授还注意到,大企业的代表人物在战后的年代里从来就不甚受欢迎,在70年代中期经济危机期间甚至遭到更为猛烈的攻击,连最喜欢冒险的一族中也显示出自信心正在崩溃:"像斯拉特·沃克(Slater Walker)这样的公司在这一特定的时期(1973～1974)要得到社会的肯定还不具备条件。我们让投资流动起来只是为了求生存。在较长时间内,要得到社会的认可,必须有一个稳定时期,在此期间,公司必须在企业界和投资行业中确立自己的身份和地位。"[11]

在这期间,更为严肃的左派在这个自由放任的消费社会①中一直就感到不自在。他们认为,工业危机同转型期伦敦五光十色的泡沫破碎是密切相关的:"(1975年)7月14日,星期日,与梅利莎外出购物,在肯辛顿大街上逛,我们走进比芭商店(Biba's store)。这家店确实反映了一个美梦的终结。你可以看出它之所以凋敝完全是因为它实际上是60年代生活方式留下的一个赘生物,而那个年代的方式已经一去不复返了。"[12]

20年后又出现了180度的大转变。大企业经理们在这个物质世界(应读为"市场")赚够了钞票之后,至少又变成了受尊敬的人物。剧作家曾经把商业记者描绘成"一支非常聪明的城市破坏者大军"。[13]这批记者一般来说都已堕落为一批阿谀奉承的作者,专门在报章杂志上撰写一系列并未经过调查证实的吹捧"企业界头面人物"的传记,对主人翁的描写总是"有着一双洞察一切的蓝眼睛","握手坚定有力","打壁球打得如痴如醉"(或某种似乎受性虐狂的爱好),"迷上了歌剧或和某个时髦的足球俱乐部",通篇充满了溢美之词。

更准确地说,即使"企业界的领袖人物"本人被列入社会上最不受欢迎的人的行列,主宰人类活动的仍然是他们的精神文化,也就是"现实世界"中的市场文化。20年前,70年代的危机看来有可能引发战后第二阶段的社会革命,把公有制引进那些尚在私人手

---

① 放任社会(Permissive society),60年代社会变化的产物,其特征是放松了以往被传统所不容的事,例如性解放,放宽审查尺度等。——译者

中的经济部门,主要是一些较新的产业如医药、化学、轻工程(light engineering)、金融服务等行业。眼看1945年后已遭削弱的私人企业即将遭受灭顶之灾,可是大企业却把一切问题都解决了。到了1997年,这条僵死的虫不仅翻过身来,而且还长出了尖利的牙齿。现在倒是西欧和北美的福利国家"破产"了,轮到福利国家等候其末日来临了。

持反对意见者可能会说,这两个时期之间的反差被夸大了。他们这样说自有道理,首先,他们可以声称,理查德·布兰森或者比尔·盖茨这类新型资本家可能是英雄,这只不过是因为他们代表了一种新型的、"性感的"技术和一种新鲜而轻松的经营风格。他们会说,大企业已经改头换面,不再是由因循守旧古板严肃的经理们管理的烟囱工业了。即使这一切都是千真万确的,也没有击中要害。对大企业的态度变化如此之大,以致商业价值观已经成为当今社会的主导价值观了。不管这里涉及什么"形象"问题,这一变化是非同小可的。不过,实际情况也并非如此。70年代那些企业界的"恶棍"主要是所谓的"酿酒厂"(Distillers,这是制造瑟利米德的厂家)、国际电话电报公司(ITT,据说该公司曾卷入智利颠覆阿连德政权的反社会主义政变)和洛克希德公司(据称曾涉嫌大规模贿赂案),这些企业都属于新兴产业,它们分别是制药业、电讯业和航空航天业,没有一家是生产生铁或其他类似产品的,都不需要工人干得汗流如雨,累得弯腰屈背。

第二种反对意见可能认为,事实已证明海尔布伦纳教授是错的,就这么简单:现已证明共产主义集团的国家不可能有优秀的经济结构,如果这一点已确定无疑,那么拉扎勒斯的资本主义价值观得以充分表现就是不可避免的了。简单地说,资本主义取得胜利本不足怪,因为它的对手失败了,但是这也不完全正确。与30年代不同的是,70年代对资本主义的批评呈压倒之势,同非资本主义制度国家生活水平的提高并无关联。恰恰相反,资本主义结出的果实倒总是受到谴责,说这种果实连同树一起都烂掉了,果子的汁越多,说明树的溃疡病越严重。因此,舒马赫博士写道:"推动现代经济发展的动力是疯狂的贪婪和肆无忌惮的羡妒。这一切都不是偶然现象,应该说这是扩张性经济取得成功的根本原因。"[14]

失业率不断攀升无疑加剧了历来对资本主义的攻击。托尼·本宣称:"资本主义世界的经济遭到严重的困难。……最能说明这一点的是整个十年中,支持资本主义制度的人完全失去了信心。……失业可能只是催化剂。如果失业率继续上升,……就会带来巨大的压力,从而不得不进行结构性的改革。"[15]

英国最著名的共产主义者吉米·里德动情地谈到产业工人的痛苦遭遇,说他们已经处在供过于求的境地。但是,即使是他这样一个人也为受商业利益主宰的社会中精神上的(不是物质的)匮乏而忧心忡忡。①在同一篇演讲中,他说了这样一句话:"老鼠的比赛是为老鼠举办的,而我们不是老鼠,我们是人。"[16]

历来都是批评资本主义在物质上的失败,但这与新近批评资本主义物质上的成功并不矛盾。全世界都为石油和其他矿物性燃料的短缺而惊慌失措。"能源危机"恰恰把上述这两种显然相互矛盾的批评融合在一起,成为一个核裂变炸弹。正是因为资本主义以自身的"腐烂"为条件取得了如此巨大的成就,以致必然要劫掠

---

① 按译者的理解,在西方,一般认为马克思主义或共产主义是信仰"唯物主义",即重物质、轻精神。因此作者以为,连吉米·里德都为精神匮乏而担忧,可见其严重程度。——译者

世界上一切资源,其结果就带来了一个新型的匮乏时代,以至社会主义的、非市场性的解决办法成为民主菜单上唯一的一道菜肴,因为在资本主义这一片沙漠上已经长不出其他食物,因而菜单上也就没有其他菜肴可选用了。

因此,舒马赫在他的著作中对于凯恩斯主义的社会民主制度解决了生产这个问题的说法大加讥讽:"如果一个企业家发现他的企业的资本很快地被消耗掉,他绝不会认为这家公司已经解决了生产问题。并有能力生存下去。"[17]换一种说法,消耗性资本主义固然取得了显著的成功,但是却以可怕的速度把地球这个宇宙飞船上储存的燃料消耗掉了。按舒马赫的看法,对于未来的问题,并没有真正有效的解决办法,除非用装备精良的警察来对付资本主义化的精神受害者,用极端危险的核能来弥补燃料的枯竭。战后社会民主主义的左派也并没有取得胜利的光明前景。石油短缺甚至还威胁到工人那种"并不明智的意识"的基础和个性化的汽车。没有汽油,劳工阶级就不可能开着汽车去路边野餐,驾驶英国福特汽车的人也不再会冷落公共交通系统了。

无论如何,左派不能失败。70年代动荡后,任何"康复"只是着重表明现有制度在拼命支撑一个"病痛缠身"、污染日益严重的社会;假如这个制度恢复不过来,那就表明30年代对大企业的批评是正确的,大企业就是贫困化的根源。

这部乐曲既可用60年代的风格演奏,也可以用20年代的风格来演奏①,视情况而定。无论用哪一种风格来演奏,左派的地位

---

① 原文中用了mod和trad这两个词,前者为"摩德派",指60年代风行于英国青年中衣着时新、骑摩托车的反传统一族;后者则指流行于20年代的传统爵士乐,有固定的节奏、和声和大量的即兴表演。两者一为反传统,一为继承传统。——译者

都同大企业的地位一样脆弱。与左派的愿望和幻想背道而驰,他们看到的并不是资本主义的最后危机,而是战后混合经济的最后危机。大资本和大企业无疑是经济中的主体,但其他实体也不能不算主角,其中包括传统上同左派有联系的两大实体,即社会民主主义的国家和它的工会组织。

首先是国家。在罗德西亚、比亚夫拉、越南,当然还有水门引起的一系列危机中,大西洋两岸都出现了所谓的政治欺骗和违法行为,对这股大浪潮的余波,其严重性是无需加以夸大的。对于这些事件的主要反应之一就是60年代末形成的蓝领工人和中产阶级知识分子之间文化联盟的解体。尤其是被水门事件激怒了的左倾的资产阶级竭尽全力去挖掘丑闻,在例行的总统竞选中,要求为这种集体的、全国性的创伤求医问药。鉴于罗德西亚从20年代起已经实行自治,而英国到了60年代中期已几乎丧失了任何形式的帝国打击力量(这一过程是左派衷心赞成的,不过罗德西亚却是例外),今天的英国已无力采取任何重大行动来把罗德西亚的伊恩·史密斯政权搞垮了。

60年代初,约翰·肯尼迪和罗伯特·肯尼迪似乎是蓝领工人阶级和左倾知识分子之间联盟的代表。1963年11月,约翰遇刺身亡巩固了这两股力量之间达成的盟约,而1968年罗伯特遇刺却为这一联盟敲响了丧钟,因为此后左倾知识分子这方面毅然决然地掉转枪口,采取一切常规手段反对政府。战后的政府和安全部门一直是那些为自己的创作物色"邪恶"背景的剧作家和小说家的攻击对象。人们一想到政府这座神秘的建筑,作为一个整体既有恢宏的圆顶也有阴暗的地窖,就会把它的特点理解为1953年至1958年BBC电视台的Quatermass节目或是《从寒冷中走来的间谍》(The Spy Who Came in from the Cold, 1965)和《伊普克雷斯档案》(Iperess Files, 1965)中英国情报机关所表现的怀疑一切和两面派;不同之处仅在于,在当今的高层中没有主人翁可以向之求助的"好人"。政府本身具备做坏事的无比巨大的能力(当然是虚构的),大屏幕电影中充斥着怀疑主义情绪,政府杀害自己的雇员{《神鹰三日》(Three Days of the Cordon), 1975},对手无寸铁的外星人进行严刑拷打{《地球上的外星来客》(The Man Who Fell to Earth), 1976},编造自己承担着外空使命{《摩羯星一号》(Capricor One), 1978},以及对自己的公民遭到屠杀的熟视无睹{《特别行动队》(Sweeney), 1976}。过去描写的是,国家政治密探和苏格兰场侦探一到就惩处坏人,而现在离那种情景已经很遥远了。在新的电影剧本中,他们本身就是坏蛋。

在这背后是对政府的恐惧,大家都害怕政府或者至少是某些政府机构(主要是警察和国家安全部门)正在失去控制,这些机构不仅背离了左倾人士赞美的伦理标准,而且也失去了精神支柱,陷入了冷酷无情、没有是非标准和极端相对主义的泥淖之中。安东尼·伯杰斯在他1970年代以未来工会专政为背景的小说中"讨论"1985年并非虚构的情况时重述了他同一位未提姓名的朋友之间的一段对话。他们谈论战争、民主、西方的衰落等等,谈得舌干唇燥。突然话锋一转,语出惊人:

朋友:你被捕了。
伯杰斯:嘿,你说什么?
朋友:我说你被捕了。
伯杰斯:别开玩笑。对,我说别开玩笑了。我知道你是在开玩笑。

朋友：是玩笑。不过是不是有那么一刹那你以为我不是在开玩笑，对不对？

伯杰斯：你说对了，确实如此。[18]

在政治领域里，对国家机器或政府的批评有许多是相互矛盾的。一方面谴责西方权力机构软弱无力得可怜（如对待恐怖主义分子和好斗的工会组织），同时又批评政府傲慢自大（如企图统一价格和收入，对汽车市场和住房需求进行指责）。但是随着70年代一年年地过去，这些显然相互矛盾的批评又重新一致起来，将矛盾的两方面融为一体，即国家该强有力时软弱无力，该温和的时候却又强硬无比。国家极度自我膨胀，竟想自己来管理造船厂和煤矿，同时在与劫机犯谈判时却又胆小如鼠。用一句后来十分流行的话说，国家要"大小适度"才好。

攻击国家机器的人说，他们的矛头仅仅对准尼克松的白宫及其帝国主义触须一直伸到了的英国唐宁街、法国爱丽舍宫以及其他地方。左派自然不会同意他们这种说法。猛烈攻击西方政府以及它们的间谍、军队和政治警察并不能使未来的社会主义性质的国家废除这种功能，只不过上述这些东西都将置于负责任的民主控制之下而已。试图重新摆正左派的地位，使之与国家分离开来，其关键人物是托尼·本[①]。他不引用老子《道德经》的话说明他的

---

① 托尼·本(Tony Benn, 1925~)，英国政治家，工党激进派非正式的领袖。他提出的民主社会主义主张公有制，把大量的资金投入公共开支，主张工厂具有自由权，并实行政治公开。他认为这种制度是英国所独创，有别于资本主义，也不同于共产主义。——译者

观点(《道德经》中说,"领导人做成了一件事,百姓们却说'这是我们自己做的',这才是最好的领导。"①),他还以自己担任的公职来支持他的观点。他主张他有权使用的那部分纳税人的钱,要用来支持梅里顿(摩托车)、科比(制造业和建筑工程)和《苏格兰每日新闻报》兴办的合作社。他说:"为什么在这些地方出现了新事物?我们必须明白,这并不是工业大臣所为。这与我毫无关系。……这些试验都是自发的。"19

有人愿意给托尼·本一个机会,支持他的不受国家控制的社会主义。深孚众望的专栏作家和散文家基思·沃特豪斯在《每日镜报》上声称,"这些想法并非异想天开。这并不是什么革命的思想,甚至也不是什么新观点。那只不过是说,像牛马一样劳动的工人在如何经营他们的工厂问题上应该享有发言权而已。"

但是,即使说国家能够被排除在外,要把占"三个等级"②之一的工会也排挤出去却要困难得多。就公共关系而言,国家与之相比实在微不足道。

我们在前面曾较详尽地讨论过当时文化转向中有着反对组织劳工的倾向。现在我们已有足够的根据确认有两个因素使先前持同情态度的中产阶级舆论制造者背离而去,这就是罢工纠察队的暴力行为和工厂车间里的排他性扩展到了排除中产阶级。这两个因素互有联系:暴力是维持车间只属于工会的一种手段,反之,百

---

① 老子的话英文是"Lao-Tzu: when the best leader's work is done, the people say, 'we did it ourselves.'"查《道德经》未见近义原文。——译者

② 这里是套用欧洲封建时代政治和社会等级,在英国为三大等级(the Three Estates of the Realm),即僧侣、贵族和平民。作者将工会组织视为战后的"三大等级"之一,其权势可想而知。——译者

分之百工会化的工厂举行的罢工是以基层罢工纠察队闹事为特征的,无需职能部门参与其事。白领阶层/左派知识分子对于劳资关系中粗野的一面乐得假装看不见,只要能用委婉的词句加以掩饰就行,比如,说这种粗暴行为只是"吵吵嚷嚷"、"推推搡搡"的小事,纠察队完全有能力解决等等(工会的头头对于用这种婉转的说法和颇费琢磨的行话来议论这种所谓的"协商机制",从来就是心领神会,衷心感激的)。

但是,用委婉说法多方搪塞这堵墙已经坍塌了。70年代,人们看到白领阶层中工会组织迅猛发展,其范围从电视教学节目和银行职员直到新闻界,甚至扩展到文艺创作行业。保罗·约翰逊在1997年9月份的《新政治家》(*New States Man*)上撰文提出了警告:

> "形成一个专为国家剧院写作的排他性宗派是一个阴谋,虽然这个宗派不大却十分可怕。有成就的剧作家写作品是不受极左派宗派政治左右的。他们强烈反对这种作为。一位重要的剧作家对我说,'如果这个阴谋得逞,我将从此封笔不再写一个字,我宁可去当一名非技术工人养家糊口也不向这批混蛋低头。'"

当时最为气势汹汹的工会与所谓的"创造性行业"直接有关,例如电影(ACTT)、演艺(Equity)、NGA、SOGAT[①]和印刷(NAT-

---

[①] 此处所举英国一些同业工会中,NGA 和 SOGAT 未注明其所属的行业。NGA 可能是国家美术馆(National Gallery of Art)的简称,应为"美术",SOGAT 则可能是书画印刻同业协会(Society of Graphical and Allied Trade 的缩写,应为制版业)。——译者

SOPA)。更令人震惊的是工会提出了所谓的"长臂说",实行这一主张,可以使车间关门主义在远离工会所在的工厂数百英里以外的写字间和工厂里得以执行,尽管这是违背职工和管理层意愿的。只要采取措施抵制非工会厂家向工会厂家供货,使非工会厂家面临破产的威胁,就可以逼其就范。臭名昭著的一例就是印刷工会(SLADE)。这个工会就是为实施"曲线抵制"而成立的。那些小型的为书籍报刊制作图片的公司要是不同意让他们的雇员加入工会,就面临破产的威胁。

这种伎俩也可能用在剧作家和艺术家身上,而那是令人难以容忍的。左倾自由主义知识分子贵族中有三位显赫人物,即导演彼得·霍尔爵士、剧作家哈罗德·平特和《星期日泰晤士报》编辑哈罗德·埃文斯,就一反他们多年的惯例,改投保守党的票,此事绝非偶然。

因此,大企业的地位总的来说并不像看起来的那么暗淡。在文化上它确实受到排斥,但是在战后体制三足鼎立格局中,另外两家也处于同样的境地,这两家就是政府和工会。正如安德鲁·斯沃布里克评论菲利普·拉金1974年的诗集《高高的窗户》所写:

> 如果说各种势力像《惠策恩的婚礼》(拉金于1964年出版的诗集)反映的那样,相互间关系虽然紧张,却还能微妙地维持稳定的话,那么在《高高的窗户》诗集中已显现出分崩离析的迹象了。斯坦·史密斯认为,……在《惠策恩的婚礼》中,拉金对于大众价值观盛行的社会民主福利国家的态度,一般是希望在我们这个现实世界上,烦恼和顺从之间能维持某种不稳固的平衡。在近期的作品中,这种平衡的愿望已荡然无存,

表现出来的是冷酷的沉默,由厌恶发展到憎恨。[20]

斯沃布里克在谈到《高高的窗户》时还补充说,"这些诗歌中表露出来的愤怒是一种幻灭后的愤怒。"对于70年代中期各种势力瓦解了文化上的一致,这可称是十分精当的概括。但是,与所有的期望相反,这种解体反倒是为一种公认已被永久埋葬的哲学的东山再起扫平了道路,这就是自由放任的资本主义。虽然在这种情况发生之前,文化和政治的分化还不得不经历最后的一个高峰期。

世界末日:能源危机和高通胀率

在致力于道德说教的人看来,如果把1973年后半年西方社会遭受的灾难写成剧本的话,可谓正当其时了。商品匮乏,主要是石油,还有食糖和其他食品,加上高通货膨胀和普遍的工业动荡,使整个欧洲和北美陷入了歇斯底里状态。战后的长期繁荣因此而烟消云散。当时一位名叫克里斯托弗·布克的记者宣告,能源危机不仅是战后繁荣的终结,同时也是后文艺复兴时期整个物质主义和理性主义试验的终结。他总结了当时许多人的感觉后宣称:"机器已经停止运转。"甚至那些战后体制的狂热拥护者在现实面前也不得不低头。[21]工党的环境部大臣托尼·克罗斯兰于1975年宣称:"欢宴已经结束。"他这样说不仅是指地方政府的开支。

诺贝尔奖获得者、桂冠诗人和前牛津大学教授约翰·希克斯爵士在一篇题为《放任主义经济》的文章中表示,看到向凯恩斯主义及其充分就业的许诺举行最后的告别仪式,他并不为此感到痛苦。他写道:"在这个体制中,没有任何东西能够防止工资的增长超过劳动生产率的提高。……1972年至1973年间降临到我们头上的主要产品危机……标志着英国劳工的实际收入急剧下降。……既然金钱的面纱已经揭下,我们就不得不从传统的经济学角度来面对它,现在是从长期伴随我们的凯恩斯美梦中惊醒过来的时候了。"[22]约翰爵士毫不掩饰地表示他本人也曾为它呐喊过一阵:"无论如何,放任经济还是为我们带来了大约20年的繁荣;这已经是很不错的了。"但是,与能源和通货膨胀危机同时出现的是一种脱离了高速技术发展和经济增长以及生活水平不断提高的文化。环境保护主义者带头发动了一场对未来的反叛,许多人不再认为争取这样的未来是值得的。一连串的计划被取消;政治家对此作出的反应是取消或削减一些投资数百万英镑的计划(现在已被当成"花架子项目"而搁置一边了),而这些计划一度被视为未来的象征,比如海峡隧道、悬浮列车、"多位"(multiple-site)伦敦第三机场、蓝箭宇航计划、快速中子增殖反应堆计划以及最先进的客运列车。

放任经济的崩溃立即带来了社会集团和各派学说的分化重组。彼得·埃文斯写了一本极不寻常、饶有趣味的书,叫做《抗议的病毒》(*The Protest Virus*)。他在书中写道,对那个"被丢弃的社会的反叛,把各种人都网罗了进来,其中有富有叛逆精神的萨塞克斯大学的学生,种族主义议员伊诺克·鲍威尔,反对重建考文特公园运动的成员,阿列克·道格拉斯·霍姆爵士,好斗的美国黑人,各色各样的罢工者和环境保护主义者"。[23]就像伦道夫·丘吉尔在谈论哈罗德·麦克米伦时所说,突然之间,每个人似乎"都站到了我们这一边"。现在微笑已不再是难事了。但是,埃文斯先生有一个观点。二战以来,仇视未来第一次成为一种时尚。那些一直讨厌高速公路、气压桶装啤酒,统建住宅和吵闹音乐的人突然发现自己正处在社会变革的刀口上。谁都在赶时髦,只有那些为人所鄙弃、垮了台的社会民主党政客在灯灭人散后还在拼命鼓吹要对这种体制有信心,还在为"更美好的明天"这种陈词滥调大声疾呼。

在社会力量重组中涌现出三股相互交织的潮流,每股潮流都代表了能源危机和高通货膨胀中出现的"反未来新联盟"中的一个方面。

返璞归真

从老法酿造啤酒、母乳喂养、草药和木制家具直到"回归炉火熊熊的温暖家庭"的口号,人们都在寻找一块"璞玉"①,也就是生活中许多或大多数领域中天然的东西。那些唱片收集者,不久前还在吹嘘他们的立体声音响系统及其无可比拟的音质,现在却把已经丢进垃圾桶或弃置废品库的那些"原汁原味的"布鲁斯或爵士乐唱片翻出来,虽然已不能再放听,但还在互相攀比,想分出个高下来。这些古典派同好们兴起了一种音乐口味,他们喜欢听用乐曲谱写年代的乐器演奏的乐曲录音。此外,原版的《查特莱夫人的情人》供不应求。妇女们拒服止痛药,试用水塘、观桶和坐位分娩孩子,以此来体验"自然分娩法"。"自然"、"天然"和"原装"这三个

---

① 璞玉,原文为加引号的bedrock,意为泥土覆盖下的坚硬岩石,引申义为基本信念,这里根据其小标题的意思译为"璞玉",似乎寻求原始、真实的东西。——译者

关键词汇标志着人们把维多利亚时代的"进步"这个概念全部拒之门外,开始了一场返璞归真的革命。这种对"真"的追求最后也扩展到了人类对最基本的商品"钱"的追求,是不足为怪的。不断膨胀的通货看来也不比用化学方法酿造的啤酒好到哪里去。渴望个人的收入与付出的劳动和取得的结果相当,这和渴望有一品脱用木桶储存的真正的啤酒是密切相关的。后者引发了一场"天然啤酒运动",而前者则掀起了要求拥有"货真价实的金钱"的运动,这就是货币主义。①

乡村主义

与追求返璞归真密切相关的是社会各阶层中回归田园的愿望日益强烈。带头的是一批流行音乐明星。他们带着各自60年代后期以来录制的流行乐唱片,定居在远离灯火辉煌的喧嚣都市却能更多地享受开阔乡间道路的地方。如果说有一样东西打败了英国的话,那就是以美国为先驱的"西部"乡村主义,在那里喋喋不休地议论最单纯的善与恶(醇酒女人)。到了那十年的中期,有些远非超级明星的歌手在他们的专集中塞满了一些勾起人们回忆的时间和地点,尽管他们自己对这些时代和地方几乎一无所知。托尼·克里斯托弗忽发奇想,无中生有地变出一个炎热的、尘土飞扬的执刑场,第二电台的听众随着合唱队唱起了令人毛骨悚然的"以牙还牙,杀人偿命";埃尔顿·约翰用一大堆数字和夸张的手法赞美灰狗

---

① 货币主义(monetarism),指主张控制货币发行量,以此来抵制通货膨胀,阻止货币贬值。——译者

公共汽车、接骨木浆果酒、唱机、他父亲的农场以及其他离他的家乡米德尔塞克斯郡有十万八千里之遥的种种现象。

在英国,久违了的乡村教区长和乡村淑女的日记又成了"香饽饽",①销路极好。一名约克郡的兽医詹姆斯·哈里奥特的回忆录像吹气球似的,由畅销书进而改编为最受欢迎的电影和电视连续剧,由此又扩展到盈利千百万镑的旅游业,其规模之大甚至威胁到约克郡山谷的生态环境。到了 80 年代初,似乎每一个退休的村庄警察或乡村火车站站长都决心步哈里奥特的后尘,于是书店里的架子上就充斥着书名雷同的系列著作,题为《店主/牧羊人/乡村医生/植物医生/不该有的遭遇》。

另外,在电视上,人类的四足朋友绝对能够吸引观众,如描述马的保护区的《愚蠢的脚》(*Folly Foot*,独立电视台,1971～1973)和《黑美人历险记》(*The Adventures of Black Beauty*,独立电视台,1972～1974)。购买或租赁小块土地在放荡不羁的艺术家中间很是时兴,而居住在市郊的人受时装杂志上推销汽车和雪利酒广告的蒙骗,附庸风雅,引发了在壁炉中燃烧木块取暖、穿诺福克茄克衫、搜集工艺猎枪之类行为的回潮。

弥足珍贵的小企业和个体经营

三股潮流中明显具有政治性的是"小人物"的重新登场,这股势力与企业价值观的最后胜利关系最为密切。小商人曾一度被誉

---

① 香饽饽,北方方言,意为原本是粗制糕点,一时成为广受青睐的东西。原文为"热蛋糕"(hot cake),与此类似。——译者

为文化英雄,于是较大的经营者声称这就是他们的美德。要说世界最容易做到的事,大概莫过于此事了。到了 70 年代末,小商人变成了企业家,弗雷迪·莱克、洛德·汉森、鲁帕特·默多克这类人都可列入他们的行列。70 年代中期,小规模经营者名声再度鹊起是极富戏剧性的:就在几年前,在政府的鼓吹下,60 年代后期掀起一股合并浪潮,在这股浪潮中,小企业家还被指责为既保守又反动,无论对经济发展还是社会进步都是不可取的。在野的保守党宣称,政府的政策将导致家庭企业的瓦解,1965 年 5 月 10 日,工党政府的经济事务部国务大臣对此作出的反应是宣称"现在正是时候"。未来就寄托在阿诺德·温斯托克(通用电热公司)、克姆·斯莱特(斯莱特-沃克公司)、洛德·斯托克斯(英国莱兰汽车制造公司)这样的弄潮儿身上。他们经营着规模庞大的公司,一脑子的"现代"思想,比如为什么需要"打入欧洲市场"啦,"发挥更高的效率"啦,等等。70 年代中期,经济崩溃使这些被神化的人物名誉扫地,从此销声匿迹,只剩下那些老老实实经营的过时小企业家还在苦苦支撑,既不靠政府施舍,也不欠债,而且还从来不发生罢工事件。小企业家不仅代表了英国最好的事物,而且还可能是英国仅存的硕果。

在这种心态支配下,英国广播公司放映了一部描述一家小型公路运输公司的连续剧,吸引了上百万的电视观众。这部名为《兄弟们》(*The Brothers*,1972~1976)的电视剧虽然也加进了通奸和谋杀之类的佐料,但是它所讲的绝不是大企业的故事,并没有描绘那些口含大雪茄疯狂攫取权力的恶棍。虚构的经理爱德华·哈蒙特(格林·欧文饰演)集中反映了小企业的美德:他能够驾驶车场里的每一辆卡车,一路坎坷发展起来,是一个清清白白的奋斗者,对手下人一视同仁。作为一个有血有肉的人物,他对待那些坏人,不是采用开除的办法,也不采取英国莱兰公司式的官僚主义的"申诉程序",而是让他饱尝铁拳之苦。在《兄弟们》这部连续剧中,工会为在心直口快的爱德华同他的雇员之间建立富有成效的伙伴关系,只起了阻碍作用。商业银行家和来自大企业的竞争者都是一些近似反面角色的人物。有一次爱德华坚持要首先照顾卡车司机而激怒了公司的持股人。

这位新的小企业典范人物不是一个梅因沃林式的自命不凡的势利小人,而是一个慷慨大方的民主派人物,其精神文化属于华盛顿州而不是海上沃明顿。①雇员与雇主之间的关系是相互尊重。勤奋工作,忠实的伙伴关系,公平的报酬,偶尔也发生一些"无聊的"纠纷,这些都是理想化工作场所不可缺少的成分。举例说,在这样的环境中,绝对不会有酷爱诗歌的铁路公司董事长彼得·派克爵士和其他"举止高雅的"国有化企业巨子那种工作作风。这个新型的典范人物在建立"民主作风"中是起了作用的,而这种作风在90年代显示出了其深远的文化含义。

过去,在70年代,商店柜台上需要的是朴素的智慧。当有人问内阁大臣雪莉·威廉姆斯,她最喜欢的格言是什么,她回答这个问题时没有使用那些完善得体的左派自由主义名言,例如引自萧伯纳的名言,而是用了一句老农民的名言:"想买什么就买什么,付钱就是了。"(无独有偶,反对党保守党的经济政策权威基思·约瑟夫爵士竟也使用了这句格言。)她的上司詹姆斯·卡拉汉首相甚至

---

① 海上沃明顿(Warmington-on-Sea),是电视连续剧《爸爸的军队》中虚构的英国海湾城市,在那里阶级之间的区别极为鲜明,连鸡毛蒜皮的小事都有讲究,而华盛顿州则相反,那是一个没有阶级的民主社会的缩影。——译者

105

更加朴实,在他的讲话中竟夹杂着什么"哎呀,我的老天爷呀"诸如此类的东西。稳重的前海军军官、税收稽查联合会的代表(他一度曾在议会中代表警察联合会)和伦敦以哈罗德·威尔逊和爱德华·希思为首的"最有智慧最优秀的"牛津大学集团之间的差异是惊人的。但是在一个需要街头小商店最朴实的感情的时代,即使像卡拉汉,也难以同集大成的撒切尔抗衡。

管好家:复杂局面的终结

这一股新出现的文化势力,即"返真革命"的首战胜利否定了一个概念,这个概念认为经济政策是个非常复杂的问题,而决策的过程则是一种伪科学,在技术人员手中,经济政策可以带来经济增长而无痛苦,生活水平也可以无限地提高。根据新的思维,政府同每个普通人一样,也需要做到收支平衡。哈罗德·威尔逊的经济顾问、兰开斯特郡大臣洛德·弗利公爵向每个人保证,只要阿拉伯石油输出国以有利的条件借到钱,就可以医治经济衰退。这些钱本来就是石油输出国利用高价石油从西方搜刮去的。在1978年3月5日的《星期日泰晤士报》上,他概括地阐明了他对1973至1974年发生的各种事件的观点:"以战后第一个十年为标志,战后体制代表了一个非常繁荣和世界贸易得到大发展的时期。这个时期显然已经过去了。出现财政赤字的国家必须认识到,赤字除了反映国民生产外,还反映这个国家接受了种种资源。任何出现赤字的时期都不是遭受自我戕害的痛苦的经历,而是一个充满机遇的时期。"但是这种放任行为已经过时了。在石油危机之后的几年中,撒切尔夫人怒斥那些敦促她"借贷"(她在说出这个词的时候几乎是声色俱厉)的"著名经济学家",她宣称:"我这个女人是不会受你们左右的。"

在这两个时期的交替期,有一座桥梁,从现在看,那是一些新的会计手段,叫做"议价集资"和"现金限额"。支付的账单不再增加,而招募人员则是附加在生产和服务的成本"总量"上,现在的情况是,员工越少,报酬越高。在国民经济中体现这种企业价值观的关键人物是出生于南非的商人迈克尔·爱德华兹爵士。在他接管英国莱兰汽车制造公司时,他就利用这个机会直言不讳地把这个生活中铁的事实告诉了正在闹事的工人。在最初的接触中,工会付出了高昂的代价才弄清了这个事实:

> 事情的转折点发生在1978年的秋天,……在爱丁堡附近的巴瑟盖特,当时我出现在独立电视台和BBC的午间新闻节目上。……我非常生气。……我补充说:如果我们说我们不会满足罢工者提出的要求,那是因为我们不能这样满足他们。
>
> 我们可不是说说而已。另外,我现在告诉你们,由于罢工,我们的周转金受到损失。因此,在巴瑟盖特的投资将会减少。我们根本不可能付出双倍的代价。我说的话是算数的。我不是在喊狼来了。[24]

迈克尔爵士[①]是80年代雄心勃勃的企业界英雄的榜样。他

[①] 迈克尔爵士(Sir Michael),即迈克尔·爱德华兹爵士。按英国称谓习惯,凡有爵号者,称呼时冠以爵号可全称,简称时则用其名而略去其姓。——译者

喜欢打壁球,主张精英统治,有经营管理头脑,不能容忍官僚主义,他还为自己有过经营小企业的经历而自豪。他宣称他是靠一辆雪佛莱卡车起家,用这辆车把油桶运到伊丽莎白港。他亲昵地把这辆车叫做"露西"。那时他还很年轻。他成功地制服了莱兰公司的工人,从此他为后来取得一连串的胜利铺平了道路。从那时起,他不断地同工会,同那些主张"阶级合作论"的企业中的工会支持者进行斗争,并取得胜利,其中有钢铁业(1980年)、公务员(1981年)、铁路(1982年)、医务工作者(1982年),还有使他享有盛名的对付矿工的斗争(1985年)。

工会方面屡遭败绩固然令人惊讶,但是更加令人意想不到的是,在一个有着偏袒弱者、反对大老板传统的国家,公众对于罢工者的支持竟然如此普遍地不强烈,在说到罢工纠察队的暴力行为时,对工会就更加冷漠了。这也是新"返真运动"表现的一个方面。人们不接受人工面包,他们同样也不会接受"人为的就业"。刺激经济的措施,与利用物质手段"刺激"个人一样,很快就成为不受欢迎的东西。没有咖啡因的咖啡和没有酒精的酒类销路猛增。在居民小区的诊疗所里,战后时期盛行的"包治百病的药片"哲学让位于"护理型"和"非扩散性"疗法。药片本身(战后个人自由的象征)由于一个接一个令人心惊的后果而遭到打击,它们最终还被保留至今,在很大程度上还要归功于它们最初的发明者。

我们认为从好的一面来看,在90年代末期,推动过去20年间文化"态度"向商业市场方向转化的正是这种新"返真运动",而不是什么"贪婪"和"自私"无来由地大发作。1997年春,法国选出了一个社会主义的政府。这个政府承诺要创造50万个就业机会。从历史上看,这个计划也算不得十分宏伟,却是这种转变的深刻反映。英国的媒体和政客们宣称,法国已经决定离开我们这个现实世界了。一个国家通过人为的扩充需求来保持就业率和生活水平已经过时了。这种做法就像饭店休息室里一个陪伴女子跳舞的职业舞男决定用杜松子酒、镇静剂(苯巴比妥)和香烟来给自己"充气",准备跳它一个通宵。公然违背"市场规律"同违反自然规律一样,已经成为严重的犯罪行为。"密切关注你的身体",在经济上的同义语就是"密切注意市场"。这两句话都提示了保持健康唯一安全而有效的途径,前者是保持个人的机体健康,后者则是维持健康的经济。

两次经济衰退仅仅是证实了这种分析的正确性。1979～1983年的衰退就像是在法庭上为这个制度不健康提供了初步证据,而90年代的衰退则已经被人引用来证明80年代的革命尚未完成,有待来日。

卡斯特桥市场:"务工公司"

1967年,托马斯·哈代的小说《远离尘嚣》(*Far from the Madding Crowd*)被拍成电影,恰巧在这一年,最后残存下来的码头临时工也现代化了,由临时雇用改为长期雇用。新转为固定工的码头工人于是就可以带着轻松的心情去观看彼得·芬奇饰演的农场主博尔德伍德在卡斯特桥市场周围转悠,在找活干的可怜的牧羊人和无业劳力中物色他中意的人当雇工。如果有一个待雇者要求的工资稍稍高于那微薄的报酬,博尔德伍德和别的大地主就走向求职长龙中的下一个人。

但是,30年后,最后的胜利者竟然还是农场主博尔德伍德。

"内部市场"随着"立约包出"①、"强制性招标"和"市场试销"的实行,也接受了"市场"这个概念,并以市场作为检验其最后结果的标准。不但公司,而且公司的各部门,最重要的是工人个体,都必须毫无例外地根据外部市场的各种条件来证明自身的有效性。在不安全时代的经济体制中,其核心是工人的流动,工人在不停的转动中,总有被甩出去进入劳动力市场从而被较廉价的外来劳动力所取代的危险。内部市场实际上意味着雇员永远生活在相互竞争和与外来承包人竞争的过程之中。原来处于半雇用状态的过剩劳力只有在付给遣散费的条件下才能被解雇,而现在劳动力流动就标志着工人们从半雇用状态最后转化为一种快速而短暂的流动过程,工人对于这一过程随时可能结束充满了恐惧。这同十几岁的青年谈恋爱倒是十分相似。

"立约包出"劳动力最终粉碎了个人的职业生涯,代之以随意把工作分成小包分配给不同的雇主。雇员和外来投标者之间的界线越来越模糊,雇员始终处于被投标者所取代的危险之中。这种游戏最后的结果是每个工人本身就成了一家"公司",从雇员变成了供货商。结果是雇主成了顾客,而雇员则成了买主。这就是商业价值观取得胜利的"反证法"②,也就是说,现在人人都在做生意。

---

① 立约包出(contracting out),指制造业厂家并不从事生产而是通过立约将产品的生产或原料的加工包给他人,然后再从承包人那里购进成品并销售。——译者
② 反证法(reductio ad absurdum),一种证明谬误的方法,用此法来表明,如果对某一论点按字面或准确地加以解释,就会引出荒谬的结论。——译者

在控制室内

行政钓钩

> 副首相约翰·普雷斯科特先生说,(伦敦)市长就像一名首席执行官,他是一个提出建议和协调关系的人,他要同他人建立起伙伴关系,以便把事情办成。
>
> 《金融时报》,1997年7月30日

掌管这个不安全时代的是一系列政治机构,这些机构显然是以大型商业机构的模式为基础建立起来的。正如以上引文讲的那样,"市场化"的社会最鲜明的特征就是有一个按董事会模式建立的强大政治执行机构。最明显的一个例子就是那个"独立运作"的英格兰银行。这家银行已经不再受官方根据政治判断确定适当利率的制约了。此外还有一些其他的例子,范围颇广,从自定标准的议会这个裁判员直到严厉的食品标准监督局,其核心是控制执行官们的执行官,这就是内阁。但是当我们说明这些机构的特征时,这家独立的银行是我们必须记住的一例。

- 职业标准。行政官员,无论是内阁大臣还是政治任命官员,都不该"按教条办事",他们应尊重技术,并将"业绩"置于首要地位。他们应按管理学派理论办事,消除一切矛盾和冲突。违反职业道德的行为中包括"出卖信息"这样的严重犯罪行为。意识形态就像可怕的天花一样,必须远远避开。

- 自行决定,不受约束。这个说法是从警察这一行的术语中借用过来的。用于说明政治官员的行动目标十分恰当。如果政治行政机构是由"不信奉教条的专业人员"所组成,那么就没有正当的理由来约束他们的行动。行政机构对约束是极不耐烦的,他们喜欢采取迅速的行动。至于这样做在法律上或根据宪法是否正确,先把它放在一边,留待行动以后再考虑。

• 理想的交易。政治行政机构师法企业家,也喜欢做成交易。行政部门并不关注程序是否正当;它宁愿把经济界的"主演"们请进来,通过谈判做成交易。托尼·布莱尔在大选前曾和英国电讯公司达成一项协议,根据这项协议,这家公司将免费为所有的学校"上网",作为交换条件,它将享有更大的商业自由。这就是做交易的典型一例。

• 只要可能就不要拒绝。永远不说"永远不"。这条劝人不要死不回头的告诫对任何商人来说是有益的,但是否可以把它应用于公共领域则至少是令人怀疑的。这毕竟是基本属于个人的一种行为方式,即同他人和善相处,对于不重要的问题不必计较。似乎不宜将之移植于具有高度原则性的公共领域。

• 放弃"可逆转性"①。任何一届议会都不能约束下一届议会,这是英国民主制度的基石。但是,经营管理性的政治一旦将选民变成了"持股人"(股东),"可逆转性"就不再起作用了。只要"出口"价格合适,任何永久性的"出售"英国国家利益,包括最终"出卖"国家的独立,都要根据"持股人"的利益来作出判断。

---

① 这段话较为费解,包括"可逆转性"这个词(reversibility)。现按原文译出。不知可否理解为下一届议会可以撤销(逆转)上届议会所作的决定,比如说,反对党上台。但是,一旦选民的身份发生变化,成为"股东",只要是"符合"股东利益则可成为永久性的。在此求教于高明。——译者

立法钓线

一方面,行政系统在不断地发号施令,采取行动,而立法系统则听从旨意,拼命地干活。现在的立法系统只是行政系统的劳动力,根本谈不上对行政系统进行制约,尽管这支劳动大军属于高级白领阶层。"生产性"的立法系统具有如下的特征:

• 团队工作方式。在宪法经历了不同寻常的巨变后的今天,议员和地方议员竞相采取公司型的新工作方式。就保守党而言其行为准则和"共度周末"的管理方式就充分表明现在的立法者只是"团队中的一员"而不是具有个人良知的代表。当这种良知有所表现时,就会遭到他人窃窃私语,说什么"把党搞得声名狼藉",要对他采取"严厉的纪律措施"。

• 销售员角色。如果按主次排序的话,立法者首先应当为行政系统充当销售员。他在这方面是否取得进展,将受到严密的监督。

• 生产量。在不安全的时代,法律已失去其尊严,变得有点像公司里的内部备忘录,用以向员工发指令。参与这个过程是立法者的职责所在,而其"产量"的多少则是受到严密监督的。

司法钓锤[①]

作为国家机器的一个组成部分,司法系统就像是公司的非执

[①] 司法钓锤(Judicial sinker),与前面两个小标题中的"钓钩"(hook)和"钓线"(line)合起来构成一副完整的钓竿。英语中有 hook, line and sinker 这个习语,意为"完整的"、"全部的",此处指整个政府。——译者

行董事。新近这一系统得到了加强。为了行使其"非执行董事"的职能,司法系统的重要性可能还会有所增强,这是因为司法系统控制下的种种手段如欧洲人权大会都纳入了国内法系统。增强后的职能将允许议会的高等法院[①]进行司法审查(迄今为止这还是明令禁止的)。在新的经济秩序下,这些"非执行董事"要行使三大职能:

• 保护功能。高级司法机构要保护行政系统的主动行动,以确保行政系统不会受到那些"不负责任"或"平民主义"分子要求民主的挑战。

• 监督功能。司法系统要监督议会及其中"不负责任的"分子,敦促行政系统执行新经济秩序下统治集团一致同意的议事日程。

• 缓和功能。司法系统用一种类似国家发行的彩票摇奖方式给特定情况下的受害者以补偿,用这种办法将不安全时代带来的最坏后果降低到最低限度。

保障与安全:执行部门

在新的"商业"秩序下,经济政策的制定可能由"市场驱动"的机构包下来。但是,在任何商业机构中,管理层在"员工个人发展"方面还有许多事情要做。如果说 19 世纪的自由放任主义是以最低纲领派[②]的"守夜人国家"为特征的话,那么 90 年代的资本主义

[①] 英国议会保留了历史遗留的最高司法权,上议院即为最高法院。——译者
[②] 最低纲领派(the minimalist),一种政治理论,主张将政府或政党的作用降低到最小限度,即国家的作用仅为一个守夜人。——译者

已经按"守夜人"的转世化身为模型来建立政治组织,守夜人已经变成了"保障和安全人员"了。70年代以来,公司中有少数人的就业前景得到大大改善,好到了不可与往日同日而语的程度。这些保安人员都是这批少数人中的一部分,他们在每个工人的生活中无处不在。他们发放身份证件,制定"安全政策",通过闭路电视摄像机监视工人,同他们在"人力资源"部门工作的同行们一起策划对工人进行酒精和毒品测试,进行生活方式调查以及其他形式的侵犯人身的行为。与此类似的是,在全体国民中,国家对于习惯、饮食和"态度"的指导与过去相比已变得更加具体了。在新的资本主义秩序下,自由放任只是严格地适用于大企业,对无产者并不适用。新秩序的特征就是在它的周围布满了敌人:洗黑钱的人,毒枭,"国际有组织犯罪集团"(这个星期是三合会,下个星期是俄国黑手党),而最大的敌人则是民众头脑里"过时和僵化"的态度。在这场战争中,在前线打击敌人的是"专业化"警察,领导他们的是一批具有"经理头脑"的长官。因为他们既脱离现实生活,又酷爱准军事化装备和统一着装,有些经过扩张的警务领域居然用了古代撒克逊王国的名号来为自己命名,比如叫做什么"麦西亚"、"诺森伯利亚"。[①]

我们已经领教过了战后过时的暴虐政权和"保姆式国家"[②],但是上述情况与此相比却有过之而无不及。这样的一项工程,我

[①] 麦西亚(Mercia),盎格鲁·撒克逊英格兰诸王国之一,7~9世纪时,处于君临天下的地位,诺森伯里亚(Northunbria),也是当时诸王国之一,全盛时期的版图从爱尔兰海一直延伸到北海。7世纪时军事力量极为强大。——译者

[②] "保姆式的国家"(nanny-state),这里的"保姆"是指专门照看孩子的保姆,要照管孩子生活的所有方面。——译者

们可称之为创造"强制下的安宁"。由于公共领域中许多详尽具体的守则均被取消,企图用统一思想和谐相处的办法来取而代之,所以,私人生活这个讲求实际的领域就不得不受到通过法律实施的越来越多的细则的约束。家庭里的厨房,董事会的会议室,乃至单身女子的闺房,全都不能由那里的主人自己作主了。

由于公共领域实行"董事会化",其运作的目标就是要消除冲突。父母不必再与孩子为上床的时间和家庭作业而争论,一切可能引起冲突的问题都有国家制定的规则来管理。女工也不会受到"不适宜"的议论,因为"行为准则"对于"适宜的"性行为也有规定。饮食、吸烟、喝酒和锻炼身体都将有章可循,在家里、床上和工作中,一切冲突都被可怕的沉寂所取代。

依靠技术来解决难题

人们希望科学的进步在某种程度上能为他们作出艰难的选择,并在公共生活中消除冲突。不过这种希望已经有上百年的历史了。技术和合理计划相结合,已被当成打开将来无限繁荣和社会和谐之门的一把钥匙广为推销。总之,如果冲突从根本上说是起于争夺可资利用的资源,那么,丰富的新时代拥有了无限的资源就会消除一切麻烦和争吵了。

新近,战后技术的巨大进步,比如探索太空,乘坐喷气机旅行,利用原子能等,为依靠技术解决问题的设想敷上一层道德色彩。这种论点认为,既然我们能把人送上月球,为什么就不能运用这种发明的能力来通过谈判结束冷战呢?但是这种看来相当合理的建议却衍生出一个更为危险的次论点,那就是,既然我们能把人送上月球,我们也就能结束冷战。这是企图用人类发明的技术来取代人类的价值观念,把客观的、自然界的目标与处理原则、政治、宗教意识形态等变化无常的关系等同起来。

更为严重的是,这种看法暗含另一层意思,似乎技术的进步在某种程度上使价值判断变得多余了。且举一个最明显的例子。这种论点会让人们认为基督教的分裂,或者塞浦路斯的分割只是技术进步中遗留下来的"枝节问题"。这种看法同新经济秩序的一切事物一样都直接起源于商业界,不加任何改变就被强加于公共领域。技术进步很可能使董事会里无休止的争论变得像企业家一定口含雪茄一样的过时。商人就是依靠先进的技术使自己适应形势,求得生存,但是这一理论并不适用于公共领域。政治的核心就是原则的冲突。任何机器,其功能无论如何令人叹为观止,也无法为绕开这种冲突提供一条捷径。尽管 20 世纪末期发生的种种事件已使那个无限富足的梦想化成泡影,人们还在不遗余力地鼓吹另一个类似的幻想,这也许可称为"高技术是一条能够解决多种问题的通途"。

于是,在 1997 年的选举中,托尼·布莱尔十分忘情地对他的听众讲述他小时候是如何掌握高超的电子计算机技能的。他讲这个故事的用意是想说明,保守党至今还把重点放在教育的结构和内容上,在当今这个信息技术时代真是陈腐到了可悲的地步。他这种思路的含义是说,对于孩子们,我们的责任是确保他们有条件使用电脑设备,至于他们的课程中的思想内容(如果还有思想的话)则可以留到以后再向他们传授。

事实上已经有迹象表明电脑化和英特网已经超量"销售"了。50 年代曾大力发展民用核能,说"和平利用原子能"将使电廉价到电表上无法显示的程度,现在英特网又被当成解放人类的手段而大肆兜售,说什么它可以让那些有能耐的人在任何地方工作,只要依靠超高效率的"信息高速公路"同外界联络就行了。到了1997年中期,大多数在家里工作的人似乎都离群索居,坐在家里利用下级雇员替他们做事;大多数能人呆在离工作场所不远的地方,如大银行、大使馆、时髦餐馆、俱乐部和公司总部附近就可以了。但是,即使信息革命确实一丝不苟地完成了它许诺的事,照样无法否定技术并非万能这个结论。政治冲突并不是因为缺乏信息而发生的,也不是因缺少电子计算机屏幕引起的。

制造"派生现实"的奇妙机器:
广告、公关和设计

80年代中期弗利特街①上的报界资深人物汤姆·贝尔斯托写过一本书,对英国报界的失误一一作了分析,并预计将来的情况可能更糟。其中有一章的标题是"公共关系:制造新闻的第五等级②"。在这一章中作者警告说,公共关系行业已对真实的报道构成威胁。他写道,公关官员和新闻记者人数的比例已达到1:3。[25]仅仅几年之后,贝尔斯托对公关行业的描述已显得外行得可笑。现在公共行业的从业者是一大批漂亮而不太聪明的姑娘,人们称

---

① 弗利特街(Fleet street),旧译舰队街,位于伦敦市中心,是英国各大报馆集中的街道,为报业和新闻媒体的同义词。——译者
② 见前注"三大等级"(僧侣、贵族、平民),英国戏称新闻媒体为制造舆论的"第四等级"。这里作者将公共关系称为制造新闻的"第五等级"。——译者

她们为"曼迪"①,她们所到之处都会有白葡萄酒和新闻用具包。所有政府许可的商业活动中最为引人注目的是大规模的广告和宣传活动。政府的公共关系机器和私营行业的宣传活动融为一体。新闻工作者马丁·波西称,公共关系机器最为重视的是制造"派生现实"②。[26]在这一领域里,英国在世界上是居领先地位的。

1997年2月,保险业大王万全公司(Prudential)宣告,该公司准备恢复其著名的"上门推销员",或称"万全人"。不带偏见的观察家设想,这一宣告与该公司重新雇用代销商不无关系。但是,万全公司恢复聘用推销员一说实际上就是"派生现实"的一个重要部分。所谓"恢复"严格来说仅仅是一句广告词,在实际生活中,万全公司的代销商从1994年10月起已经不再存在了。

另一个实例也来自金融服务业。这是90年代初的事了。当时的威斯敏斯特国家银行做了一则虚构的广告。一则电视节目中间插入的广告结尾出现了一个银行职员与一位女同事手拉着手,暗示他们为顾客服务劳累了一天之后享受一下晚上约会的欢乐。一家对此表示怀疑的报纸询问威斯敏斯特国家银行有关职员间关系的政策。这家银行证实银行绝对不鼓励职员间的这类风流韵事。

最近,为肯科(Kenco)咖啡公司做的一些广告以这家公司的"执行董事"为主角。据称,她是这家公司老板的女儿,公司的法定继承人,她在某些气候温暖宜人的地方同一名男姓沙文主义者纠缠不清。当有人向肯科公司询问此事时,回答是该公司并无此人,

---

① "曼迪"(Mandy),杜撰的词,似与"男人"(Man)有关的昵称。——译者
② "派生现实"(secondary reality),意为有一定根据却又有虚拟成分的所谓"真实"。——译者

也没有一位女性在公司担任高级职务,这个形象纯属虚构。

这些例子与众不同之处并不在于找到了这些公司,而是这类曝光并没有使这些公司感到多大的尴尬。这就是过去的电话广告和"派生现实"之间的区别所在,前者只是胡言乱语,而后者却有几分内部实际情况。

外交政策:正在消失的大尾狗[①]

商业化最为典型的表现莫过于外交政策的处理。外交大臣在飞机场举行的新闻发布会上宣称:"我现在就起程前往欧洲同我们的欧洲合伙人谈生意了。"用"谈生意"这样的词来表达政府的合法活动似乎是不恰当的,但政府并不在意。像跨国公司一样,新经济国家的"董事会"感兴趣的就是"持股人的利益"这个模糊的概念,而不是那些永恒不变的原因,比如国家的独立。结果是,在谈判中,尤其是在欧洲的谈判中,往往涉及英国的永久性权利,以此为交换条件,英国有一天也许可以在意大利争得一些电讯方面的合同,或者一份在西班牙开通航线的合同,虽然这种希望永远是水中捞月一场空。

政治目标和商业目标混为一谈,这是商业伦理取得胜利的一个突出的副产品,其结果是以牺牲自主权来增强"英国的影响力"和"重大的英国利益"成了英国奉行的对外事务战略。所谓"英国的影响力",可以理解为英国的政治和外交人物在国际大舞台上发

---

① 大尾狗(big tail dog),源于英语中的谚语"尾巴摇狗"(the tail wagging the dog),生活中只有"摇尾巴狗",不会有"尾巴摇狗"的。意思是主要的东西受次要东西的左右。这里是说在国际关系中受次要因素所左右。——译者

挥作用的能力和对他国施加影响的能力;"重大的英国利益"则是指一些股份公司追求的重要合同和开辟市场,这些公司理论上是设在英国,但注册者却是国际股东。

上述这种情况不仅危及英国这个国家的存在,而且也危及福利国家的存在,因为从广义上说,福利国家是以自治社会为先决条件的。只有当一个社会是一个文化上和政治上(在一定程度上)统一的民族单位并由这个单位进行管理和承担责任时,才能构建起一种信任框架,在这个框架中,福利国家承诺的"适度的、有备无患的"照顾才能得以履行。将外交政策置于国内福利之上,不仅有损于公众的福利和经济保障,而且会使整个政策制度架构走样。本来是应当讲原则的问题(如单一货币问题),却不得不服从更适用于私营部门的那种"卷起袖子就干"的实用主义;同时,有些领域本该"讲求通情达理、和睦相处",却又不得不服从面面俱到的各种指令。

按传统的托利党①或英国的保守主义立场,在世界范围内施加英国的影响,确保英国的"首席地位",本身就对英国有利,我们同意这种说法。这一学派历史悠久,可以追溯到整个欧洲从大英帝国直到经过拿破仑战争统一欧洲的时期。根据这种观点,英国有无能力实施均势外交和实力政治是至关重要的。(所谓"英国的能力",或许可以理解为从英国和身在英国的工业巨头那里汲取力量的外交精英们的能力。)这种能力来源于领土实体。这一力量的源泉今天可能已不复存在,只要能够保持其影响力,领土实体存在与否已无关紧要了。

---

① 托利党(Tory),英国保守党的前身,现指英国保守党。——译者

121

但是,英国还有第二种传统,可以追溯到布赖特[①]或更早的时期,这一传统反对帝国主义、均势外交和建立强大的政治单位。为简便起见,这种传统也许可以名之为"小英格兰传统。"我们认为这一传统代表了一种适宜的、符合道德观念的、中间偏左的政府外交政策立场。换句话说,我们认为,英国"同超过其重量的拳击手比赛",对英国人民或整个世界,无论从哪一方面说,都没有好处。(在这种拳击赛中,很难说清究竟是谁将会被击中鼻子。)我们信奉"小英格兰传统"是因为只有这样,政府在制定外交政策时才可以不受任何制约地充当国内福利的仆人而不是主人。这是符合道义的,因为其原则基础是英国再也不会比其他国家更为重要(除英国自身的居民以外),它再也不担负什么"文明使者的使命",而且,没有英国的影响,世界照样可以过得很好。

在我们看来,一个好的社会是一个自决的、自我调节的福利国家,在这个国家里,通过选举产生的权力机构握有一切为全体人民的利益管理经济所必需的手段。这不是一个碉堡式的国家,而是一个公民拥有一个安全的根据地的现代贸易国家。没有一个家庭会为了与别人结成团伙,把家里的金钱和房产挥霍一空,让自己的家人挨饿,为的只是获得对邻居的影响力。这样的家庭不能算是好的家庭。这一法则同样适用于民族国家。

[①] 布赖特(Bright),应指约翰·布赖特(John Bright, 1811~1889),英国政治家。他主张消灭个人之间和民族之间在社会、政治、宗教上的不平等。曾三度当选议员,两次入阁。他反对英国参加克里米亚战争,认为这有损英国利益;美国南北战争时期支持北方;1857年印度兵变前后,极力要求英国放宽对印度的统治。对内,他是平民主义的代表,对外,则反对英国实行殖民统治。——译者

第 三 章

制度的失败:战斗中的自由市场

　　他组建了一家"窃贼公司",他就是这家公司的首脑或董事。

　　　　摘自向乔纳森·怀尔德发出的拘留令,1725年
　(杰拉尔德·豪森:《捉贼》,克里赛特图书公司,1987年)

　钱财进金钱的天堂
　躯体入肉体的地狱
　　我读不懂

　　　　（古卫·鲍伊 /里夫斯·加布里尔,1989年）

　　所有的工业和商业都将终结于一个庞大的集市,在这个集市里人们可以买到一切他需要的东西。

　　　　爱弥尔·左拉:《金钱》1981年
　　　　（艾伦·萨顿出版社,1991年）

　　据说,已故的理查德·克罗斯曼在他担任《新政治家》杂志编辑的短暂期间,曾把一名记者叫进来简短地告诉他,他接到了一份关于保守党正在发生有新闻价值事件的情报。这位记者对这件事进

行了核实,用他们的行话说,发现这件事"站不住"。克罗斯曼后来追问为什么这条消息没有见报,这位记者抱怨说,这件事已证实并不真实。据说,当时克罗斯曼怒气冲冲地对他说:"我从来没有说过这是真实的,我只是说有新闻价值。"

70年代中期为自由市场经济所作的许诺是很吸引人的。对于这一点,几乎没有人否认。在政治上无知和对经济政策没有主见的人看来,这些许诺简直是美妙得不可思议。但是,这些许诺是真的吗?要批评市场秩序未能实现对市场抱敌对态度的人提出的目标,如社会平等、结束消费者社会等,那是再轻而易举不过了。所以,按市场经济自身许下的诺言来作出判断,倒是一件值得做的事。

要把这些许诺加以量化,确实不易。在前面一章,我们已经谈到,文化上的反对革命促成了新市场经济的形成,但是这股文化上的反对革命的力量所引以为据的只是一些难以明确界定的感觉和感性认识,并不是有关私有化、公共债务或工会改革的具体建议。尽管如此,从这些杂乱无章的念头中确实涌现出一些重大课题,而且在70年代中期卷起了一阵风暴。尽管把事情过分简单化可能有曲解的危险,但是我们认为还可以用一个明显矛盾的比喻来概括这些大课题及其内含的许诺,这就叫作有活力的稳定。活力来自私营经济部门"释放的能量"(这是新市场经济学家偏爱的一个用语);而重新强调自由企业必然带来稳定,就像白天过后黑夜必然来临那样自然。削弱国家的职能,把责任转移给个人,这就意味着市场革命将顺理成章地恢复小城镇和市郊所具有的优点。市场就是经济组织形式的"归真",同样,家庭就是社会组织形式的"归真"。根据这种看法,战后体制的"原罪"就在于它背离了动力加稳定应有的地位,结果是工业毫无活力,而社会反倒高度活跃到了"动荡不定"的程度。

从此,工作场所就会是体现"活动的"舞台,家庭则是"稳定"的根据地。假如有人要用语言来表达这股强大的文化潮流的话,那么他大概会用下面这样一段话来表达:"我们一直相信你能够激发人性和一切事物的本性,巧舌如簧的'专家'们是无所不能的,从治愈孕妇晨吐直到废除供求关系法则,都可以做到。但是,这一切的结果是一场灾难:锯屑做的面包、成排的塔楼、犯罪和破坏行为①、吸毒成瘾、罢工和通货膨胀。因此,我们再也不能这样继续下去了。于是我们就回归到基本价值观,在家庭里、公司里和社区里,在饮食、建筑、犯罪与惩罚、教育,最重要的是经济学等诸多领域,我们都要重振基本价值观念。"从这一主题可以扩展到方方面面:授予个人以行动自主权,消除"道德危机"(以牺牲受冷落的群体和活动为代价,让那些受偏爱的群体和活动得到实惠),振兴新型的、生机勃勃的文化生活(艺术家和观众之间恢复其应有的联系,取消以接受国家补贴的先锋派绘画和戏剧为代表的死气沉沉的国家文化机构所给的经费,拒绝常驻作家②那种枯燥无味地宣泄感情的作品)。恢复历史悠久的市场不偏不倚的判断标准和制约,以此来取代政治上的偏好和无能的专家,同时还要恢复中产阶级的地位,没有他们的优秀品质和价值观,国家就会像一架没有保持平衡的环动仪、没有驾驶员和机组人员的飞机。

---

① 破坏行为(vandalism)指某些人(尤其是年轻人)出于无聊或发泄,无故地破坏艺术品、公共设施、风景名胜的行为,如街头雕塑、公用电话亭等。——译者

② 常驻作家(writers-in-residence),指一个时期内受雇于学校或社区等机构,专门为这些单位写作并获取报酬的作家。——译者

正如保守党在1976年发表的目标声明《正确的途径》中所说："最终实现最繁荣的、最为令人满意的社会必定是一个在经济刺激、公认的精神道德和规范人的行为和活动的法律之间冲突最少的社会。"那么这种宏伟的设想在冲突和斗争中实施的情况如何呢？如果这一设想确如其倡导者所说的那样代表着一种"常理"[①]（《正确的途径》中有一个小标题就叫"切合实际的常理"，其他小标题还有"个体企业"、"漫长的道路"以及"权利和义务"），与凯恩斯主义的艰涩理论和脱离实际的社会设计师的说教相对立，那么其效果本来应该是辉煌的。

X光透视下的人：再度对"自主的"个人实行管制

传统的自由放任资本主义被批评者讥讽为穷人只有在滑铁卢桥下过夜的自由。战后体制对金融实行严格的管制，对个人则采取放任态度，或者说个人可以加入自由性爱团体，没有人管你，照样享有社会保障，但是不能拥有一家钢铁公司。我们的新经济秩序再次变更了规则，或者可以说，个人已经享有拥有钢铁公司的自由，但是不系安全带、不戴防护头盔则是不允许的。90年代的个人在狭义的金融领域已享有以下这些权利：外汇兑换不受限制，工资不再冻结，取消了抵押贷款的配额，养老金、股票以及其他的东西一度受国家严格监督，现在却已经变成可以随身携带的财产了。

[①] 常理(common sense)，汉语中似难以找到同义词，意思是从实际生活获得的好的见识，与来自研究或书本的见地相对，有时也译为"情理"。——译者

个人可以不经当局的许可就通过伦敦金融商业中心的经纪人涉足泰国的证券交易所。他可以用德国马克支付他的抵押金,用德拉克马①付保险费,而他领取的工资却是瑞士法郎,确实,公民资本家已经出现了。

也许个人享有自由又是有限的:我们那些"微型的"索罗斯们作为金融实体倒是自由得像一只小鸟,但是一旦超出这个范围去同国家打交道时,情况就完全不同了。个人活动通过闭路电视录相机受到监视(1997年春,由政府拨款购买了4 500台这样的摄像机,安装在公共场所,官方希望1999年将有11 000台投入使用),根据1997年修订的法律,无需搜查证就可以对个人的住所进行搜查,在工作单位要接受酒精和毒品测试,公司组织的集体周末活动则要经过多疑的"顾问们"的心理分析。在这种情况下,我们那些持有股票的公民们理所当然地感到他们在非金融活动中受到了过分严厉的限制,甚至超过了70年代。即使在他们被慷慨地允许享有活动空间的金融生活中,也不如想象的那样自由。当他躲进他的经纪人安静的办公室时,他又要经受严格的考验:他必须证明个人的身份,然后才能得到一个他独自专用的密码,这样,IMAS,即伦敦证券交易所人工智能系统就可以对他的股票交易实行监控。在银行里,他同样被要求提供身份证明:90年代,为防止洗钱而通过的立法已经剥夺了英国历史悠久的个人享有以任何姓名开银行账户的权力。他去拜访他的会计师,从会计师那里得知税收制度又改了,他不仅有责任向国内税务局提交一切有关的情况,而且还要负责保存一切可能与收税单位有关的书面材

---

① 德拉克马(drachmas),希腊货币单位。——译者

127

料。他还获悉,政府正在准备采取行动,允许警方要求他报告所有资产的来源(警方的这一权力在北爱尔兰已付诸实行)。令他高兴的是,他听说金融违法行为不再由陪审团审判,而是只由一名法官加上两名"外行的陪审员"审理。他不仅在金融领域之外受到严格的控制,而且在金融领域内也要受到严格的控制。说到这里就出现了一个可怕的事实:获得自由的不是公民本人,而是他的钱。放松控制不是别的,而是对资本的控制,对人的控制不仅没有放宽,反倒加倍地强化了。公民的钱的去向不受限制是新经济秩序的神圣原则,至于个人,这一原则是不适用的。相反,几十年错误的福利政策和执法不严已经把个人宠惯坏了,因此认为他们要的是"严厉的爱",是再度"受到管束"。美国人对剩余劳动力实际上是实行国有化(鉴于现代的就业具有轮流的性质,这批人在全部劳动力中应占有相当大的比重),或者这部分劳动力必须接受"再教育"(主张这样做的人将之称为"保留待用")。英国使用的提法实际上是美国做法的委婉语。

一方面解放资本,另一方面对人民进行控制,标志着1976年认真进行的一场争论已经有了结果。这场争论的焦点集中在国家是否可能做到既保持个人的自由,同时又对资本实行控制。1976年1月工党的内政大臣罗伊·詹金斯在安琪尔赛的一次讲话中警告说:"我认为,你们把公共开支大幅度地提到(国民收入的)60%以上,那就不可能还维持一个多元社会的价值观和自由选择的权力。在这一方面,我们已经接近社会民主国家的极限了。"

争论的问题是个人自由和经济自由之间有无关联。有些人认为这两者之间根本就没有任何关联。工党的副首相、未来的工党领袖迈克尔·福特是最著名的"自由派社会主义者"。在他看来,詹金斯先生(现在是罗伊勋爵了)提到的公共开支提高到60%不仅可能,而且完全可以提高到将近100%,这对个人的自由不会产生什么有害的副作用。富特先生在内阁中的同事、立场更右的托尼·克罗斯兰是一个很有影响力的学派的带头人,这一学派认为,高水平的公共开支加上"开明的"立法,是一种解放的力量,是社会改革的强大推动力。这大致就是战后体制下采取的立场。詹金斯的讲话反映了许多人的看法,这些人认为战后体制现在已行将结束。

在争论中又出现了新的观点,这种观点认为,凡是思维正常的人都不可能当真设想个人自由和金钱自由是可以分割的,也就是说,不可能精神欢快地自由翱翔而金钱却被牢牢地套在政府的镣铐之中。哈耶克最完美地表达了这种观点。他说,国际电话电报公司、通用汽车公司这类公司巨人,同任何一个经济个人一样,都应享受同等的权利。与哈耶克同样支持自由市场的米尔顿·弗里德曼发出警告:

> 最近几年的事态发展……提出了一个疑问:如果我们继续赋予政府更多的权力,授权给一个由公务员构成的"新阶级",让他们把我们的收入中越来越大的部分据说是花在我们身上,那么人们就不能不怀疑个人的才智还能不能消除政府控制的后果。或迟或早,也许比我们想象的还要更快一些,一个越来越庞大的政府会把自由市场带来的繁荣和独立宣言庄严宣告的人身自由全部毁掉。
>
> 现在我们还没有走到无法回头的地步。作为一个民族,我们还可以自主地选择我们是否还要沿着"通向奴役的道路"(哈耶克那本深刻而有影响的著作就是以此为名的)继续滑下

去,或者我们是否要对政府实行更严格的制约,更多地依靠自由个人之间自愿的合作来达到我们的一些目标。[1]

在动荡不定的 70 年代中期翻滚了一阵之后,现有秩序的卫道士们,其中包括顽固不化的社会福利大臣巴巴拉·卡斯尔(现已荣获"夫人"[①]封号),还在勉强做那些做不到的事。他们硬说,"社会工资"就是用国家税收来实行一揽子社会福利计划,其本身就是一种社会付给个人可用于解放自己的个人资产。这一哲学的一个具体事例就是根据"公用事业责任"(Public Service Obligation,简称 PSO)由政府拨款给英国铁路局,通过这一安排,国家作为一个主顾为社会福利付款(也称为弥补亏空),想用这种办法将英国铁路大致维持在 1975 年 1 月的状态。这种愿望使国家看起来就像个人一样,也是一个顾客,一个朋友或者一个大宗买卖的关系户,开着一辆货客两用汽车去现钱交易的商店采购。1974～1976 年的威尔逊政府曾经提出一个叫做"小事情大成就"的倡议,其中包括向公民散发小册子,向他们通报他们所纳税金的确切去向。有意思的是,工党也在制定一项名为"终身租赁"的计划。这是因为保守党制定了以巨额折扣将统建住房廉价卖给用户的政策,这项政策大受欢迎,于是工党为与保守党抗衡不得不背水一战。制定"终身租赁"计划,实际上就是建议将统建住房卖给用户,只不过只供住户终身使用。这计划是否行得通,我们不得而知,因工党最终放弃了这项计划,而保守党在 1979 年就上台执政了。

---

① 夫人(Lady),这里指卡斯尔名字前加上了 Lady,即 Lady Barbara Castle。"夫人"是英国对拥有贵族身份女子的尊称,犹如男子名前加 Sir(爵士)、Lord(勋爵)。——译者

另一个"知其不可为而为之"的尝试是鼓噪一时的所谓"参与"行动。社会民主党人迫于压力不得不承认，政府看起来确实过于庞大，而且脱离群众，但是这些缺点可以通过让人民参与决策来加以克服。1969年，斯克芬顿委员会提出的报告研究了公众参与的方式方法，其中特别提到了让公众就制定计划提出参考意见。这个委员会发现，"参与"这个概念说起来容易，真正实行就困难重重了。

到了80年代初期，在大都市中，"参与"已经变味了，最为突出的是大伦敦市政务委员会。从1981年至1986年，"参与"已变成了某种拨款制度，在这种制度下，经选举产生的官员可以向他们支持的"社区"组织拨出巨额款项。这种儿童用具包式的金钱政治在其发源地学生会内部就行不通，在一个800万人口的大都市里，除了得罪许多纳税人之外，什么事情也做不成。于是，人们对此提出强烈的异议，认为这种所谓的"参与"既不能与自由权利相提并论，又得不偿失，科尔·韦尔蒂在1982年9月11日出版的《观众》上宣称：

> 许多人觉得参与议政真是令人厌烦透顶。与其同一群好管闲事的人聚在一起无休止地争论，倒不如留在家里收拾自家的花园。他(指大卫·欧文，前内阁劳工大臣，后为社会民主党创始人)对这样一个事实似乎一阵明白一阵糊涂。他支持参政是因为对我们有好处。……但是民主参政与自由权利是两回事，也不意味着只有那些热心参政的人才算是"真正做人"。要知道园艺工人也是在做人。

根据上述观点,唯一真正的参与是重新把人当成根本的决策单位。

终身租赁、POS拨款、参与决策以及社会工资,尽管方式各不相同,却有着共同的缺点,那就是它们都太小,也太晚了。30年来一直以为白厅的主人最有见识,现在再由社会民主党的组织把他塑造成公民最好的朋友已经有些为时过晚。不管怎样,社会民主党的精英们都从来没有认真地想提高个人的地位,在他们眼中,个人在管理社会中只不过是个观察员的角色。安东尼·克罗斯兰曾对他的妻子说:"假如我最后还能做一件事的话,我想做的就是把英格兰的,……还有威尔士的所有文法学校①全部砸烂。对了,还有北爱尔兰的。"[2] 这种强烈的冲动仍然在起作用。1976年,政府试图在大曼彻斯特强制推行综合教育,为此政府在高等法院遭到法官们的严厉谴责,这次政府受到羞辱,在公众看来,与另外两次政府在高等法院败诉是有关联的。一次是因空中客车飞机的交易弗雷第·莱克把政府和国有工业告上了法庭;另一次是澳大利亚企业家克里·派克在其诉玛丽勒本板球俱乐部②和板球委员会(后来是郡际板球赛委员会)一案中胜诉。严格来说,派克先生并没有在法庭上击败一个国家机关,但赞歌的歌词却大致相同:孤立无援却勇敢无畏的小人物敢于同一个萎靡不振的庞然大物抗争。这个行动是那个庞然大物挑起的,其目的只不过是为了保住它的垄断地位。

---

① 文法学校(grammar school),私立贵族学校,专门传授文科知识的中等学校,学生一般来自上层社会或富有家庭,毕业后,大部进入牛津、剑桥等名牌大学,是培养统治精英的摇篮。——译者

② 玛丽勒本板球俱乐部(MCC= Marylebone Cricket Club),英国板球运动权威组织。——译者

罗伯特·莫斯在1925年写道:"没有经济的多元化,政治多元化就不可能长期存在。我们已经看到,自由社会的生存靠的是权力分散。这一点无论在经济生活中还是政治生活中都是确定无疑的。如果国家只是一个雇主,那么任何人只要反对它的政府,就都会有挨饿的危险。"莫斯先生著作的这一章用的标题是发人深省的,这一章的标题是《财产必不可少》。[3]

传统的社会民主党人惊恐地发现,罗伊·詹金斯提出的问题已经自己作出了回答,答案是否定的,也就是说,个人的活力和政府日益严厉的管制是无法共存的。新市场秩序不可能像魔术师变戏法似地把"自耕农"①变出来,自耕农的出现需要最大限度的金融和财政自由。它虽然不是目的,却是个人自由不可或缺的条件。

几千宗刑事犯罪,后来又花费几十亿英镑来为警察添置设备和武器,于是詹金斯提出的问题就颠倒了过来:我们不必再问百姓的钱受到束缚时个人能否享有自由,而是要问一问当百姓作为个人受到控制时,他们的钱还能自由吗?80年代末以来的事态发展提供的答案是肯定的。金钱在世界范围内自由活动确实带来了无穷的祸害,结果,加强对个人行为的管束反倒成为必不可少的了。70年代末,撒切尔夫人和其他人用魔法变出的"自耕农"都是一些在安全机构统治下俯首帖耳的顺民。安全机构的高级官员在公开讲话中对他们的长期目标再也不必加以掩饰,那就是全国性DNA指纹,强制性的身份证件,"不受约束的"搜查和拘留权,取消保持沉默权和陪审团审判制度,以及在几乎所有的城市公共场所和主

---

① 自耕农(yeomanry),或自由民,英格兰历史上介于士绅和劳动者之间的阶级,中世纪后大都耕种田地,不服兵役。此处似喻普通百姓。——译者

要公路上实行电视监控。

南约克郡是英国犯罪率最高的集合城市之一。[①] 1997年5月,该郡依法维持治安的警察当局投入可观的人力和财力,发起了一个运动来对付那些车窗玻璃颜色深于规定限度的汽车。提高国家"透视"公民私人生活的能力成为安全政策中压倒一切的重点项目。如同过去国有化行业在其惰性最小的时候行使它们的垄断特权一样(如英国广播公司发放许可证,英国铁路公司反对增开公共汽车线路和增加汽车占有份额),现在新的安全机制也在不遗余力地对公民行使他们的权力。在这方面,如果我们对新秩序所作的许诺进行测试的话,我们将给市场制度打的分数是F[②],F就是失败。

新市场经济中的是非不明

新市场经济体制的运作对于个人自由的影响是一目了然的。但是市场体制还有第二个与此密切相关的长处,就是可以消除"败德行为"。这个概念容易感知而难以表述。简单地说,"败德行为"就是把用于好事的补贴用在了坏事上面,从而支持了坏事。举例来说,汽车保险制度规定凡是投保人都支付同样的保险,至于这些汽车驾驶员在道路上的行为、年龄大小、是否有经验等等因素则不予考虑。从广义上讲,凡是某一群体不公平地补贴了另一个群体,

---

① 集合城市(conurbation),由几个小城市连接扩展而成的较大规模的城市区域。——译者

② F,如果考试采用A、B、C、D的记分制度,F自然就是不及格,而F又是"失败"(fail)的第一个字母,一语双关。——译者

都可以包含在是非不明的范围之内。从小处讲,旅馆老板为住客提供免费的"全套英式早餐",也可以用"是非不明"来加以反对:假如所有住店旅客都为这顿早餐支付了 7.5 英镑①,问题不在于钱的多少,而是某个住客一顿早餐要吃好多片火腿,好几根香肠,数枚鸡蛋,一整摞烤面包,另一个住客则只吃少量的炒鸡蛋和一杯橙汁,那么前者就从后者那里得到了一份补贴。

这类一揽子交易据说都是在一个"黑匣子"里操作的。"黑匣子"是经济界的一句俚语,指的是福利、货物和服务等一揽子难以分解清楚的支出。在支持市场的人看来,到了 70 年代末,大部分英国经济就进入了这样一个黑匣子。大量的金钱在这一制度下以各种形式在流动:工资、转付款项、红利、补贴、税务亏空补贴、额外收费、伙食补助、农业津贴,等等。在这个流动过程中,似乎没有一个操作者能准确地知道来龙去脉。这种像挑绷子游戏般纵横交错的付款和还款、施舍与回报只能是"扭曲"了市场,同时也"扭曲"了合理的决策过程。1989 年,商人兼作家罗德尼·阿特金森在他的著作《国家的失职》中宣称:"政府把有关个人责任的法则颠倒了过来,对于那些作出愚蠢决定的人给予奖励,对于失败者给予补助,对于成功者则课以重税,对于那些连自己都照顾不了的人还要为他们生孩子提供费用。"[4] 物质奖励用错了地方,结果,在货物分配、服务和人的使用等方面也就纷纷效仿。在这种情况下,要对某种东西的成本作出估计,即估计其"真正的"市场价值,几乎是不可能的。

---

① 欧洲旅馆一般提供"免费"早餐,但实际上这早餐的费用是包括在房费里的,所以是有一定标准的。——译者

迈克尔·爱德华兹爵士曾想方设法来确定一辆汽车的成本。他回顾这一经历时写道:"我参与全国企业委员会(NEB)的工作,所以我知道在计算每种型号的汽车成本时,并没有统计分析资料。……可以想象,管理企业而不知道每种产品的成本究竟是多少,似乎是难以置信的。"[5]

当时这种败德行为还有一个重要方面就是"权责不清",那就是强加于英国企业经理头上的所谓"有责任而没有权力"。他们无权随意雇用和解雇人员,因此他们就不得不置"实际"经济状况于不顾,把许多时常闹事的工人留在工资单上。是非不明的一个典型是,工人既然不会被开除,他为了更高的工资举行罢工就成了一局只赢不输的赌博。由此造成的危害却都被转嫁到一些与罢工毫不相干的人身上,比如公司的持股人,当涉及公共事业时,这种危害就(更为恶劣地)被转嫁到无辜的公众身上。

接管公司的行家都急于找出被掩藏起来的资产,他们喜欢"厘清"①这个词,这个词也被更广泛地用于描述整个社会为合理分摊成本和责任的行动。黑匣子一旦打开,新经济秩序就会让歌剧观众购票入场,乘火车的旅客买票上车,罢工者也要为他们给雇主带来的损失付出代价(必要时就要被解雇)。投票支持那些大手大脚的政务会委员的人也要为巨大的公共开支付出代价,征收人头税就是针对这些人的。把包打开,给里面的东西一件件地合理标价,这样,由于政治的、经济的和个人的因素造成的扭曲也就得到了纠正。研究自由市场的思想库预见到"黑匣子"终将被打开,这个黑

---

① "厘清",原文为 unbundling,意为"打开"被胡乱地捆在一起或包在一起的东西,这样,包的东西便可一件件地分开了。"开包"即与文中所用的"一揽子"和"黑匣子"有联系。——译者

匣子就是福利国家。他们以一种日益增强的信念在继续做这件事。1997年7月,设在伦敦和布鲁塞尔的思想库欧洲政策论坛提出了一份报告,其中提出要让1 800万个家庭从福利制度转为个人保险。这份报告称,"已有数百万个家庭欣然接受依靠保险的习惯。保险业正遇到一个向这些家庭开展业务的大好时机。"在提到的各种好处中就有消除"败德行为"这一条。

六七十年代,极左分子在全世界拼命寻找"正宗的"社会主义取得成功的国家,现在热衷于自由市场的人也在不遗余力地寻找那些据说成功地将福利制度私有化的国家。正如往昔工人的天堂(古巴、坦桑尼亚和中国)一样,新型的福利国家离我们也还相当遥远。90年代初期,马来西亚和新加坡颇孚众望,但是到90年代末期,智利又成为未来实行私有化的光辉前景的范例。

具有讽刺意味的是,在新加坡这个舞台上,败德行为正以一种新的更为致命的形式泛滥成灾。在新加坡,新经济秩序远未消除这种行为,甚至连减轻都谈不上。1995年2月,伦敦历史最悠久的巴林银行听到了关于它在远东地区的明星级商人尼克·利森所做的令人震惊的事情。常驻新加坡的利森非但没有通过高风险的金融业务为银行赚取几百万利润,反而使他的老板破产,还背上了将近10亿英镑的债务。如果利森只是过于愚蠢做了错事,或者为人恶毒,那也不过是银行未能管好一个办事不稳妥的雇员而已。但是,巨额的红利却是根据利森虚构的利润计算出来的。到了1997年,英国的金融管理机构在红利制度上已处于毫不掩饰的惊慌失措的状态。红利制度看来是在怂恿业务人员利用银行的钱为个人谋利去赌博。利森贪婪地掠夺的对象不仅是与他做交易的人,而且还包括银行的持股人(其中有老百姓的养老基金和合股投资的共同基金)以及整个金融系统。

1997年8月,负责金融管理的新任主席霍华德·戴维斯对"伦敦周末电视"说:"我们肯定将不得不关注酬金问题。……他们冒的风险越大,……最后所得的回报也越多。"此前不久,股票经纪人、管理机构证券和期货局的主管官员理查德·法兰特承认,要动一动制造败德行为的奖金制度真是"困难得要命",尤其是在公司不断地"卷入市场"的时候就更加困难。

90年代初期,不正当地出售养老金的丑闻逐渐暴露出来,即使将巴林银行事件与之相比,也是小巫见大巫了。这一丑闻把市场秩序的核心部分之一,即80年代中期出台的"新贝弗里奇"一揽子福利改革吹得烟消云散。雇员曾被准许自由选择是否参加国家或公司的养老金,可以自己决定向大保险公司或其他金融联合企业直接购买养老保险,据说伦敦金融中心所立的规定可以确保推销员为顾客提供"最佳忠告",但是,就像伦敦的交易所里能拿到奖金一样,养老金销售的丰厚回报也具有巨大的诱惑力。到了1997年,据统计,价值40亿英镑的个人养老保险被不正当地推销出去,也就是销售员在销售养老保险金时没有让买主获得最大利益,他们追求的是巨额回扣和其他赚头。

实际上,养老金丑闻只是80年代初以前一段时间里发生的更大的金融产品销售"不当"的丑闻的一部分,其中最主要的是人寿保险抵押[①]。这是一种为归还购房贷款设计的储蓄方式。人寿保险抵押是强加于人的,因为购买这种保险的几百万人,按他们的情

---

① 人寿保险抵押(endowment mortgage),指以人寿保险所得来偿还购房贷款。——译者

况,其实是更适合于传统的分期偿还的抵押贷款。由于自80年代中期开始,取消了人寿保险抵押的优惠税率,除了医生、退伍军人和其他工作与家居同在一处的专业人员以及经常迁徙的人以外,对所有的人来说都不是最佳选择。但这类抵押在推销员中备受青睐倒是不难理解,因为他们可以从中获得巨额回扣,而分期偿还的抵押贷款却无回扣可得。

90年代,英国人工资低是普遍现象,而且还被当成"具有竞争力"的象征而广为推行。这实际上意味着"血汗工厂"①的雇主们把维持工人及其家庭接近20世纪生活水平的负担转嫁到纳税人身上,为此,纳税人就收到一些账单,要他们去缴纳家庭收入补助费以及其他一些为提高低工资而设计的税项。

与此相关的是,大企业不断要求将用于培训人员的这部分成本卸给国家,而且一般都能如愿以偿。由于80年代初成千上万的学徒工流失,第一届撒切尔政府慷慨地拿出了10亿英镑(在当时这是一笔巨款)用于培训年轻人,以便他们能够适应英国工业的需要。结果,工商业就把已经列入成本的学徒工、实习工和办公室里的下级人员的培训费都转嫁到国家头上。本来希望工党政府能恢复"技能法案"的应有地位,其中也包括受益者的应有地位,但这一希望已成泡影。布莱尔政府不仅积极主动地接过了这个包袱,而且还似乎把承担这样的责任视为国家主要的合法经济活动。

如果说上述这些日益膨胀的败德行为还不够严重的话,那么到80年代末和90年代,情况就如同伤口上加盐一样进一步严重

---

① 血汗工厂(sweatshop),指工资低而劳动量大、工作条件恶劣的工厂。——译者

了。这个时期,大公司为兴建工厂或者同意关闭工厂,都要求(英国政府)给他们一点甜头,而且他们也确实如愿以偿,数目之大达到了令人瞠目结舌的程度。90年代,英国政府为了使设于考文的生产美洲豹汽车的福特公司更加现代化,给了这家公司7 100万英镑,为设于默西塞德郡的海尔伍德工厂更新设备拿出了1 500万英镑。韩国的LG公司在威尔士投资从英国政府那里拿到了2亿英镑,创造了每个就业机会耗资30 000英镑的记录。西门子公司在纽卡斯尔附近新建一个工厂,每个就业机会大约耗资16 000英镑。伤口加一把盐,再加一把盐。这些给企业的甜头却从来没有向纳税人透露过,而这些钱正是从他们身上刮来的。《金融时报》1997年7月24日报道:"很难获得准确数字,因为政府对此是保密的,同时也因为这些钱来源各不相同,其中包括来自不同地方和区域的政府和贸易工业部。"最后的一把盐是这些公司在公开场合大肆吹嘘他们对英国优质教育的赞助,不过他们知道,他们也必须知道,他们的赞助无异于贿赂,是有回报的,别的不说,至少教育经费中是要出钱的。

这个问题是世界性的,1993年,梅塞德斯-奔驰这家大公司为兴建一个新汽车制造厂邀请美国各州投标。美国最穷的亚拉巴马州花费近3亿美元中标。从此以后,这个州一直试图从教育经费预算中挖出钱来支付给奔驰公司,另一家据说是德国控股的宝马汽车公司则获资1亿美元。这些给别人的甜头似乎是正当的,理由是这些甜头的大部分首先是取之于各大公司,即便不是如此,从安装的设备征得的税收也足以补偿了。最后,新经济秩序与生俱来的败德行为是公司逃税和偷漏税现在已如此之普遍,以至前反诈骗局官员罗恩·博斯沃斯-戴维斯在1997年6月里斯本的一次会议上警告说:"我们选举产生政府,就是要赋予它征税的权力,但是这些政府无力依法征税,这就决定了在下个世纪的议程上,我们必须关注这个问题。"

没有人说上述这些公司曾经偷税漏税,但是这些公司向其持股人承担的义务却必定包括利用合法的避税措施。在他们自己看来,或按我们目前的看法,这些公司都是一些守法的法人。但是,如果我们想象,那些从政府的惠赠中得到好处的公司从来没有过介于避税和公然偷税的行为,那是不符合实际的。1996年5月发生过这样的事:迪洛依特-塔奇(Deloitte & Tuche)会计事务所统计了王国政府在前20年间被诈骗的税款,按现价计算总数达到两万亿英镑。这个天文数字还仅仅是偷税和漏税,合法的避税还没有统计在内,而那些最大的公司却无例外地存在大规模的合法避税行为。1978~1983年的撒切尔政府最初采取的行动之一是取消外汇管理,为税收革命扫清了道路。一方面,数以十亿计的资金流失海外不知去向,另一方面,政府却疯狂地向一切实在的东西征税,房屋、零售商品、食物、燃料、汽车、土地,当然,普通劳动者"固定不动的"收入也是不放过的。这些从税收筹集来的钱却当作甜头来引诱那些所谓的"大公司",而这些大公司的避税行为首先是把国库洗劫一空。

在任何私人企业制度中,这些相对而言算是新的发展都是与这种制度固有的败德行为共存的,只不过在90年代更为严重而已。最明显的就是有限责任和资不抵债。有限责任是一种特殊的概念,一开始就被人识破,认为这是对社会而设的大骗局。1862年,当有关的立法在议会历尽艰辛被通过时,批评者就宣称,从此商业就变成"异教徒"了。多年来的事实表明,他们的担心是有道理的,因为从那时起"凤凰公司"①就在全国振翼飞翔(所谓"凤凰公司"就是指那些为逃避债务自行宣告破产,然后再"一身清白"地东山再起,以一个新公司出现的公司)。所谓"资不抵债",就是无论是公司还是个人作为债务人,无力偿还的债务都落到他人头上。这是败德行为典型的一例。到了现今,其不同之处在于其规模和官方对此的态度。资不抵债已成为转嫁危害的一种手段,成了化解本来应由商业和金融利益承担的风险的"传送"系统。

1996年在英格兰和威尔士,个人破产总数达到26 271起,是1960年的8倍。破产率大幅度上升带来的是就业无保障、短期合同、个体经营以及其他一切造成工作岗位不牢靠的因素。这种现象反倒受到官方立场的支持。按1997年初贸易工业部发言人的解释,个人高破产率反映了一个更为企业化的社会,大可不必为此忧心忡忡。

政府还有大银行和其他金融机构自然都可以放心,因为个人或小企业"寿终正寝"时,首先要偿还的是税金和"有保障的"债务(银行的抵押贷款是以固定资产担保的)。在破产中的受害者是其他个人或小商人,结果其中许多人也跟着破产了。

这方面的败德行为引发了另一种败德行为。由于正式的信用贷款在个人收入中的范围日益扩大(非正式的信用贷款制度则相应地逐步消失,如商店采用在石板上记账的办法为较为贫困的人提供方便),这样一来,利率也就逐步提高了,因为较高的利率可以使贷方避免较大的风险。结果,现代信用业又成了捆绑那个大黑

---

① "凤凰公司"(Phoenix companies),源于埃及神话中有关凤凰的神话。凤凰是一种美丽的长生鸟,每500年自焚为烬,再从灰烬中重生,如此循环不已,即所谓"凤凰涅槃"。——译者

匣子的一根绑绳。新经济秩序远未将商品和服务这两根绑绳解开，现在又来了一个新的"捆绑者"（即金融机构），而且这个新捆绑者还前所未有地兴旺发达起来。现在的信用卡所包含的一揽子服务范围极广，从海外的医疗服务到利用自动柜员机，甚至包括了法律咨询、赊欠和信用贷款以及保险等功能。这么多的东西被"一揽子"地捆绑在一起，就不可能把它们分解开来——定价，这样，顾客在信息方面就处于不利地位，而新经济秩序本该让他们摆脱这种信息不利地位的。从顾客这头羊身上以高于传统高利贷利率的水平"剪毛"的机会多得很。举例来说，顾客用外汇付款时，昧心的经营者不仅要收取手续费，还可以给出不利于顾客的汇率，甚至还有第三次盘剥，利用利率再剪这头羊身上的毛。

对于那些昧良心的经营者当然可以通过法律来追究其责任。新经济秩序的主要"卖点"就是要恢复法治，声称只有在法律框架内市场才能繁荣，但是法制却在官员和工会好战分子的权力无限扩张下遭到严重破坏。话又说回来，声称要加以恢复的又是哪一种法律和谁家的法庭？新体制的一大特点是把经济犯罪分离出来，交给"纪律法庭"（disciplinary tribunals）来审理。这实际上是一种不公开的法庭，使经济犯罪进入了一个"自律"的迷宫。这些法庭审理也并不全是"违规"行为。它们还越来越多地审理偷盗案件。1997年2月，证券和期货管理局宣布，它曾处理了一家商业银行交易人盗窃大宗款项的案件。他被证券和期货管理局取消了注册。这几乎是归刑事法庭审理的案件了。1995年4月也曾发生过类似的案件，某人因偷窃证券而被除名。

1996年10月，博斯沃思-戴维斯先生在诺福克郡的伯莱克尼讲话时警告说："任何在普通百姓看来是犯罪的行为，只要不是在伦敦金融商业中心犯下的,就变成另一种性质的行为,越来越多地用一种不同的半民事管理方式来处理。"

这种"不公开的法庭"的存在,自然就可以使那些金融界的精英们避免在刑事法庭上受审给他们带来的羞辱,这就证明新经济秩序的受益者不想让人们批评他们是打不开黑匣子和制造败德行为的根源,换句话说,所谓的恢复法治只不过是陈腐的虚伪。在《独立报》上,后来又在《每日电讯报》上刊登的"亚历克斯"连环讽刺漫画就生动地描绘了这个世界。在前几幅漫画中,那些身穿条纹衬衫的要人面无表情地坐在那里高谈阔论,大讲新市场秩序的基本准则(什么竞争性、灵活性,等等),在最后几幅漫画中却暴露了他们原来是在密谋策划,为的是确保他们继续享有乘坐专机长途旅行、在温布尔顿网球赛上坐在包厢里看球以及其他种种特权。倘若商人们有特权在飞机上享用主动送上来的商品和服务,比如香槟酒、舱内电影、精制的日式小点心直到《金融时报》,那么,他们心爱的头等舱或公务舱机票就可以被认为是"没有打开的黑匣子"产物的缩影。到目前为止,虽然采取了大规模的"打开黑匣子"行动,这一切还是保存了下来,因为全世界都在提供同样殷勤周到的款待。不过,新经济秩序带来的远不止这种古老的虚伪劣迹。这种败德行为是制度的本质所在,而不仅仅是一些瑕疵,以为只要制定更多的法律和"行为准则"就可以消除的。

1994年3月,金边证券①交易人使英国政府发行的证券价格下落。这是他们对1月份发布的官方数据作出的反应。这一数据

---

① 金边证券(gilts),全称为gilt-edged securities,又译为上等证券,系英国政府发行的证券,保证定息,没有金融风险。——译者

表明联合王国的年平均收入上升了3%,这是近两年的时间里第一次取得如此大幅度的增长。新体制发挥了其应有的效能:资本自由流动在政府的政策中开辟了一个"市场"。当这些政策显示出放宽的迹象,比如通过收入增加发出信号,市场就作出反应,把资金转为"更合理的"投资,比如投入其他政府发行的证券和货币公司发行的股票,以此来惩罚政府及其选民。现在两者都因利率提高而束紧了裤腰带。但是情况看来并非如此。统计人员认为收入的增长几乎全是由于1993～1994年期间向伦敦金融商业中心的合作伙伴和交易人支付了巨额红利,最突出的一例是戈德曼·萨克斯公司的高层人物所得的钱相当于坦桑尼亚的全部国民收入。普通工人的收入增长少得可怜,甚至根本没有增长,但是现在对政府和选民进行惩罚的人却正是那些获利最多的金边证券交易人,原因就是国家公布的数据泄露了他们曾是最大的受惠者。

换一种说法,实行大紧缩时期,英国政府想让自己的证券对某些人群(他们正是制造麻烦的人)更具吸引力,以至联合王国的千百万人不得不支付较高的利息。这并不是说金边证券的经销者犯了错误,相反他们倒是按应用的手段在操作。说实在的,除此之外也没有其他办法使这种制度运作起来。无论具有多大的"透明度"、"更大的公开性"或其他的灵丹妙药,市场秩序明显的缺陷都是无法改变的。

当然,要让人们不受高利率的困扰,还是有办法的,那就是"不让赚钱",以此来消除伦敦金融交易人大赚其钱带来的全面影响。其他劳动者群体也都要过一段"不赚钱"的日子,但是伦敦金融商业区的人肯定会认为减少工资是一种"消极"措施,要求消除其消极影响。不过减少工资的办法是否可行,主要取决于市场经济的支持者在改革劳动力市场方面是否取得成功。

从表面上看,改革劳动力市场确实取得了令人叹服的成功。过去实行充分就业的制度,使工人在就业问题上必赢无疑,工会当然是这种制度的主要支柱,但现在工会已被驯服,并退出局外。我们前面提到的建立"轮流就业"的劳动力市场实现了新资本主义的这一梦想。在这种"轮流就业"的劳动力市场中,由于竞争使工资受到持续不断的压力,从而防止产生种种"扭曲",其中主要的就是"终身就业"这一概念。本书书名叫《不安全的时代》这个题目就道出了结果,那就是就业无保障。

但是这里有一个明显的矛盾,似乎一时间使这一胜利大煞风景。过去,历届政府一直要求实行充分就业,而雇主们虽说并没有明确的规定,却也担负着雇用人员的义务。现在工会和社会上一度与之合作的伙伴都后退了,看来就要用法律来取而代之了。很可能发生这样的情况:有时从电台新闻报道中听到某某工厂有几千名工人失去了工作,同时又听到一批批帮助儿童过街的女交通疏导员、女警察、清洁工或清除垃圾的工人从高等法院、上诉法院或上议院里走出来,在灿烂的阳光下眯缝着眼,为他们在低工资、减薪、报酬不平等、不公平的解雇等诉讼中取得"历史性的"胜利而"兴高采烈"。虽然头戴便帽的工人已被击败,但是戴假发的法官从长远来看似乎倒成了新市场经济的更强硬的反对派。已经萎缩的工会在很大程度上转化为法律行业的中间人。工会把涉及会员的各种案件搜集起来交到律师手中。现今的工会官员们更可能是坐在法学协会的殿堂[①]里烤火取暖,而不再站在街边罢工纠察队

---

① 原文为 The Temple,伦敦有四所享有确定律师资格的法学协会。其中的两家叫做内殿和中殿(The Inner Temple and Middle Temple),这里似指律师事务所。——译者

的火盆旁边搓手取暖了。

在乐观主义者看来,一方面实行无情的紧缩政策,另一方面在法庭上取得历史性胜利,这两种现象在同一经济和法律制度中肯定不可能长期共存。法官们正在逐步地建立一种权利基础,在这一基础上雇员们将重新取得他们在战后体制下享有的地位,而且还可能享有更高的地位,情况难道不就是这样吗?这倒是好主意,但是让我们来回顾一下70年代的情形。当时有关不公平的解雇的法律尚在襁褓之中,至于有关性歧视、精神压抑、受工伤以及禁止粗俗玩笑等更为细小的法律,在实习律师看来,还只是将来的事。雇主们在雇用人员时很少受到法律的约束(与工会谈判协商形成的约束相对而言)。小企业则根本不受约束(种族歧视除外)。家庭雇工也没有任何限制。如果一家小公司坚持要雇用女性服务员端茶送水,而领班则必定雇用男性,这完全由他们自己作主。总之,在雇用人员的社会因素方面只受到最低限度的约束。

与此相反,在就业问题上,就经济因素而言,就要受到政治和法律上严格的约束。解雇怀孕女工或公开宣称自己是同性恋的工人可能相当容易,但是雇主为了更高的利润而解雇工人就完全是另一回事了。要关闭一家长期亏损的工厂就十分困难。政府承诺要保证充分就业,要按国家计划维持充分就业的盛况,政府就要求公司为这家长期亏损的工厂提供补贴。即使政府自己决定要关闭那些半死不活的企业,例如1971年决定关闭上克莱德河地区的造船厂,愤怒的公众就强制政府收回了成命。

当克莱斯勒汽车公司在70年代中期从英国撤出时,政府在未能说服它留下之后,就费尽力气来为这家公司寻找一个新的主人。[104]林德伍德和里顿的两家厂子脱离克莱斯勒公司后立即就找到了新主塔尔特公司。至于因为未能获得足够的资本回报而关闭工厂或者仅仅是缩小其规模，当时的公众头脑里根本就没有这种概念。那些希望能在这个名列世界第五的经济大国继续做生意的人也不会料到竟会有这种"19世纪"（人们至今还是这样描述的）的做法。的确没有一部法律规定不准扶持效益不好的企业。但是，且不论有没有其他因素，仅仅来自这种"三足鼎立"制度内部任何一个权力部门的压力就能彻底封杀这样的意见。

今天，关闭一些效益不好企业已经是普遍的经济现象，但是某些产业因受到压力仍不得不继续保留就业机会。这种压力不是来自企业内部的地位相同的人群。最明显的一例是适用于英国主要港口的法律框架，这就是1949年由港口的雇主与运输与普通工人工会(the Transport and General Workers Union，简称 TGWU)联合实施的"全国码头劳工计划"。这个计划界定了什么是码头工作，规定这些工作只能由注册登记的(实际上是加入工会的)工人承担，此计划适用于84个港口。到了70年代初，由于新技术的发展(在货运终点码头广泛采用集装箱卸货)，再加上注册登记的港口长期效率低下，码头工人的就业开始受到威胁。(保守党)政府对此作出的反应是签订了1972年"奥尔丁顿－琼斯协议"(以签署这项协议的政府主管大臣和TGWU总书记的名字命名)。这项协议规定，即使港口公司倒闭，雇主也必须向失去工作的工人支付基本工资，并对所有过剩劳力负责到底。准确地说，凡是注册的工人一律不能解雇。如果他们的工作状况逼得雇主破产，那么一家与之竞争的公司就有义务雇用这些工人。只有工人自愿被解雇，才能最后让他离开。这个耗资巨大的计划倒是为国内集装箱港口的经营者提供了优于其他港口公司的利润。1976年，(工党)政府通过了"码头工作管理法",把注册在案的码头工作延伸到离港口滨海区 5 英里以外的冷藏栈房和仓库。我们在这里不惜笔墨地评述有关码头工作的种种计划是想说明战后的文化氛围是如何痛斥因经济因素开除工人的。有关码头工人的实例(诚然,这是一个极端的例子)说明,即使业主已经破产——就就业保障而言,这已是最后的一关——码头工人也不能被解雇。

今天,宣布雇用人员不能带来足够的利润就是惟一天经地义的成批解雇人员的理由,而且不受法律的惩处。与就业问题有关的社会因素现在同一般的社会关系已经没有什么特殊之处,政府和法律一般来说都可以进行指导和干预。因年龄、性别和残疾而歧视雇用人员只不过是在道义上有欠缺,因而需要加以纠正。雇主们就像自动温度调节器一样,对"内部盈利率"和"经济增值"作出反应,他们使用这种最新的衡量利润的手段,都不会受到法律制裁和社会谴责。甚至连人们交口称赞的欧洲"社会模式"也不得不在它面前低头。1997 年 3 月,雷诺公司宣布关闭它设在比利时的维尔伏尔德的工厂。这一举使比利时举国震动,包括让·卢克·德昂尼(Jean Luc Dehaene)首相在内的政客以及支持他们的选民都作出了强烈反应。一位官员宣称,关闭这家工厂是一次破坏弗兰德平原经济的恐怖主义行动。示威者同声谴责,说新欧盟无异于一块"埋葬社会的墓地"。

不过找个帮手还是现成的。几个星期之后,法国利昂内尔·若斯潘的社会民主党在选举中获胜而当政。这一届政府在其对选民的许诺中就是要雷诺公司暂缓执行关闭其设在维尔伏尔德的工厂的决定。有些人将此视为欧洲跨国界团结的时代即将来临的一道曙光。若斯潘旋即下令,要雷诺公司重新考虑关闭该厂的事。雷诺公司答应照办，但是考虑后得出的结论却是原先作出的决定是完全正确的。这件事就此了结。雷诺公司是根据新市场秩序作出反应的，然而若斯潘这个人却过于天真了，有点像加利克·迈克尔·福特。他应当把他的"社会一体性"理念仅限于用在竞选会议上，不应用这种理念去"扭曲"现实世界。

1995年7月，英国发生了一件全然不同的事，这一事件使新的社会控制和完全放弃对经济的控制这两者之间平行而永不交错的关系得到了加强。三名餐厅女服务员状告约克郡政务委员会，原因是政务会为了其下属劳动机构可以同外来承包者较廉价的服务员竞争，决定减少她们的工资。她们在上议院的审理中获胜。约克郡政务会不得不接受具有竞争力的服务员，而不能一意孤行地继续雇用自己的职工。三名妇女之所以胜诉并不是因为在服务业中竞争是非法的（这是法定的义务），而是因为减薪违反了1987年经核定的同酬规定。按照这一规定，这些服务员的工资等级相当于清除垃圾工人、花匠、清洁工以及其他政务委员会多数男性雇员的工资级别。正当这几名妇女与他们所属的工会组（Unison）欢庆胜利的时候，郡政务委员会指出，她们的"胜诉"不仅意味着这几名餐厅服务员和她们在全郡的1 297名同行现在几乎肯定地会丢掉工作，将由较廉价的服务员来接他们的工作，而且还意味着全国所有政务委员会下属的劳动机构（现在已明令禁止为服务员相互进行竞争）将不得不解散。工会组在这一点上没有什么可说的，看来只能提出郡政务会在他们庆祝这一"里程碑"式的胜利时说这番话有悖于应遵守的礼仪。

从比利时到巴黎到英国的诺萨勒顿，雇主们只要愿意，就几乎可以放手雇用或解雇人员，只要他们这样做是对"真正的"市场因素作出的反应。如果这样做仅仅出于偏见,那就是不允许的了,而且(通常)还是不合法的。但是,"真正的"市场本身就是一种偏见,于是这就自然成了本书的一个论点。换一种说法,只要雇主的行为体现了资本和金钱的价值,他们就不会受到任何阻力。如果他们以人性的(即所谓"被扭曲"的)方式行事,那么他们反倒会受到制裁。正如"自主的"个人一样,"自主的"雇主的行为只能局限于"经济上合理"这一狭小的范围之内,而这种"合理性"实际上就充满了败德行为和利益冲突。

在这个问题上,如果我们给新市场制度评个等级的话,那么就按普通考试评分标准,给这个考生评个最低等级,也就是入不了等级的 U。

华氏温标　调频 45.1(立体声):
文化在新经济秩序下熔毁

新市场制度既是一项经济工程,也是一项文化工程,它提出的以生机勃勃取代缺乏生命力的许诺既适用于制造业或国际收支,也适用于艺术、媒体和文学。在商业生活和文化生活中存在的问题,经过"诊断",结论是相似的:国家置身于消费者和生产者之间(或艺术家和观众之间)造成了许多"扭曲"现象,就像儒略历法[①]逐渐变得不准确一样,这种"扭曲"随着时间的推移也越来越复杂起来。在经济和文化两个方面,其自身的价值消失了,或者说被毁

[①]　儒略历法(Julian calender),公元前 46 年凯撒大帝提倡使用的历法,不甚精确,随着岁月流逝,误差逐渐扩大。——译者

掉了,直到出现了灾难性时期,此时就逼迫我们进行反思。这个灾难时期就是1975年英国的通货膨胀率达到了30%,翌年又发生了文化方面的所谓"塔特事件"。

纯属巧合,官方经济学和官办艺术都出自一人之手,此人就是凯恩斯。这位改写了经济规律的设计师在工作之余创建了艺术委员会。他在经济领域遭到摒弃,在文化领域也必然遭到同样的命运。再说,国家想既指导经济,同时又插手文化生活,这一企图本身就是一个可悲的错误,而伺候国家的仆人还是那些人:满脑子公司观念的大商人或艺术官僚以及他们在工会里的盟友。商人和艺术官僚满口都是些陈词滥调("没有出口就等于死亡"或提倡所谓的"卓越的艺术"),而工会方面则强调削弱竞争力和创造性的劳动成本。(每件有关卧车制造厂和"驾驶室中的两个男人"[①]的逸闻,都有一大群不择手段的摄影人员和人浮于事的报馆跟着起哄。)

就市场而言,最终惟一的结果就是到了70年代末,无论是经济还是艺术,都像帆船因为没有风而无法往前航行了。

英国的国家剧院不必一定要属于"国家"才能生存。它之所以存在是因为它是首都的一件装饰品。我们这个政治中心既有金融中心热爱歌剧的金融家,也有热爱戏剧的行政官员。国家剧院既为左派官僚上演"不受欢迎的"戏剧,又要紧跟欧洲的先锋派艺术。……公众则被排除在外,在一个毫不起眼的角落里遭到冷遇,就像一个被公共医疗卫生部门忽略的病

---

① 原文为 sleeping car maker and "two men in the cab",意义不明。——译者

人。[6]

自命不凡的艺术主管机构接受巨额政府津贴,为要人提供娱乐,与之平起平坐的则是一批播音员,但是他们已不再因为他们是世界上最好电视和广播的捍卫者而受到人们的赞誉,他们现在已被视为利用法律上的特权地位为一批冷酷无情的庸才帮闲而备受指责。

1982年,安德鲁·尼尔(他后来担任《星期日泰晤士报》的编辑和"太空"(Sky)卫星电视的首脑)编辑出版了一本小册子《有线电视革命》。这本小册子的出版预示着后来几十条电视频道和"互动"有线服务时代的来临。尼尔先生不回避难题,在他的文章中就向典型的反面意见发难:"其结果不会是无休止地提供一堆垃圾产品。……英国听到下面这段话也许会感到自尊心受到伤害,但是美国有线电影的一般观众,与英国人相比,可选择的高质量电视节目确实要多得多。"为了证实这一点,尼尔先生复印了两份1982年6月7日晚9时的电视节目单,第一张节目单是纽约曼哈顿的有线电视观众可选择的节目:一共有27个频道,内容包括从体育节目到主流电影,从新闻到中国厨艺,以及芭蕾舞、歌剧和一场有关核武器的讨论。第二张节目单是伦敦观众可选择的节目:BBC一频道的晚9点新闻节目,BBC二频道重播电影《搭车飞往银河系》,独立电视台重播电影《守护神》(第四频道尚未开播)。

尼尔先生承认有线电视中还会有不少垃圾。但是由于鉴赏力高的有线电视用户可以精当地选择演员阵营,他们还是可以从中享受丰富的文化大餐。观众和听众再也不必依靠BBC和独立电视台的官员来保持节目的质量水准。从此以后,消费者就像在报刊经销店或书店里选购书报一样,自己作主来选节目了。果真如此吗?其实,甚至一些规模很小、微不足道的书店在市场革命中也有份。从1901年起,书价一直受"净书价协议"[①](NBA)的制约。这协议禁止大书店和连锁店以低于净价售书,以此来维持书籍零售价格不变。签订NBA的目的是要保持多样化的小书店,因为不这样做,在削价售书的大战中,小书店缺乏竞争实力都要关门歇业。到了80年代末,大的零售店如超级市场和狄龙斯连锁书店要求终止这种"扭曲"现象。他们宣称,书价低一些意味着出版更多更好的书而不是出书少而且质量差。持同情态度的报刊文章详尽报道了光辉的(不受制约的)美国图书市场,书店24小时营业,还设有咖啡馆,服务人员也十分周到。这场运动的参与者声称,净书价协议已成为"净糊墙纸协议",再也没有约束力了。

与书店并驾齐驱的还有报刊经销店,为它们提供货源的那行业已被认为非进行市场改革不可了。这个行业就是报业。70年代末,舰队街上的越轨行为已经臭名远扬了。据报道,经理们和记者们大肆挥霍公款寻欢作乐,在全国性报业内部,印刷工人有着两至三倍的冗员,而工资袋却是鼓鼓的,工作懒散懈怠,实际上却还拥有审查新闻报道内容的权力。以新闻国际集团公司(News International Group)为例,后来的事态发展证实这家公司被迫雇用的印刷工人和他们的亲属超出所需人数的十倍,快报集团公司(Express Group)人浮于事达到如此严重的程度,以至这家公司新发行了一份报纸叫《曼彻斯特每日星报》(*Manchester Daily Star*),

---

① "净书价协议"(Net Book Agreement),简称NBA,是英国出版商与书店之间达成的一项协议,规定凡标明净价(net price)的书籍,书店不得以低于净价的价格出售。——译者

后来改名为《每日星报》，办报的目的仅仅是为了消化过剩的劳动力。

舰队街肆无忌惮的奢侈和浪费据说产生了三个有害后果。第一，基础资金匮乏，要填饱这个饿瘪了的肚子就要求一度十分神圣的编辑部门节约成本。国外的办事处被关闭，精简人员。第二，贪图现利使那些真正"风格高雅的报纸"承受着巨大压力，只好牺牲思想标准去追求发行量，以此来增加广告收入。第三，全国性报纸基本开支庞大，实际上成为吸收新生力量的一大障碍，从而窒息了多样性和创新。对艺术和媒体的指责是一样的：管制加补贴再加工会权力，结果是一片荒芜之地。如果把国家这个因素从这个等式中除去，就可以重新把观众和艺术家结合起来，把出资者和天才结合起来，打破工会的阻挠，引进新技术，消除障碍，打开通道，等待新的文艺复兴的来临。

那么结果如何呢？首先是好消息。英国戏剧正在减少对国家拨款的依赖，更多地依靠慷慨的企业赞助来弥补不足，从而继续保持了繁荣，尽管现在还很少有人敢于宣称90年代已经涌现一批能同"荒芜时期出现的作家（哈罗德·平特、汤姆·斯托帕特、大卫·里尔、大卫·埃德加）相媲美的作家。弥漫于演艺界的长期危机氛围（剧目减少、皇家莎士比亚公司部分撤离伦敦、皇家歌剧院的前途渺茫）对于骄傲自大、官僚体制以及其他官家文化的种种弊病无疑是一副有效的解药。

在其他方面，将市场价值应用于文化生活的结果却同预想的效果全然相反。本来是想通过技术和私人资本的结合，能在征服智慧这块高地中取得最大的辉煌成果，但是实际上把文化这块高地夷为平地。商业价值应用于文化生活的结果被证明有点像罗伊·布雷德伯里想象的那样,是把消防水龙对准了一堆书籍喷水。到了 90 年代后期,文化价值在市场价值的冲击下,已呈土崩瓦解之势。

举例来说,有线电视并没有为文化带来百花齐放的局面。没有专门播映芭蕾舞和歌剧的频道,却只有可称世界上最糟糕的实况转播频道,这一频道转播的是上身赤裸的人在做掷镖游戏,性感女郎报告新闻和勒紧腰带做预算等等,有一段时间,兴起于 1994 年的现场直播电视节目每周有一个晚上现场直播在它自己办公室里举行的聚会。现场直播电视台的业主是《镜报》集团,其首席执行官大卫·蒙哥马利神情严肃地宣称,它代表着"国有电视台独一无二的品牌"。

80 年代后期和 90 年代确实产生了一些优秀的电视剧,比如《塔格特》(The Taggart)、《主要嫌疑犯》(Prime Suspect)和《摩斯探长》(Inspector Morse),观众数以十亿计,遍及全世界。紧接着是第二次浪潮:《漂亮女人》(Cracker)1994 年在纽约播映,观众好评如潮。这些电视剧中没有一部是由付费电视台播出的,全部都由据说是陈腐不堪、官僚主义的所谓"主流"频道播出。

有线电视的"大姐大"卫星电视却很少把自己降格到现场直播电视的水平,但也未见有任何文化复兴的迹象①。除了在"热情似火的荷兰人"频道把一些色情影片引进英国播映外,卫星电视对我们共同的文化生活作出的主要贡献是买下了重大的体育赛事,使

---

① 走进酒店(pub-going),英国人历来有坐酒店的习惯。这种酒店(pub 或 public house)里除了喝酒,还有其他的娱乐活动,如掷镖游戏,自动点唱机放音乐,有时甚至还有乐队演奏。它成为英国人会友、聊天、交流的场所,因此作者将之视为文化复兴的表现。——译者

卫星电视的观众可以欣赏这些体育节目。如果说除此之外它还有别的可以称道的话,那就是它重新让人们走进了酒馆(因为体育迷都挤进了安装了卫星电视的酒店里去看节目),同时也恢复了早已被人遗忘的收听广播电台体育评论的乐趣(国有广播电台还保留了报道体育赛事这一小块地盘)。

90年代解除了对商业电台的管制,此举无疑使十几个新的电台开始播音,其中至少有两个电台——一个是无需讲解的调频爵士乐,另一个是调频古典音乐——肯定丰富了文化方面的选择余地。但是后者再次与预想的效果相左。按照市场思维,出现一个通俗的、中等高雅的商业性古典音乐电台大受欢迎照理应该为高雅的BBC三台解放束缚,坚持其最高的文化档次。不管怎么说,这本应该是缩小听众范围和推出高雅品牌节目的大好时机,但是并没有发生这种情况。调频古典音乐台取得成功反倒使BBC无线三台惊慌失措,以至在90年代中期匆匆上阵,包揽了甜腻腻的演出、消磨时间的节目和大众化形式。

90年代新电台如雨后春笋般地出现,不可避免地使原有的知名度颇高的电台收听率有所下降。这使本应以一种平静的心态来对待听众拥有量减少的节目主持人承认,这是在新的市场秩序下听众"选择演员"过程的一个组成部分。但是他们没能做到这一点。在BBC三台为了保持仅有的一点尊严,蹑手蹑脚地迎合低级市场的同时,四台,即演讲频道,一头扎进了另一个方向。1997年7月,BBC宣布全面改组它的"旗舰"无线电台,第二年见成效。在种种惨重损失中,最令人注目的是取消了足本广播剧。从此以后,凡是超过45分钟的广播剧一律不再播送。这次全面改版充分体现了商业价值已深深地渗透进了BBC的心脏。"无发展即死亡"

是市场的一句警语,等于是一道禁令,那就是"保持现状绝非正确选择"。在这种价值观念激发起来的狂热气氛下,"保持水平"又意味着另一种"扭曲",或者"开支太大,得不偿失"。

按照市场思维,四台的频率是一笔"资产",而电台本身则是一种"品牌"。既然是资产,就必须用它"生利",而品牌则必须"扬名"。既然如此,那么四台拥有一批以保守闻名的现有听众就相当于必须交纳房租的房客,必须说服他们留下一笔资产,这笔钱的潜在价值就可以"开发"出来。四台应作出的一切努力就是把BBC变成广阔的图文传真市场的一个组成部分。"制作人做主"的制度试图模仿开放性市场的情况,让提供内部服务的人同外部的商业活动竞争。到了90年代中期,制作人做主制与国民保健署的"内部市场"十分相似。显然需要一个庞大的官僚行政部门来模拟这个人为的市场。维持这个庞大的秘书处就需要资金,这笔开支只能来自削弱公司其他部门的冗员和节约节目制作经费,实际上也确实是这样筹集到这笔资金的。

BBC在实现市场化方面有着极大的热情和坚定的信念,同它保持文化水准的勇气和魄力的全面崩溃恰恰形成鲜明的对照。不过,这并不令人感到意外。保持文化水准是市场化的障碍,因此重点自然就放在了后者而不是前者。正当BBC三台和四台寻求想象中的更多更年轻的听众时,"旗舰"电视台给时事节目《晚间新闻》开出的处方是内容要轻松一点,通俗浅近一点。与此同时,BBC的官员们煞费苦心地(虽然结果表明是徒劳的)留用了主持无线一台的语言下流的流行音乐唱片节目的播音员克里斯·埃文斯。为了适应新经济秩序,埃文斯不是作为个人而是作为合伙人被聘用的,1995年4月他开始亮相主持节目,结果是怨声载道。

听众对他使用的语言和在播音中侮辱制作人员的作风十分厌恶。公司最高领导却硬说埃文斯实际上是一个天才的播音员。断然拒绝考虑解雇此人。如果此事发生在十年前,他早就被解聘了。我们这样说是因为他尽管有这样那样的缺点,拿他同先前那些陈腐不堪的、兼有英美特点的主持人相比,毕竟是进步多了。那些主持人对每件事都觉得惊讶,不可思议和妙不可言。真不知他们为什么会这样。埃文斯先生的前任们至少可以说是忠实地代表了那漫长难熬的战后年代,至于埃文斯究竟反映了什么倒是颇费揣摩。马修斯·班尼斯特当时作为 BBC 无线一台的台长,聘用埃文斯的责任当然在他,而他自然要保护埃文斯先生,并在其受聘期间继续"使用"他。1996 年夏,班尼斯特升任所有 BBC 电台的总负责人。正如《卫报》1996 年 6 月 17 日指出的那样,他与受他呵护的人一道实现了"公司的战略目标",那就是争取更多的听众。

公司的核心价值观遭到了不少攻击,单单依靠 BBC 的管理层来击退这种攻击远非轻而易举,因为印刷物媒体的监察人员已经把类似的疾病传染给了被广播大楼请来会诊的专家。自从在沃平进行的一次交锋中击败了印刷工会之后,舰队街已经摆脱了那种高成本结构,按照原定的计划,只要特别重视经济上可行的市场优势,本来是可以迎来一个多样化的繁荣时期的。有一段时间也确实出现了这种势头。1968 年《独立报》问世。这是一份冷静的、不偏不倚而且具有权威气派的报纸,给人的印象是这份报纸已有上百年历史的样子。但是事实证明,中、高档文化的复兴仅仅是海市蜃楼。1996 年 9 月,著名记者兼评论家安东尼·桑普森在《英国新闻工作评论》上抱怨说,严肃报纸和通俗报纸之间的界线实际上已不复存在,这不是因为各种小报和旧时的《泰晤士报》已经十分相似,而且还因为各大报的新闻报道已经全盘接受了通俗报纸的价值观。他写道,国际新闻、有关各种会议的报道以及调查性新闻已经淡出,取而代之的是一大群专栏作家热衷于向读者报道他们在去塞恩斯伯里家的路上的遭遇。

桑普森并非对严肃报纸内容日益贫乏的惟一批评者。但是,与批评有关的编辑们要跟上新体制的价值观,在许多情况下,他们所作出的反应是求助于全面改变包装。为了把文化品味本来不高的内容乔妆打扮一番,他们将版面装饰得高雅而"有质量",装腔作势地使用"星期天评论"这类的标题,唯一的目的是想给读者一种进入智慧宝库的印象。但是,用尽世上一切假充启蒙的标志也掩饰不住他们用大版大版的篇幅刊登有关《护滩使者》(Bay watch)中的女演员、辣妹(Spice Girls)的报道以及前面提到的那些唯我主义专栏作家的文章。

在新经济体制下,一切艺术和媒体都往包装方面后退,这是很有代表性的。剧作家大卫·马米特抱怨说,近来电影观众都有一个习惯,就是在赞美一部影片时总是说"拍得好看","对,是好看,但是这又说明了什么呢?希特勒时期也拍摄过'极好看的'电影呀。问题在于我们不再问一问'摄影技巧如此高超和精彩有助于什么呢?'"接着他又列举了戏剧方面与电影高超技巧同样的"艺术性极高的""生产"和"生产价值"。如果他再关注一下英国报纸的运作状况的话,他完全可以在他抨击的对象名单上再加一句高级官员常挂嘴边的话:"今天我们报纸的版面好看极了。"他们不说"今天我们的报纸值得一读",都说"版面好看"。

如果说出版界的状况较过去健康了一些的话,这主要表现在作者们坚持不懈地要让他们的作品更贴近公众,尽管这部分公众数量很少，而不是大出版商和大连锁店在这方面起了什么教化和培养的作用。在狂热的贪婪和扩张的支配下，80年代中期的兼并狂潮震撼了整个出版业，完全可以预料，在商业的（不是文化的）观念驱动下出现的新的联合企业带来的结果只能是著作销量平平的作者在他们的名单上大量减少，把主要精力放在不惜工本出版名家的作品，如萨门·拉什代和马丁·艾米斯的著作。"舍不得孩子套不住狼"之举已属司空见惯。最突出的一例是有些出版商出天价来获得吞并规模较小的兄弟出版社的特权。1988年，最为声名狼藉的出版商罗伯特·马克斯韦尔宁可多拿出10亿美元来购买美国麦克米伦集团。为了使自己的出版公司成为世界级的公司，他不得不做这笔交易。1991年他去世，此后发现他的出版王国所负债务高达30亿美元，令人瞠目。在这种情况下，他居然总共出资26亿美元来购买麦克米伦集团实在是无法解释。罗伯特·马克斯韦尔的贪心只不过是整个出版业通病的一个极端的例子。这些通过并购建立起来的新联合企业根本无暇去营造以往那种"作者与编辑"的关系，这些联合企业的编辑们现在都成了处于中介地位的雇员，他们每买一本书稿都需要得到销售商的认可。到了90年代中期，"二线作家"已逐渐明白这类编辑"不会看好"他们新作的销售量了。

随着净书价协议逐渐失效，书价飞涨，1996年书价涨幅竟超过通货膨胀率的两倍。经过多年的争议，1997年最终以法律的形式取消了净书价协议。这一事态发展同预料的结果恰恰背道而驰。关于书价上涨，出版商可以用制作书籍封面价格上涨来解释，这样，书商则可以慷慨地以折价出售书籍（这里又涉及"包装"问题了）。出版业并没有从中得到多少好处：《霍德要闻》（*Hodder*

Headline)就利润问题提出警示,而哈珀·科林斯出版公司则报告说,公司收入急剧下降。

要说那些销售商认为销量会好的作品在质量上并未因价格开放而有所改进,倒也未免估计不足。在新市场时代,一度声誉颇佳的出版社打算在书籍上印上社名以求扬名,说得好听一些,出版这种书也只不过多印一些废品。1996～1997年间,有些(据说是)纪实作品问世,并大肆推销。其中有一本圣经,据说书中含有复杂的密码,用电子计算机可以破译。据称这本圣经是在法国的耶稣基督的坟墓里找到的。这纯粹是类似什么飞碟,或者什么"阴谋理论"等荒诞不经的破烂货色。还有一书据说是讲英国派往北爱尔兰的"敢死队",内容如此之荒唐,以至不但安全部门加以否认,就连北爱尔兰共和军也否认此事。面对种种批驳,出版者却镇定自若,在伦敦遍贴海报,把官方的否认当作正面的证据大肆宣扬,反倒说明书中内容一定是真实可靠的了。在20世纪即将过去的时刻,一度曾以教化者和启蒙者自豪的出版社已经堕落为18世纪散布迷信和谣言的机器,在向一个容易轻信的民族贩卖神话和荒诞不经的故事。

图书出版业的贪婪和混乱在古典音乐唱片业也有所反映。经过了几年相似的兼并狂潮和挥霍无度之后,这个行业在1997年也出现了危机。由于不知名的乐队演奏的但质量还过得去的光盘价格低廉,许多名牌就像一条船在吃水线下出现了漏洞一样,抵挡不住冲击而挂上了"甩卖"的牌子。一些名牌大公司不惜工本,把钱花在奈杰尔·肯尼迪和瓦尔莎·梅这类明星身上,以牺牲享有崇高声誉的西方音乐为代价,将其产品包装成各种通俗易懂的"情人名曲"系列。

到了90年代中期,艺术被当成英国取得不可思议的一大成就而备受赞赏。我们不想为一头死了的羊、钢筋水泥的庭院雕塑和一堆臭狗屎而进行争论。这里我们只引用腰缠万贯的金融投机家乔治·索罗斯的一段自白,这段话首次发表在《大西洋》月刊上,后来在1997年1月18日的《卫报》上转载。他是这样说的:"在市场机制已经增强其支配能力的时候,以为人们还会按照一套特定的非市场价值观行事,这种想象已越来越难以维持下去了。……人们对自己究竟主张什么没有确定的看法,于是他们就越来越把金钱作为他们的价值标准。他们认为东西越贵越好。艺术品的价值如何,也只能根据其售价来判断。"金钱不但腐蚀了新艺术品,同时也腐蚀了著名美术馆里收藏的名作。前纽约大都会艺术博物馆馆长托马斯·霍恩1997年宣称,挂在世界最著名的美术馆里的展品有1/3以上是赝品或骗人的复原作品。丁托列托[①]、丢勒、鲁本斯、雷诺阿、柯罗等人的画作均无例外,还可以举出更多的画家名字。霍温先生说,这些赝品的大买家并不是那些容易受骗上当的亿万富翁,而是一些所谓的专业人员,例如收藏家和博物馆、图书馆、美术馆、展览馆的馆长。他们为什么会一而再、再而三地受骗呢?用三个词就可以概括;那就是"需要、抢先和贪心"。[7]

要有一个健康的教育制度才能够保护和保证健康的艺术,而从上一世纪以来,一直是公开的、竞争性的、只做记号不留姓名

---

① 丁托列托(Tintoretto, 1518~1594),文艺复兴后期威尼斯著名画家;丢勒(Albrecht Duer,1471~1528),文艺复兴时期德国最重要的油画家、版画家、理论家;鲁本斯(Peter Paul Rubens, 1577~1640),佛兰德著名画家,是巴罗克艺术中最伟大的艺术家之一;雷诺阿(Pierre-Auguste Renoir, 1841~1919),法国印象派重要画家;柯罗(Jean-Baptiste-Camille Corot,1796~1875),法国风景画家。——译者

的考试在教育制度中起支配作用。在教育领域中，同样也曾指望市场思维能够提高教育水准。1998年通过的那部伟大的教育改革法准许学校摆脱地方当局的控制，遵奉经费发放到学生而不是机构的原则，以此促使教学质量不高的学校提高水准，否则只好关门了事。至于效果如何，目前尚难预测，因为我们看到市场原则应用于考试委员会和学校同样也完全走向了反面。考试委员会急切地想吸引新的"企业"，即学校，大幅度降低考试标准，以至在普通教育A级考试①中达到A等和B等的学生在1989~1997年间竟上升了30%。中学六年级中有天赋的学生数量突然间取得了突破，造成这种假象的原因是各大学越来越多地为那些普通考试中的优胜者进入大学后开设基本技能"补习课程"。斯蒂芬·格洛弗在1997年8月15日的《每日电讯报》上写道：考试委员会的行为是"竞相降低水准而不是提高水准的一个极能说明问题的例证"。

有些人本来应该懂得有必要对金钱带来文化没落的现象作出理性的判断，但是这些人至少可以说并未因文化没落而受到伤害，不知有多少卷入艺术和媒体的评论家和批评家在巨额金钱面前目瞪口呆，甚至保守党政府的民族传统部（1997年前的名称）和后来的工党政府的文化、媒体和体育部也大肆吹捧"英国流行乐"、"英国艺术"、广告业、电视和电影的摇钱树功能，把它们当成英国文化需要强大生命力的例证。政府的任务就是用赋税优惠待遇、拨款、国家彩票基金和唐宁街10号举行名流社交聚会等方式来向闹哄

---

① 普通教育A级考试（A-level），英国教育制度规定，年满16岁，即中学六年级的学生可参加一次普通考试，及格者可在两年后参加高级考试，其难度大约相当于美国大学二年级的水平。——译者

哄的新伊丽莎白文化献媚。

这种文化繁荣景象就像这个国家,看似红光满面,实际上却是发着高烧的症状。在这种气氛下,几乎没有人打算直言不讳地道出真相。只有一个人有勇气敢于这样做,那就是斯图尔特·杰弗里斯。他在1997年9月6日的《卫报》上为批评的准则崩溃而哀叹:

> 现在有一股潮流,把艺术品降格为商品,使美的享受沦为购物。这样一来,有些报纸把餐馆和芭蕾舞相提并论也就不足为奇了。……可以设想,读者真正想知道的是某件东西是不是值得花钱去看,去听,去吸收或拥有。美学仅仅是经济学的一个小小的分支,而伟大的艺术也只不过是另一种消费的机会。

这是新经济体制的成绩上又一门不及格的课程。

一匹无处不在的狼:市场
瘾君子追求最大快感

1997年初,英国的合作社运动①不无惊讶地获悉他们的合作社运动竟也"在场"。所谓在场,是伦敦金融商业中心区流行的俚

---

① 合作社运动(cooperative movement),一种合伙拥有和经营的组织,其成员共同分享其服务和利益。合作社运动始于英国19世纪40年代,当时主要内容包括公开招收社员,实行民主管理,无宗教和政治歧视,按市场价格出售商品,社员共同分享盈利,并从盈利中提取一部分作为教育经费。合作社运动在英格兰北部和爱尔兰的工矿区尤为发达。——译者

语。意思是成为招标兼并的目标,合作社运动包罗万象,其中有殡仪馆、超级市场、一家保险公司、一家银行,还有一些其他的经营项目,所有这一切都有一个政党的背景。难道合作社运动就可以免遭兼并吗?合作社具有合作性质,既不发行股票,也没有任何形式的市场。它确实从任何意义上讲都很少带有"公司"的性质,但是按照1997年的风气,也就是大体上21世纪的市场风气,任何事物,任何实体,任何组织机构,都可以成为掠夺和洗劫的对象。紧跟着有关合作社运动可能被兼并的传言,报纸上又列举了一系列可任人宰割的羔羊,汽车协会、皇家汽车俱乐部、地区间植物协会①(Interflora)等组织在名单中名列前茅。按照一般公认的含义,这些机构都不应属于公司,都是一些实行会员制的机构,甚至很难相信其中有一些或所有机构的章程中规定它们可以被他人接管或兼并。但是对于投标商来说,这些都不能算是什么问题。看到新鲜的肉就垂涎欲滴(按照支持这种行为的人的说法,这是物色可开发的潜在资产),至于什么人根据什么原因和理由这样做,金融利益已经越来越不操心了。

在5月1日选举前不久,出价招标兼并合作社运动未能得逞。在这次选举中,有几个合作社运动的成员在工党的旗帜下进入了议会。乐观主义者对合作社运动被招标兼并这一令人遗憾的事笑置之,认为这只不过是在社会和谐时代来临之前,贪婪时代所作的最后一击。乐观主义者可能没有注意到,这股潮流就像塞汶河的波涛一样滚滚向前,不可阻挡。从1996年到1997年,这两年

---

① Interflora一词未找到出处,现据上下文和英语组词规律译出,有疑。——译者

中,为全面攫取各住房协会,总共花费350亿英镑来支付投保人和其他消费者,实际上已经使英国的互助金融领域关门大吉了。尽管业已萎缩的互助领域内部人士声称,在道义上,或许还在法律上,互助机构无权挥霍几代会员积累起来的储备金,但是,这种抗议的呼声没有起任何作用。一方面人们纷纷在银行开户,仅仅是为了在非互助化时有资格得到支出的项款,于是媒体就集中火力攻击这批投机分子,但是对总的趋势又视而不见,这就是典型的英国行事方式。

十年前,英国上议院掌管法律工作的议员劝告政府说,信托储备银行并不属政府所有,因此,政府是否有权出售这家银行值得怀疑。但是从来没有人听从他这没有法律约束力的劝告,信托储备银行还是私有化了。这件事就为"开发"整个互助领域的"价值"敞开了大门。1997年9月2日,《金融时报》报道说,根据银行界的巨头香港上海汇丰银行(HSBC)(米德兰银行的业主)发布的一份报告,"非互助化"的风暴还远没有刮起来。这篇报道在结尾时写道:"汇丰银行也认为还有一批互助机构可能改变其性质,其中包括合作化运动,Bupa(医疗保险集团),汽车协会,皇家汽车俱乐部①。这份报告将教会列为最后一个被私有化的互助机构,但在证券交易所所作的预测名单中,却不见教会。"

新市场体制曾承诺要创造一种"有活力的稳定局面"。但是随着金融利益一笔一笔地做成交易,一次又一次地攫取资产,反而预示着一种长期的不稳定局面。要给伦敦金融商业中心注射一剂兴

---

① 这两个机构在此处均为缩写,分别为 AA 和 RAC,估计为前所提的汽车协会(Automobile Association)和皇家汽车俱乐部(Royal Automobile Club)的缩写。——译者

奋剂的话,一种办法就是将同样的那些资产翻来覆去地倒手,合并了又解体,紧缩了又扩张,在每次反复中,台上演戏的还是那些角色:商业银行家、经纪人、公共关系官员、会议师、高级人才招聘公司以及其他财迷心窍想从中分得一杯羹的投机者。另一种办法是向合作式的机构下手,把以往据说是封闭在合作社或非商业机构中的资产全部劫掠出来。宣布国家信托基金的业务是做"房地产生意"、全国农场主联合会是一种"名贵品牌",只是时间早晚的问题了。

狂热地追求"价值"还有其他形式。90年代最令人瞩目的特点就是把各种项目进行包装,或者说把过去免费提供的各种商业性服务加以包装,使之成为可以出售的商品。一个微不足道的例子就是通宵轮渡上的座位。过去,每层甲板上都免费提供一些长沙发,供统舱旅客睡觉,现在却辟出一些特设的休息室,那些没有预定船舱的旅客需要补交一笔费用才能有一张安乐椅过夜。各层甲板上则只设塑料硬席座位。另一个更具实质性的例子是银行提供的从保存遗嘱到金融咨询一系列服务项目。过去这些服务性项目都是银行经理自行决定提供的,现在却统一规定为潜在的"盈利中心",要放到市场上去经营。正如新的管理思想宣称的,一切问题都是机会,所以一切花钱的地方都是赚钱的地方,凡是采取的行动都加以包装后拿出去卖,于是就出现到处收费的现象;有时似乎整个生活都变成了过去流传的"募捐人开单据"的老笑话(穿过马路时对你说一声"你好",请付6英镑,当我意识到这有点不对头,再次穿过马路时又得捐6英镑)。在所有这些项目中,进行包装条件最成熟的要算"知识产权",本来这个概念只适用于钢琴协奏曲、小说、产业专利、商标,并不适用于其他种种。在新时代,大批律师试图将版权无限地扩大实施范围;最为臭名远扬的一例就是麦当劳汉堡包连锁快餐店,不管什么人或什么东西,只要为商业目的使用了麦当劳这个词的盖尔文前缀①,就会被指控侵犯了版权。1990年,掌管司法的上议院议员尽管有些勉强,但还是裁决吉夫塑料柠檬(一种盛柠檬汁的塑料容器)属于食品和家用器具集团雷克特-科尔曼公司的知识产权,美国一家与之竞争的对手不得使用这一设计。一项微不足道的柠檬汁容器的"设计"属于某个具有专门知识的人,此人拥有的权力超过了雷克特-科尔曼公司,甚至超过最高法院的法官,这种时代已经过去了。

在其他方面,产权中的"知识"含量越少,保护得越厉害。儿童电视节目《星球旅行》(*Star Trek*)为它的一句文理不通的警句"向前勇敢"②提出申诉,而迪斯尼公司甚至采取措施,在未经获准的情况下,居然不准加油站业主在标明其地理位置时使用"本加油站距迪斯尼主题公园××英里"的字样。

与此同时,在商业界,不道德的资本家肆无忌惮地制造假货,伪造文件。1990年,据估计,全世界的生产总值中假货占了9%,假货最多的是工程零部件和药品。更为令人震惊的是伪造金融文件。至90年代中期,国际商会下属的商业犯罪局估计全世界因伪造文件而承担风险的总额达到50亿美元。伪造的文件名目繁多,其中包括"优质保证书"或"备用信用证",据说这些都是银行之间

---

① 盖尔文前缀(Gaelic prefix),盖尔语是苏格兰的一种语言。麦当劳汉堡包(McDonalds)一词的前缀是 Mc-(或 Mac-),即"麦克",来自盖尔语,或盖尔文。——译者

② 此警句(catchphrase)的原文为 To boldly go,按英文语法,正确的说法应为 To go boldly,所以说文理不通,译时故意将之颠倒。——译者

的文件,但实际上却是一文不值的伪造品。因欺诈而受害的机构有救世军和芝加哥住房局。专家们对此感到无奈,他们对法院能否判处这些敲诈勒索分子有罪也表示怀疑,因为假定这些人宣称这些文件都是大银行之间严格保密的东西,即使陪审团怀有某种疑问,会不会裁定这种金融界的不明飞行物根本不存在呢?市场秩序远远不能为所有的人提供一个定价合理的干净市场,市场转眼间变成一个自由交火地带,在这样一个市场中,诚信可靠的有价证券同犯罪性的伪造生死搏斗,要决出个胜负来。"无耻之徒们"这一边的每个行动在合法市场上都有其对应物,明目张胆的伪造在大零售商店就反映为合法仿造,它们经营的商品都是较小的厂家开发生产并销售的,包括"健身商店"(Body Shop)里出售中的天然化妆品直到电器和服装,范围极其广泛。

  与"虚拟经济"相关联的还有一种发展趋势,叫做"品牌会计"和"品牌价值",就是试图将一种名称或设计的无形价值写入公司的资产账本。有关标识、文字、颜色的处理成为无数法律诉讼的起因;所谓的"品牌开发"连同所谓的"积极的品牌管理"自然就成为一种假冒的专门学问。形象设计师为设计一些新颖别致、异想天开的公司标识索价数百万。到了1997年,似乎"虚拟"的未来公司除了一个标识和一个董事会以外,别的什么都不需要了:1997年英国航空公司宣布更换飞机标识,并把许多"内部业务"承包出去。有些胆子更大的人甚至建议,英国航空公司将来连飞机也可以不要,只剩下一个"订票系统中枢"就行了。这个饕餮般的巨兽把视线以内的东西都吞噬一尽,现在开始要吞掉自己了。

  获取更大的"资本回报"的强烈欲望确实使一些人切断了他们与真实世界相连的最后一个环节,一头扎进了人类最古老的非生产性金钱流动方式,这就是赌博。有声望的银行把上亿的资金投入"金融衍生物"市场,买卖期货和认购权,其规模大大超过了这些银行的基本金。真正的赌博以前所未有的规模兴旺起来,在英国,这就是1994年启动的"国家彩票"。这是赌博复兴的最引人注目的一例。这种邪恶行为结束了60年代的放任社会,最终是加紧了控制。现在已经证实,彩票看来问题不大,后果却严重,正如谚语所说,"老鼠拉木锨,大头在后面"。起初先是解除了对赌博性质的台球赛、宾戈[①]以及赤裸裸的赌场业的管制,后者据称是在属强硬派的内务大臣推动下采取的措施。这些举措也不完全是出于好心,对娱乐采取宽容态度,即所谓"对人宽容,必得好报"[②]。赌博狂热影响到新市场经济的各个方面:连锁信、金字塔计划[③]等在那些正实行"休克疗法"的前共产主义国家最为盛行,并且已成为市场行为。(在阿尔巴尼亚,几次金字塔计划的交易额相当于国民生产总值的1/3。未得成功反而引起大乱,几乎将这个国家引向了内战的边缘。)西方国家也不例外,其中包括英国。1996~1997年两年间,贸易工业部想方设法要把这类计划传染性的蔓延管起来,其中有一项计划据说是教会发起的,另一项计划是在收取适当的费用条件下,答应公布古埃及的赚钱秘密。据称它是"理性地"对待赌博的态度,其集中表现就是发动"国家彩票",既为做好事筹集了资金,又可以获得一点"乐趣",实际上却是掀起了一股巨大的浪潮,一种带有神秘色彩的信念,相信只要运气好,靠着"获赔率"这

[①] 宾戈(bingo),一种用纸牌上的数字进行赌博性游戏。——译者
[②] "对人宽容,必得好报"(live and let live),谚语,直译就为"自己活,也让别人活",或"对别人宽容,别人也会宽容你"。——译者
[③] 金字塔计划(pyramid scheme),相似的商业活动。——译者

种伪数学或一些票证就可以发财。(这种票证可以是股票认购权证或者一文不值的银行票据或者骗子们鼓吹的连锁信。)

一旦赌博理论被准许从经济体制的边缘地带走向中央地位,上述这种种现象就是不可避免的了。赌博与合法的商业活动是完全不同的。合法商业活动是与买卖双方利益平衡的观念密切相关的,比如说,一台磅秤,一端的秤盘上(从买主的角度讲)是六个苹果,另一端的秤盘上(从卖主来看)是一磅的砝码,那么买卖就做成了,而赌博从本质上讲,对于略有优势的一方来说,在做成交易时,与对方相比占有潜在的优势地位。新市场秩序的宣传中曾信誓旦旦地保证,只要勤奋工作定将得到理所当然的回报,这说法现在已所剩无几了。新体制就像五彩缤纷的狂欢节,有时似乎正在步履蹒跚地走进 20 世纪末的新版特罗洛普和左拉①的作品。1997 年春,印度尼西亚的桑布有一座据说是"世界上最大的金矿",在该采矿公司的首席地质学家"自杀"之后,人们发现所谓的"金矿"只是地面上的一个大洞,投资者都被那些假金矿样品骗了。就在此时,英国却因现代绝无仅有的议会腐败丑闻遭到沉重打击而晕头转向。涉嫌受贿的重要议员之一一口咬定他是清白无辜的,即使在调查已证明他有罪时也绝不松口,而那个向他行贿的人却声称,在净化公共生活方面,没有一个人能与他相比。在普通百姓眼里,新经济秩序大概就像是被说得天花乱坠的"随机

---

① 特罗洛普(Anthony Trollope, 1815~1882),英国小说家,代表作为以虚构的巴塞特郡为背景的系列长篇小说,通过社会背景各异的众多人物生动地描绘和揭露了 19 世纪的英国社会制度。这里作者所指可能是《我们现在的生活方式》,其主人公是一个名叫梅尔莫特的恶棍财阀。左拉(Emile Zola, 1840~1902),法国自然主义文学奠基人,著作等身,为 19 世纪法国社会的生动写照,其中有《鲁贡玛卡家族——第二帝国时代一个家族的自然史和社会史》。——译者

行走理论"①,不过是一种本末倒置的版本。这种想法指的是,最准确的信息只意味着投资分析就像让人蒙住眼睛向一长串的股票"投飞镖",全靠运气,如此而已。在市场秩序下,信息是如此不准确,以至什么富有与贫穷,晋升或被裁减,似乎全凭运气。在实行私有化以后,一个彩票中彩者和一个前供水部门的经理在争取获得"股票认购权"时,他们的地位是可能互换的。真正起作用的是,在掠夺资产的过程中你必须"抢先"一步,无论在股票暴跌前及时抛出,还是确保你的地位,都要赶在前面,这样你在连锁信中就是领头人物。

新经济体制并没有带来它许诺的商业和社会的普遍稳定。以金融为首要的重点,带来的必然是乔治·索罗斯所说的"远非均衡"的状态,因为国际游资频繁转移,在全世界流动着寻找一个能够创造更高盈利率的所在,结果必然留下一片残骸,比如往日的"小虎经济"(如今已遭人鄙弃,代之以另一时区的另一只老虎),昨天的高收益投资(如英国的房地产、葡萄牙货币埃斯库多、澳大利亚的啤酒业)以及昔日的劳动力(韩国、捷克和威尔士),均已一蹶不振。

面对已扭曲变形的社会这辆破车,我们必须以一个年长而有耐心的验车员的身份,不无遗憾地通知新经济体制,它没有通过测试。

---

① "随机行走理论"(random walk theory),一种概率的理论。这里似可理解为貌似无规律,实际上有规律,颠倒过来即看似有规律可循,实际上则无规律可循。——译者

谁是受益者(你的肉汁里的面包是谁的)？

新经济体制的一条重要信条就是它根本不能称之为"体制"，因为"体制"是一种人为的结构，而新经济体制是反映事物的自然秩序，一种客观的实在(objective reality)，只不过政府和一些社会工程师们对这种客观实在胡乱加以修补，其后果实在堪忧。主张彻底解放的个人主义的女权威艾恩·兰德(她把资本主义称为一种"不为人知的理想")把她的哲学叫做"客观主义"。《正确的途径》一书宣称："生活的事实最终总是保守的。"哈耶克对于"经济"(economy)这个词[①]用于表明国民经济的运作环境是持有异义的。他说，各种社会的经济都是有目的、有目标的，因此严格地说，这个词应适用于家庭和公司。"国民经济"(the national economy)是独立于目标之外的，或者说是事物的自然状态。非要把目的和目标强加于它，就会走上一条通向"奴役"的漫长道路上去了。乔治·布什在1989年宣称，我们知道什么东西能起作用。起作用的是自由市场。《经济学家》杂志一期接着一期用市场这杆尺子来衡量政府和政策，看它们是否达到了预期的目标。国际货币基金组织也在关起门来做这件事。对于那些违背现实世界客观规律的国家，只要它们答应修正其行事方式，国际货币基金组织就要求它们调整结构。如果说这些国家如同染上毒瘾而又愿意戒毒的话，那么向

[①] "经济"(economy)，一般都译为"经济"，但是这个英语名词的第一义和第二义分别为避免浪费或节俭和理财。哈耶克说此词只适用于公司和家庭即是从economy更为基本的含义来说的。——译者

它提供贷款就是为这些经济上的海洛因瘾君子提供"金融戒毒药"。

根据以上所论,新市场经济可以自称是"不偏不倚的",它不袒护任何人。这种说法颇为离奇。说它不偏不倚,并不是说新市场经济实行的是一视同仁、平均分配所得,而是指它就像天气一样,从不袒护任何人。它之所以不宠幸任何人,因为它本来就是一个瞎子,在它眼里是没有人的。当市场在1997年8月使康沃尔的最后一个锡矿倒闭,或在当年稍晚的时候使泰国经济陷入一片混乱时,并不是有人作出了什么裁决,作出决定的是市场。正如前财政大臣劳森在谈到货币政策时所说,发生这类事情是市场常规的不断运作的结果。或者用黑手党的名言来说,这是公事公办,不是私人恩怨。人们很可能在气温变化时,滥用恒温器来调节温度。由于市场是不讲情面的,是不偏不倚的,市场体制(其实并非体制而仅仅是事物的自然规律)是没有既得利益的,也没有什么"圈内小集团"。当然,在市场变化无常的漩涡中,有些人获利比别人要多,但是他们并不构成任何固定不变的受惠者阶级。确实可以说市场是独一无二的,它是惟一一种不会产生占统治地位的受益者阶级的社会经济制度。同二战后社会民主体制中存在各种官僚、计划人员、手伸得太长的干预者以及种种依附于他们以谋取私利的群体相比,市场确实迥然不同。

再回到我们的起点来讨论,这确是十分有趣的现象。可惜的是,真实情况并非如此。新市场秩序是一种文化结构,它反映了人类发展历程中的一个部分,反映了买方与卖方相互作用的一种关系。它只是一种不牢靠而且不稳定的"放之四海而皆准"的理论,其基础既狭窄又脆弱。按照这种理论建立的社会秩序只不过是混合经济,以色列的"吉布兹"①,斯堪的纳维亚的社会民主制度,约翰逊总统的所谓"大社会"以及其他在立宪民主政治条件下产生的社会-经济制度,说到它的自然性,不过如此而已。人们确实可能以为,新市场秩序的支持者已经从得意洋洋的社会民主党的反对派那里增长了一点见识。他们在春风得意时,曾自称他们的主张更符合某种高级的自然秩序,试举一个小小的例子:他们曾经设定,铁路、邮政、电讯、能源和供水天生就是垄断性的,只有精神病患者才会插手去管它们。假定新秩序是一种社会结构,在这一秩序下,不受约束的金融活动使政治活动降格为在一个不存在意识形态冲突的净化社会中对人民实行非独断独行的"管理"活动,那么这个新秩序自然就有自身的受益者阶级。这种秩序声称要履行其"公平而不偏袒"的诺言,只不过是一个骗局。那么,受益者是谁呢?我们请你做一个简单的加法:$1+1=2$。

第一个"1":在全欧洲,失业成为一个长期不得解决的问题。英美两国尽管近期经济有所复苏,但就业不安全状况还仅次于最高峰时期,各派都要求不要再搞福利国家。高薪已达到不能再高的水平,社会不平等则已经倒退到100年前的状况,工会组织已经十分弱小,灾荒横扫第三世界。

第二个"1":社会中哪个实体最如实地反映了新型的、经营性的、"独立的"、没有冲突的管理模式?在这个实体中,"办实事"重于抽象的原则,在这个实体中,任何人都可以被"争取过来",在这个实体中,字典上没有"办不到"这个词。这个实体不就是大型国

---

① 吉布兹(kibbutz),以色列在地中海沿岸农业区的一种社会结构,具有公有制和按需分配性质的公社。近年来内部发生了许多变化,比如其成员已更多地融入大社会,开始拥有不等的个人现金收入,并拥有一些私人财产。——译者

际公司或银行的董事会吗？这种新型的政治性结构有一个小小的见不得人的秘密，那就是这完全是子虚乌有。任何"独立的"、没有冲突的实体都必然要受现实的影响，不仅如此，这种特殊的政治和社会模式显然是根据做大买卖的需要、利益和要求设计出来的。

于是，我们的市场体制就产生了自己的"新阶级"，构成这个阶级的政治大亨和金融寡头可以互换位置。工党和民主党的政客们宁愿同债券大师和投资分析家厮混在一起而不愿去接近失业者。西蒙勋爵毫不费力地从英国石油公司的总裁摇身一变而成为工党政府的大臣；克林顿总统鼓励美国人"要竞争不要退却"；托尼·布莱尔则告诫欧洲的社会主义领袖们对这个充满无情而艰难的竞争的世界保持清醒的头脑，这个新阶级不仅在帮助国际金融获得更大的利益，推动其目标的实现。这个新阶级在他们的非金融价值观和信念及其金融价值观和信念之间不再保持中立。已故的克里斯托弗·拉希对这个新阶级的价值观那种奇特而缺乏根基的特性作了准确的概括："新统治精英们忙于在外面穿梭旅行，去参加高级会议，出席规模宏大的开业仪式，赶往一个国际电影节，或者前往一个尚未开发的避暑胜地。从根本上讲，他们是以一个旅游者的眼光来看待世界，而不是鼓励人们全身心地投入民主事业"。[8]

不过，拉希先生把这个新阶级的信念和他们的利益和愿望紧密地联系在一起却未免过于草率。一方面，拉希称之为精英的那批人固然把拉希称之为"政治上的原则性"加以改造以适应他们对物质的观点，但是值得注意的是，这种"原则性"无论从社会还是政治上来讲，同外部事物并不联系，甚至同它本身的其他因素也没有什么联系。比如说，克林顿的民主党人认为，妇女在怀孕期间饮酒是对"胎儿的虐待"，而"剖腹堕胎"则是把孩子生下来却又让他没有思想,因此他们主张对这类行为可以提出控告。在英国,工党正在提议将两种公民权利换位。把它们颠倒过来:本来年满18岁才准许有同性恋行为,现在要提前到16岁;向青少年出售烟草的年龄本来是年满16岁,现在要提高到18岁(现在实行的年龄限制与提议的修改正好相反)。而且事情还未到此为止:工党的前座议员①安·泰勒(后来在第一任(原文如此)布莱尔政府中任枢密院院长)在1997年初建议将异性性行为的年龄提高到18岁,以响应美国第一夫人提出的类似呼吁。在加利福尼亚州,实行各种改革的最终结果是,从社会含义上(也许不久在法律上)讲,唯一正确的吸烟办法是将烟草和大麻混合起来吸。正如拉希先生在其著作中所言,这个新阶级以十字军式的多次讨伐"来净化……社会,来创造一个无烟环境,从色情出版物到发表发泄仇恨的演讲,一切都要经过审查,同时对大多数觉得需要切实的精神指导的个人选择却又相应地扩大范围。"[9] 在英国,《金融时报》的专栏作家们在一个星期内不断地大声疾呼经济领域需要纪律,在周末版上则对素食主义和环境进行深沉的思考。

上述这些立场也许都值得赞扬,或许又不值得赞扬。也许还可以说,这些立场彼此之间并无矛盾(这点还可以商榷),但是它们并非"不偏不倚",也不是来自"客观的"社会和经济秩序的运作。它们只不过反映了统治集团的价值观。就像凡尔赛会议的内情一样,外人是无从知晓的。这些价值观是新秩序下阶级内部的禁忌,同新秩序一样存在着谬误,有可能遭到责难。

---

① 前座议员(front bencher),英国议会为资深、年长或地位重要的议员保留着前排座位,尤指身为内阁士臣或前内阁大臣,移为前座议员。后座议员(back bencher)则与之相反。——译者

乔纳森·科恩察觉到自称客观的美国媒体记者具有阶级偏见，新近发现新闻工作受到尊重，对编辑人员产生了一些影响。科恩在一篇题为《编辑室里的毕雷牌矿泉水》的文章中列举这种种影响产生的效果，其中主要的一种效果就是"造就了一批明显同情中上层阶级的精英记者。这种同情中上层阶级的本能表现出对一些开明事业的支持，如堕胎的权利，同性恋的权利，诸如此类。但是同时这种偏见也表现为对通货膨胀、贸易、税收以及政府开支等问题上的保守主义主张信心十足，没有任何需要加以检讨的意思。"[10]

谁是受益者？正如伊诺克·鲍威尔在另一个场合所说，提出这个问题就是回答了这个问题。市场体制未能达到一个主要的目标，那就是它没有做到不偏不倚。

一成不变的中心：霍尔本区的伊利广场

开明的民主国家毅然决然地切断了财产与统治权之间的联系。就民主国家的性质而言，它必须这样做：民主国家的政府必须无私无畏地对其管辖下的全境实行民主治理，同样，行使政治权力也必须与其管辖下的领土所有权分离。在那些诞生于突发性革命的民主国家中，这种分离极为迅速而且彻底。但是英国却有着逐渐演进的传统，因此这种联系每每奇特地一直保存到现代，对此我们尚记忆犹新：土地所有者就像当地的地方治安官，实际上"统治"着他那一片管辖区。这种地方管理中的奇观到1972年实行改革时才被（大部分）取缔，如取消了康沃尔郡的锡矿主召开自己的议会的权利。有些怪现象却一直保留至今，比如有些领地的贵族（其中有一些还获准征收少量的赋税）就是一例。还有一例就是一条小小的街道叫做伊利广场。离开大伦敦的卡姆登自治区(the London Borough of Camden)来到这个主教管辖区,在入口处设有阻挡汽车入内的护栏。请注意,守卫在路障旁边的不是汽车停车场的管理员而是教会助理员①,实际上就是这个英国最小的地方政权雇来执行巡逻任务的私人警察。还请注意那扇可以上锁的大门,上了锁就可以封住从哈顿花园通向这里的行人步行道。伊利广场也许就是伊林电影公司摄制《去皮姆利科的护照》的灵感来源吧。这真是一处颇具魅力的奇观,它证明统一标准化的官僚制度并不是在所有情况下都行得通的。

然后再让我们看一看霍尔本广场(Holborn Circus)南端1997~1998年间正在进行的拆除工程。工人们在那里不仅在推倒《每日镜报》的旧楼,他们还在推翻一个暴君政权的中心,这个政权就是罗伯特·马克斯韦尔帝国。前《镜报》编辑罗伊·格林斯莱德曾把这个"一切权力归自己"的地方称为"马克斯韦利亚",一个在全世界都设有分支机构的寡头暴君的统治。[11]这个"帝国"甚至曾经发行过自己的货币。这是1995~1996年陪审员在审理四名前马克斯韦尔的助手(其中两人是他的儿子,四人全部宣判无罪)的案件中听到的:在该集团公司的"公司间账目"上发现的一个项目被认为是对有价证券的"付款"形式。

马克斯韦尔于1991年底去世。在他死后发生的事态表明,他在建立独立王国方面同其他人相比可能还够不上"专业"水平。四年后,乔舒亚·沃尔夫·申克惊人地披露了沃尔特·迪斯尼组织的所做所为。他详尽地报道了迪斯尼集团在处理佛罗里达州和迪斯尼

---

① beadles,教区中协助牧师维持教堂秩序、向穷人发放赈济的人员。——译者

乐园及其周围27 400英亩土地的关系中如何"行使形同政府的权力"。迪斯尼地带相当于"一个自治市",其能源、供水、警察和消防等问题都由自己解决。它的建筑物都有自己的编码,它还拥有自行划分区域的权力。它还征收赋税,发行免税债券。申克先生警告说,迪斯尼现象正在蔓延扩大:

> 同一张蓝图却变出了不少花样。这种情况不但充斥于综合性娱乐景点,在购物商城和城市开发区也大量存在。在城市开发区实行特殊的征税和免税办法,这已成为各种产业摆脱政府控制的流行手段。在全国各城市近郊区,1/3的新开发区都设有栅门,其保安、公用设施以及其他传统的公用服务部门都委托私营部门管理。[12]

不过这里所说的产业并不一定限于房地产一种形式。1994年5月,英国航空公司公然无视法国和欧共体的法律,宣称要行使自己的权利,打算让它的飞机飞到奥利机场,尽管法国当局已发表措辞严厉的声明,对"试图非法飞行的后果提出最明确的警告"。在这种情况下,一个国家的民航飞机飞入另一个国家的领空在20年前是不可想象的。但是,就像马克斯韦尔、迪斯尼一样,英国航空公司把一个民族国家仅仅当成了它的众多谈判对象之一,把法国这个国家看成世界上与它自己地位相当的力量。

自由市场体制的支持者声称,这正是这种体制的优点之一,认为这是在强大的经济机构和国家之间划清了界线:工会"贵族们"的行为本来就像是这个国家的"第五等级",而现在通过法律改革把他们推倒了;与此同时,私有化也把政府排除在商业之外,结果是恢复了各种力量应享有的权力,在各自的领域各司其职。取而代之的是,大企业和豪富们个人实际上变成了18世纪以前的小主权国家。他们要求享有更像中世纪王公贵族们的公国的权利和自由而不是普通的私有企业业主、公司或个人应享有的权利和自由。工会"贵族们"可能已成遥远的过去,但伊利大主教们却成了最后的胜利者。

"零时"契约: 工作遭灾,恐惧升级

传统意义上的中产阶级的东山再起对于新秩序是至关重要的。中产阶级是社会的中坚,但在战后体制走向危机的时期却受到了沉重打击。70年代中期,阴霾笼罩下的市郊和市场城镇发出了痛苦的哀鸣;据说任何国家的振兴计划都与中产阶级的复兴有关,或者说要以中产阶级的复兴为起点。金融记者帕特里克·哈特伯的著作《中产阶级的衰落与再起》(1976年)就反映了这种心态。保守党议员约翰·戈斯特创建了中产阶级协会。历史学家保罗·约翰逊在他1977年出版的权威著作《社会公敌》中宣称:"在整个一部历史中,所有智慧过人的社会观察家始终都欢迎一个兴旺的中产阶级的出现。把他们与经济繁荣、政治稳定、个人自由的发展以及精神和文化水平的提高联系在一起,他们是当之无愧的。"[13]如果没有中产阶级,就没有"富有活力的稳定",这是因为在工作场所充满活力又维持安定的家庭从本质上讲,就是中产阶级的美德。

在本书中,我们将有一章探讨在新体制下容易出现的衰退和危机,这里只涉及新秩序未能兑现的最后一项或许也是最重要的一项诺言,即摧毁中产阶级及其经济上的主要原则,那就是他们信

奉的事业成功之路。到了90年代中期,我们在上面一章讨论过的"轮流就业"概念已不再仅限于蓝领工人了,认为这一概念只适用于蓝领工人的说法已被彻底粉碎。领取薪水的中产阶级在强大的压力下经历了一个"萎缩时期",这一现象有详尽的文献资料为证,不仅如此,中产阶级中的专业人员世界观的两大支柱,即职业生涯中的阶梯和地位,也遭到了系统的清算。不可否认,构成中产阶级的两部分人是存在的,即商业和专业人员,而且一直存在。前者经营小规模商业,开商店,兴办农场。后者则是银行、律师事务所、图书馆、学校、医疗机构以及地方政府中地位较高的工作人员。正如我们先前讲过的,前一部分人在70年代的文化潮流中起了意识形态方面的重要作用,当然,专业人员这一部分,无论他们的身份是赫里奥特那样的地方兽医还是可爱的霍勒斯·托姆波尔那样的律师,也起了其应有作用。

这一股摧毁中产阶级两翼的旋风破坏性是如此之大,如果局外人觉得这个国家如同奉行原教旨主义的马克思主义军事集团在夺取政权后决心"消灭富农",也不算过分。中产阶级中从商的这一翼做不成生意,关闭了他们的店铺,有时甚至无家可归。专业人员这一翼不仅丧失了金钱,而且还丧失了一切金钱买不来的东西,如他们的自豪感、地位、尊严以及顺利晋升的道路。对90年代末的一片废墟进行一番考察,我们毫不迟疑地得出一个结论:中产阶级中无论是商业的一翼还是专业人员的一翼,在战后的混合经济体制下,要比他们在市场秩序下日子好过得多,既受到照顾也受到保护,尽管后者体现了中产阶级的价值观。严格地说,小型商业和专业性职业都不是市场性的制度,与飓风般的自由放任资本主义都是格格不入的。

同坏人打交道之所以麻烦就因为他们是一批无赖。1997年4月纽约县助理地区法官约翰·莫斯科就是这样评论的。他说这一番话指的是,在正常的市场上,有组织犯罪是绝对不合法的。流氓骗子与商人不同,他们是破坏竞争的,他们并不在市场上竞争。与之相似的是新市场时期的商界巨子,他们是要把一切对手都击倒在地的。对此他们当然矢口否认。超级市场和市郊超大型自选市场连锁店信誓旦旦地说,小商店有着广阔的发展空间,金融服务业则坚决否认它毁掉了独立经纪人,而办理产权转让手续的集团对于说他们危及家庭律师的饭碗的说法,也表现出不屑与之争辩的模样,一笑了之。这些大人物把一切罪责都归之于公共关系开销太大。1986～1996年这十年间,每天平均有八家独立经营的商店关门歇业。肉店、面包房、鱼贩在广阔的城区都已消失。本来街道上到处都有的杂货店减少了一半。1988年,独立经营的商店占有43.5%的市场,据《管理天地》(*Management Horizons*)零售业研究组的数字,1995年独立经营商店的市场占有率降低为32.2%,估计到2010年将进一步降为18%。1945年,英国83%的面包是由小面包房生产的,到了1995年,其产量仅占8%。1995年,全国只有3 500家家庭面包房还在继续生产,与1990年相比,减少了1 500家。从1985～1995年这十年间,当地小肉铺的市场占有份额从49%下降为29%。

在超大型商场占有如此主导地位的情况下,人们也许会想它们应该放慢一点步伐了,但实际上却一点也没有放慢。90年代初一场违反法律的运动得逞,结果大连锁店在星期日也可以合法地开业,于是小商店的最后一个优势也失去了。1995年,超级市场要求取消柜台售药享有的零售价格,打算用这种手段来挤垮小药房。由于超级市场采取了汽油减价行动,加油站已经快要成为历史了。更有甚者,1996年9月,英国的能源大户英国石油公司与交通部门联手开办了一百多个连锁加油站,《星期日邮报》在报道此事时说:"英国的街头小店上周又向灭绝迈近了一步。"

同恶棍打交道之所以麻烦就因为他们是恶棍。同大企业打交道也非易事。大企业必定占统治地位,大企业必定是贪婪成性的,具有破坏性的。比如说,特斯科(Tesco)商场里的香烟柜台和当地的小香烟店是不可能和平共处的,总有一方面要垮掉,而垮掉的必然是后者。到了1997年,商业巨人利用开办"城市边缘"超市的手段打垮了市中心的1/2的商店之后,又向市中心的居民进军,创造销售自己品牌的便民超市,也许是打算把剩下的1/2也都吃掉吧。

与此同时,中产阶级中专业人员这部分人的日子混得稍好一些。由于银行的总部把银行的管理人员从顾问、金融专家的身份降为第一线的销售人员,为银行推销"一揽子"产品(养老金、人寿保险、单位信托①等),这批一度坐在毛玻璃隔断后面手握大权的管理人员就贷款、收费作出决定的权力遭到削弱,他们的地位也下降了很多。从实质上讲,他们还算不算专业人员已很值得怀疑了。至于律师,尽管因为承办产权转让事务的费用降低,房地产市场的崩溃受到一些打击,他们的日子还算过得去,但是医生都因为"内部保健市场"运作的需要而不得不担负起沉重的文牍性事务,整天受到毫无意义又令人生厌的什么"生产者"或"消费者"的称谓的拖累,不过这要看他们是在医院工作还是非专科的普通开业医生。

---

① 单位信托(unit trust),指英国可以发行单位信托证券、吸收小额资金的投资信托公司的一种业务。——译者

有一部分人从事的职业不属于中产阶级的主要职业,但确实又可界定为中产阶级。他们的情况更加糟糕。从地方政府和中央政府直到教学工作,房地产代理机构,拍卖行,出版业,新闻媒体,甚至直到军队和教会,这些人的职业生涯的道路被人为地破坏了,这是因为新秩序坚持要实行"绝对的"聘用制度。在新秩序下有两项"大罪",即终生供职和按资历晋升。1977年,一位年轻的地方政府官员或者圣公会的助理牧师还能够较有把握地为他今后20年的职业生涯作出安排。惟一不可预测的因素是他本人的表现。只要他工作勤奋而且在品行上洁身自好,他就可以太平无事。20年后,即使他要为今后五年作出预先安排也显得是鲁莽行事了。

在新秩序下,不仅宣告不可能提供终生职务,而且还宣称这种做法并不可取,个人职业的上升不再重视性格和能力,转而强调我们早先提到的"随机行走"和个人"态度",也就是以虔诚的信念为新秩序的原则大声疾呼。当然,市场的辩护士们坚持说,在新时代起作用的是业绩。但是,随着有关管理问题的讨论和周末"团队建设"活动日益增多,暗中却滋长起对所谓业绩的怀疑,认为判断个人业绩的标准只不过是看他是否尊重顾问们的意见,对市场制度是否有坚定的信念。

各种职业[①]面临危机,其核心是新秩序不承认简·雅各布斯所说的"卫道者的价值观"。在她1992年出版的一本著作《生存的制度》(*Systems of Survival*)中,雅各布斯女士列举出两种价值观,一种适用于商人,那就是对他人坦诚相见、主动、进取、讲求效率;另

---

① 职业(professions)一词在英语中可以特指那些受过高等教育和专业培训的职业,即各种专业人员所从事的工作,如律师、医生、建筑师等。——译者

一种适用于公务员(即卫道者),那就是服从、忠诚、守纪律、尊重传统、宿命论和坚强刚毅。[14]这两种品质并无高下之分,在一个健康的社会里,这两类人都需要发展壮大。有意思的是雅各布斯女士把农业也列为职业之一,从事农业者的价值观是两者兼而有之,而农业却正是小商业的发源地。

市场体制不承认有"卫道者"的价值观。在这一点上,它的软件是有缺陷的,因此它主张进行"结构调整",其中包括把市场价值观强加于不适于采纳这种价值观的各领域,正因如此,中产阶级的两翼——专业人员和小城镇的小商人(后者像农业从业者一样也吸收了某些卫道者的价值观)——都遭到灭顶之灾也就是理所当然的了。中产阶级具有自身特有的工作方式,它本身就是对市场的一种"扭曲"。中产阶级的问题是一个价值观问题。真正扭曲市场的就是这种价值观。因此,摧毁中产阶级的生活方式就不只是这一过程中的偶然现象,而是不可分割的组成部分。所谓"零时"契约就是一种工作安排,根据这个臭名昭著的安排,雇员只能按照"实际"工作时间领取报酬,一接到通知就立即被解雇。让专业人员和小商业阶级也实行"零时"契约制就是把卫道者价值观置于商人价值观之下的重要手段。1995年10月,威尔·赫顿在《卫报》上宣称:"英国人现在越来越身处险境了。"他写道,市场革命的惟一成果就是把工作和家庭都十分有保障的人口比例缩小到只占40%,还有30%则处于失业和经济无作为的状态,介于中间的30%人口的就业状况在"结构上也是无保障的"。对此持批评意见的人则声称他的统计数字完全不正确,比如富有者的妻子所归入的范围就是错误的,诸如此类。在新体制下,绝对的胜出者下降到不足50%,对于某些人来说,想到这种结果真会使他们不寒而栗。

总括起来说,新市场体制所作的种种保证就像是胶皮做的风筝,毫无价值。我们并没有获得个人的自由,相反,倒是有了一个上头大下头小的由警长领导的警察和安全机构。我们丢掉了职责分明的个人责任,反倒看到了败德行为兴风作浪。文化遭到了拜金主义价值观的打劫,总的经济也未能幸免。一个新阶级靠市场体制给他们带来的利润养肥了自己,而中产阶级则已分崩离析。街头小贩的经营方式和欺骗行为盛行一时。在新体制价值观中,米尔顿·弗里德曼式的成分越来越少,更多的是巡佐科尔比的价值观。到头来,对一切都进行了一番洗劫的新体制现在向自己开刀了,把自己赖以生存的 2/3:1/3 的社会降为一个不稳定的 40:30:30 的社会。从长远看,吞噬自身可能被证明是市场体制对社会所做的永不磨灭的贡献。

第 四 章

心向国外之一：英国左派与美国

> 克林顿和戈尔使用了"康复"和集体疗法这样的行话来为他们的竞选活动定调子；他们实际采用的都是温和的、戏剧化的"关怀"和"治疗"。
>
> 罗伯特·休斯：《患病的文化》

> 1948 年，哈里·杜鲁门在武装部队中取消种族隔离，这一举措在当时的影响远比 1993 年允许同性恋者留在部队服役大得多。但是白领工人阶级还是投了民主党的票，因为罗斯福和杜鲁门被认为在经济斗争中是站在工人这一边的。
>
> 马克·莱文森：载于《歧见》(Dissent)，1996 年秋季号，第 52 页）

> 古特曼把那只鸟颠倒过来，用他的刀在底座的一侧刮削，黑色搪瓷细屑掉落了下来，露出了里面发黑的金属。……他不禁血往上涌，满脸涨得通红，他粗声叫道："这是个赝品。"
>
> 达希尔·哈米特：《马尔他猎鹰》
> (The Maltese Falcon)，卡塞尔出版社，1974 年

"塔桥"(le Pont de la Tour)是伦敦最奢华、最时髦的餐馆之一。阔佬和名流从市中心来到泰晤士河畔,欣赏塔桥上游的绮丽风光,品尝精心烹调的菜肴。《美食指南》介绍说,这家餐馆供应当代法国和意大利佳肴,但是提醒食客,这里的菜偶尔偏于清淡。这是1997年5月的一个春季夜晚,工党在大选中取得压倒多数的胜利之后,托尼·布莱尔和夫人谢丽带着比尔·克林顿和夫人希拉里来到这家"漂亮而不沉闷"的餐馆就餐。那一天早些时候,克林顿成为向英国的内阁成员发表讲话的第一位美国总统,就连玛格丽特·撒切尔也未曾将此殊荣授予她的朋友和精神伙伴罗纳德·里根。不过,各种小报抓住的头条新闻却是这次晚宴。《太阳报》邀请了美食评论家埃贡·罗内来评论一下这四位光顾者各人点的菜肴。就在此时,那些为保守党的惨败而陶醉的社论作家们已经断言,这是世界新秩序的象征。60年代成长起来的这一代掌权者属于务实政治家这一派,他们正在对中间偏左倾向在21世纪的含义重新加以界定。唐宁街和白宫的博士们对此的评论还不如《美食指南》的评论。用"漂亮而不沉闷"来评论托尼和比尔,真是说得恰到好处。

遥望大西洋彼岸:工党与美国方式

半个多世纪以前,乔治·奥威尔曾经说过,英国的知识分子从巴黎学厨艺,而从莫斯科学思想。在新千年即将来临之际,关于英国的政治精英在烹饪上的灵感是来源于巴黎还是意大利的托斯卡纳尚有争议,但是他们已经转向华盛顿学习思想、学习政策则是肯定无疑的了。有人说英国与美国的关系,犹如英国是希腊,美国是罗马。1964年2月甲壳虫乐队在美国的排行榜上名列前五位,从这一点看,倒是颇能说明英美之间的特殊关系。但是,克林顿总统的哲学是主张向全世界输出美国生活方式,在这样一个时代还这样看待英美关系未免显得滑稽可笑。只要看一看英国与大西洋彼岸签订的种种协议,英国那种低三下四、俯首称臣的样子就立刻跃然纸上了。

选举过后的第三天,从女王陛下手中接过掌权大印之后的几个小时,新任财政大臣戈登·布朗利用他去财政部与属下见面的机会,通知他的高级部下特伦斯·伯恩斯爵士,政府打算把负责货币政策运作的大权交给英格兰银行。布朗拿出了他的顾问爱德华·鲍尔斯草拟的计划,根据这项计划,英格兰银行将按照美国的中央银行联邦储备银行的路子进行改组。模仿美国联邦储备银行的模式,即授权由12人组成的"开放市场"委员会来决定美国短期利率的做法,英格兰银行也将组建一个由九人组成的货币政策委员会,每月举行一次会议来确定英国的利率。财政大臣会确定一个通货膨胀率的指标,英格兰银行的任务是决定与此相应的基本利率。布朗规定,这个委员会的九名成员有五人应为该行的专职官员,其余四人则由财政大臣任命银行以外的人士来担任。这条消息是在5月5日星期二布莱尔入主唐宁街10号不到四天公布的。消息传来,震动不小。在另一次工党取得的惟一压倒多数胜利之后,艾德礼政府采取可称为第一行动的是将英格兰银行国有化,以此确保政治家可以凌驾于银行家之上。当时这样做的目的是使20～30年代蒙塔古·诺曼那样的独立性很强的银行总裁无法在英国自行其是地强制推行紧缩政策。现在同样是一届工党政府,采取的行动恰恰背道而驰,把主要的经济杠杆之一交给了银行家、学者、经济学家以及(为政治上正确起见)一位女商人。伦敦的金融商业中心为此喜不自禁,同样,自由黑市交易者以及日见稀少的货币主义者也将这一决定奉为至宝。加强中央银行的独立性意味着倾向抑制通货膨胀;此外也意味着起支配作用的将是专家而不是政客。为维护这一决策,布朗声称工党的竞选宣言已预示了这一变化,虽然竞选宣言曾明确表示任何行动都视"老太太"①取得的进展而定,在某些人看来,四天时间怎么说也不能算是英格兰银行长期以来取得的进展。但是布朗却说,要营造宏观经济长期稳定的局面,现在正是决定将利率非政治化的恰当时机。这番话自然是回避了一个问题,那就是以特定的世界观来看,把货币政策的控制权交给中央银行又何尝不是政治决定呢?但工党政府对这些批评意见置若罔闻。后来得知,布朗和鲍尔斯在选举前访问华盛顿时就已经作出了这个决定。在华盛顿,他们会见了克林顿经济班子中的主要成员和联邦储备银行总裁艾伦·格林斯潘。格林斯潘为克林顿实现了稳定的、没有通货膨胀的经济增长,布朗对此感受很深,在回伦敦的飞机上,他下定决心在工党执政后立即开始行动。

如果说英格兰银行的独立是从大西洋彼岸窃取政策最为突出的一例,那么这绝非仅有的一例。自1986年金融服务法导致分散伦敦金融商业管理以来,人们一直觉得有必要建立一个统一的、权力更大的机构。以下三个因素破坏了对实行这种体制的信心:一是由于保守党政府支持私营部门经营养老金的制度,结果导致越

---

① "老太太"(the Old Lady),英语中有数以千计的用于特定的人、地、绰号,"老太太"即为英格兰银行的浑名。——译者

轨销售养老金泛滥成灾;二是有关当局未能察觉罗伯特·马克斯韦尔的目标究竟是什么;三是 BCCI 和巴林这两家银行的倒闭。尽管如此,负责管理伦敦各国内和外国银行并严密监督整个金融系统的英格兰银行还是认为这一系统的运作不错。英格兰银行强调它对 BCCI 和巴林银行的事件没有责任,因为前者设于卢森堡,并不属于它的管辖范围,而后者的破产是由尼克·利森的投机活动造成的。这两条理由在某种程度上还是站得住的。英格兰银行还认为,根据任何现行的金融监督制度,马克斯韦尔本来是不该受到侦查的,而养老金销售失范是执行中的错误造成的,并非由于监督机构失察。但是英格兰银行总裁埃迪·乔治提出的论点对工党没有产生任何影响。工党想让英国有一个总揽一切的金融管理机构,这样才能与设在伦敦的全球性多功能金融机构更为协调。原有的体制,如决定利率的机制,既缺乏效率,也过于狭隘。布朗宣称,英格兰银行对金融的监督权力正在让给证券和投资委员会,而英格兰银行本来是要扩充其管辖范围和权力,使之成为类似美国的证券交易委员会的机构。美国的这个委员会自 30 年代以来,一直是美国金融稳定的保卫者。被选中来主持这个超级证券和投资委员会的人名叫霍华德·戴维斯。此人是技术官僚中的技术官僚。他的职业生涯以外交官为起点,在 1995 年加入英格兰银行并担任副总裁之前,他曾担任美国麦肯锡公司的管理顾问、审计委员会主席以及英国工业联合会的总干事。

热衷于按美国方式行事的不仅是一个布朗。内务大臣杰克·斯特劳曾访问纽约市,对纽约市长鲁道尔夫·吉乌利亚尼和警察局长威廉·布拉顿支持的铁面无私的监控方法有着深刻的印象。在这种监控下,对最轻微的过失也是态度强硬,绝不容情。根据

"重点组"(Focus Group)——这是美国的另一创造——的建议,工党将犯罪列为重大问题。"重点组"是个咨询机构,并受到绝对的信任。克林顿制定了一条政策:"罢工三次即开除"。这项政策为有过三次暴力行为者可依法判处终身监禁提供了保证。在工党还是反对党时,斯特劳就响应克林顿的政策,向具有攻击性的乞丐和"强行销售的商人"宣战。这些商人利用"惯性销售"[①]形式,说服因路口红灯停车的驾车人洗挡风玻璃,然后向他们收费。斯特劳一掌权就宣布了对某些类型的罪犯依法处以终身监禁的计划,立即采取步骤来兑现工党在竞选中许下的通过刑事司法系统从速处理年轻违法分子的谎言,并宣布延长对假释犯进行电子窃听的试验性计划。显然,布莱尔是在向克林顿学习,不过这种赶时髦的形象只能到此为止。一个可能继续在唐宁街弹吉他,另一个也许可以在阿森奥尼厅接受采访时吹萨克斯管,但是遇到有关法律和秩序的问题时,这两个人就不再是自由派了。克林顿在1992年竞选总统时,忙里偷闲,有意回到他在小石城的州长官邸,以便可以亲自监督对那个精神病谋杀犯执行死刑。布莱尔在影子内阁中担任内务大臣时就提出了"严惩罪犯,坚决消除犯罪根源"的政策,其言辞之夸张也带有强烈的克林顿色彩。他之所以这样做是想改变工党对罪犯比对警察更友善的形象。斯特劳则将布莱尔的主张更推进了一步。斯特劳似乎对他的上司惊人之语的前半句更有兴趣。保守党在任时宣布的监狱扩建计划将继续执行。同时,斯特劳还建议对青少年实行宵禁,以此来解决青年人犯罪问

[①] "惯性销售"(inertia selling),指英国的一种商业行为。商人将货物送到并未订货的消费者手中,指望消费者能够收下货物,于是成交,事后收款。——译者

题。

在布莱尔执政百日的最后几天,英国政治的美国化进程大体已经完成。报纸上刊登广告捉拿毒枭。这个主意最初是罗纳德·里根在80年代曾经试验的。但是,为了有利于部分技术官僚精英能雇用工资低廉的家庭雇工,他企图劝说美国贫民区的青少年不要吸食廉价的强效可卡因,不要杀人,但是这方面没有取得明显的成效。此外,英国还打算通过选举产生市长,提倡家庭和教师之间签订家庭－学校合同,建议往校风不良的学校派遣"打击小分队"。总之,工党接过了克林顿提出的"机会"这个口号,并将之应用于我们这个福利国家。福利国家将加以改造,使福利成为再就业的一块跳板,而且英国也将和美国一样,明确区分哪些穷人应该得到帮助,哪些穷人不该受到照顾,该受照顾者将通过税收制度得到帮助。克林顿提出的工资所得税信用贷款制度受到布朗的高度赞赏,认为这是提高在业穷人能够拿回家的工资的一种手段。但是,对于那些不该受照顾的穷人则毫无怜悯之心。这些不该受照顾的人就是拒绝接受财政大臣提出的"从福利转为就业"的计划的人,包括接受政府补贴的就业、教育、培训或参加治理环境工作队,除上述四种选择,没有第五种选择。财政大臣在三个月之内"砍了三斧头"之后就出国了,到美国的马萨诸塞州福科角休假去了。他也许是去看看能否从玛莎葡萄园里聚会的政策专家和思想库人物那里搜集到一些克林顿的想法,工党可以把它们移植到英国来。恐怕他是取不到什么经的。

常春藤左派[1]：工党、民主党和跨大西洋的纽带

这种同根共生关系之所以存在是有一些原因的。首先，华盛顿的民主党和伦敦的布莱尔现代化派形成了一种可以互换的、流动的全球统治精英势力。他们有着共同的价值观，有着相同的对世界的看法，而且往往还在相同的学校里受教育。克林顿曾是牛津大学享受罗德斯奖学金的学生，他的几位亲密助手之一乔治·斯蒂芬奥普勒斯、保健制度改革顾问艾拉·玛格辛纳、中央情报局局长R.詹姆斯·伍尔西以及克林顿第一任期内的劳工部长罗伯特·赖克也都是牛津出身。不过这种思想上的根源也并不是单一方向的。布朗就经常吹嘘说，他看不上苏格兰的幽谷，他休假时宁可去哈佛大学的图书馆，在那里博览群书。布莱尔的政策顾问大卫·米利班德在麻省理工学院获得硕士学位；1997年分别当选为代表卡斯尔福特和蓬特弗拉克特工党议员的鲍尔斯和他的合作伙伴伊维特·库珀都曾在哈佛大学求学，北爱尔兰事务大臣马乔里·莫兰姆70年代在衣阿华大学攻读哲学博士学位，而民族传统部大臣克里斯·史密斯则曾是享受肯尼迪奖学金的学生。这种跨大西洋的联系绝不限于威斯敏斯特[2]。霍华德·戴维斯曾就读于斯坦福大学，

---

[1] 常春藤左派(Ivy left)，常春藤(Ivy)指常春藤联合会(Ivyleague)，原为美国东北部哈佛、哥伦比亚、耶鲁、普林斯顿、康奈尔、布朗、达特茅斯和宾夕法尼亚八所名牌大学的体育联合组织。又指美国名牌大学。这里似泛指名牌大学背景。——译者

[2] 威斯敏斯特(Westminster)，英国政府所在地，此处指这种教育背景相同的人不限于英政府的高级官员。——译者

而他在英国工业联合会的继任者阿戴尔·特纳则是麦肯锡大学的校友。

伦敦和华盛顿在文化上是同根同源的,这是这两个国家之间有一根脐带相连的第二个原因。在70年代末,一个英国人去美国访问,会立即感到这两个国家之间的差异。尽管语言、电影和音乐相通,但是美国的高速公路、禁止车辆通行的大型商业区,城市带的发展①,为驾车人提供车内就餐的麦当劳分店以及群聚在钢和玻璃建成的塔楼下的乞丐大军,所有这些都与英国寒酸的小城镇里的感觉极不协调。在新千年即将来临之际,上述这种情形已不复存在。英国已彻头彻尾地美国化了。几乎所有小有名气的地方城镇都夸耀它们自己的完备的综合性休闲中心,其中有多厅电影院,十球道保龄球馆,一个特大型超级市场,几家快餐店,以及面积达数英亩的停车场。在70年代末,休闲旅游就是去马盖特的"梦境"(Dream land)或布莱克浦的"黄金之旅"(Golden Mile)。到了1997年,休闲场所变成了奥尔顿塔楼群(Alton Towers),索普公园(Thorpe Park),甚至穿过英吉利海峡隧道去欧洲的迪斯尼乐园。英国的高雅文化仍受弗朗索瓦·特吕福(François Truffaut)、保罗·巴居斯(Paul Bacuse)和帕瓦罗蒂的影响,但是大众文化却是彻头彻尾的美式文化。英国电视在形式和内容上都深受美国电视的影响(就内容而言,就有连续情景喜剧如《朋友》,警匪剧《迈阿密恶棍》。在英国,大多数人谈论的是昆廷·塔伦蒂诺的电影和对麦当娜的评价。法国电影尽管充满有关性的描写,英国人并不太感兴

---

① 城市带的发展(strip developments),指美国城市发展的一种现象,即两个或两个以上的大城市之间的狭长地带发展为市区,将这些城市连起来逐渐形成超大城市。——译者

趣,对欧洲的摇滚乐,除了阿巴以外,也不太有兴趣。

这种文化上的相似之处在政治和经济形态上也有所反映。英国历来对美国为入主白宫而进行的竞选感兴趣,而且与法国和德国的选举结果不同,美国人选择共和党或民主党,被认为可能会对英国的情况产生影响。希拉里·克林顿是英国人熟知的人物,同样,芭芭拉·布什和南希·里根直到杰基·肯尼迪①各位第一夫人都是英国人十分熟悉的。至于有多少人能叫得出希拉克夫人的名字,100个人中也不见得有一个,从照片上能认出她来的就更少了。

多年来,英国更多地是与欧洲国家进行贸易往来,但是其经济结构却没有欧洲化。英国的经济周期一般是与美国同步而不与德国和法国同步;英镑的价值一般与美元同升降;英国的强项一般也是美国的长处,而两国面临的问题也是相似的。这种现象历来被认为是英国弱点的根源,说明英国应该听从劝告,回到盎格鲁-撒克逊式的资本主义模式去,采取更为统一的、以公司为基础的德国工业结构。尽管如此,90年代美国经济在某种程度上发生了重大变化。人们注意到,美国在生物技术、微处理、多媒体等所谓的阳光工业方面处于领先地位,而这些领域同样也是英国的强项,而且这些领域中有一些具有革新精神的小型公司形成了网络,在它们之间可以交换人员,共享创意。一位评论家是这样说的:"在网络工业现有的生产能力上,英国仅次于美国。英国的制药工业是很强的,在信息和通讯技术方面也不弱,化工则十分先进。英国的娱

---

① 杰基·肯尼迪(Jackie Kennedy),杰基为肯尼迪总统夫人杰奎琳的昵称,此处用昵称表示英国人对她的熟悉和亲切。——译者

乐业、音乐出版以及许多国际服务业务,都可称首屈一指。"[1]

另外,与欧洲相比,美国的活力来源于自身的历史。20世纪美国经济中的一个重大事件是大萧条。从那时以来,文化一直以避免出现大规模失业为目标。对于德国来说,1923年发生的恶性通货膨胀则是一次重大事件。当时的市民上街购物都要用手推车装满一文不值的钞票。联邦银行想起当年的情景至今心有余悸。二战后,美国在其经济称霸全球的30年中,始终把重点放在经济增长和就业方面绝非偶然,而德国20年的经济优势带来的却是缓慢的增长和通货膨胀。

即使说工党在思想上和个人关系上不迷恋英国,上述这些因素当然也不会对工党毫无影响。布莱尔在他最初参加欧盟的几次高峰会议时说,如果在条约中写有"鼓励建立灵活的劳动力市场"的条款,他就会支持这段有关"就业"问题的章节。这番话清楚地表明了他赞成什么。"我们要少关心我们自己和我们的组织,更多地关注与人民切身相关的事情。"

四位律师从桥上看世界

受工党支持的特伦斯·康兰爵士开办的塔桥餐厅无疑是老朋友聚会的合适场所。这家餐馆的菜肴在价格上虽不至吓人,却也十分昂贵,正是四位(尚称)年轻而且事业有成的律师选来享用晚餐的好地方。在这家伦敦的技术官僚频频光顾的餐馆里,布莱尔和克林顿会感到身处民众之间,不会像在唐宁街或白金汉宫里举行国宴那样受礼仪的拘束。这位首相要求他的官员们(虽然他们还是有点不情愿)直呼其名,叫他托尼而不称他首相。此时此地,在保守党连续执政18年之后,工党再次以自己的行动宣告,时代不同了。约翰·梅杰和玛格丽特·撒切尔做梦也想不到可以不在唐宁街款待一位来访的国家元首,但是布莱尔却不要那些水晶大吊灯和穿制服的男侍应生,来到一个与其90年代轻松对待生活的态度相称的地方。就像哈罗德·威尔逊选择了抽烟斗并让大家知道他吃肉饼时交的是半价,以此为自己树立一个光辉的平民形象一样,布莱尔也用类似的办法来显示他的平民主义色彩。

塔桥餐厅相对来说是伦敦的一处新景观。虽然不如新工党那样崭新,可是在1979年5月吉姆·卡拉汉卸任时,这家餐厅的主人还没有见到一丝光明前景,也不会想到它会见证到盛行18年的干预会在自然风貌和政治景观上发生这样大的变化。六、七十年代航运集装箱化将其经营范围沿河而下,扩展到了蒂尔伯里,结果是伦敦船厂区的衰落。这个工党历来的坚固阵地之一就成了撒切尔夫人的自由市场理论的试验基地。结果是伦敦的金融商业中心以低廉的成本向东延伸,出现了卡纳里码头(Canary Whart)和与它一起出现的金融家、律师、管理顾问、会计师的高级住宅区。事实证明这种联姻并不美满。伦敦两个受船厂区衰落影响最大的行政区——泰晤士河北岸的塔村(Tower Hamlets)和南岸的南沃克(Southwark)仍然还存在较高的失业率和地方政府地位遭到削弱的现象。如同克林顿可以列举的任何美国城市,比如纽约、芝加哥、洛杉矶一样,船厂区的情况都是80年代经济革命的缩影,这场革命使有些人富了起来,其代价则是19世纪以来从未有过的不平等,这是布莱尔和克林顿面临的两难境地。他们两人都致力于医治15年或15年以上的自由市场经济遗留下来的创伤,他们也都提出了社会公平和人人有份的口号。但是他们自己就是全球精英中的一分子。这些新精英属于我行我素的行政管理者阶级,他们狂热地信奉自由,热衷于自由贸易、自由资本流动和企业的活力,他们在自由市场占统治地位的年代也确实干了一番事业。

1997年11月,布莱尔在英法首脑会晤时把雅各·希拉克安排在卡纳里码头饭店的套房里下榻是十分恰当的。这家饭店的房间是最出色的年轻设计家的杰作;专家认为,这正是首相所说的"年轻国家"的象征。但是并非每个评论家都对此表示钦佩。乔纳森·格兰赛在1997年11月17日的《卫报》上写道:"卡纳里码头"饭店显得老派,一派大西洋中部的色彩,反映了对撒切尔夫人和她的豪富们的崇敬。这家饭店充分体现了英国从福利国家向新维多利亚时代的自由市场经济的转变。

不论他们自己像什么样的人,布莱尔和克林顿最亲近的还是比尔·盖茨或理查德·布兰森这样的商人。这些人都在60年代度过他们的童年,在竞争极为激烈的世界市场上获得成功。克林顿依靠共和党使其"北美自由贸易联盟"得以在国会获得通过,当金融界1995年受到墨西哥金融危机的威胁时,克林顿对华尔街的呼声也立即作出了回应。1997年夏,英国大声疾呼要求支持布莱尔的莫过于亚当·斯密研究所所长巴德森·皮里了。这个研究所是思想最为纯正的自由市场思想库。皮里说道:"我坚定地支持现政府。我认为这不是一个左翼政府。……政府降低了公司税,减少了国内生产总值中的支出部分。戈登·布朗(工党政府的财政大臣)同肯尼思·克拉克相比,在市场问题上无疑是右倾的。"[2] 对克林顿进行辱骂式批评的是美国宗教界右翼,与美国的情况不同,布莱尔的反对派并不是那些士气低落的保守派残余势力。对他的批评恰恰来自布莱尔自己的阵营内部。在80年代,这场运动的右翼分子罗伊·哈特斯利对工党同意从富有者那里多征赋税来提高穷人的福利待遇表示厌恶。哈斯特利的左翼宿敌托尼·本却指责首相把工党转化为代表企业利益的中间路线政党，并且一味地照搬美国民主党的做法。

本的这番话十分中肯。且不论布莱尔和克林顿各自追求的目标是什么，但他们明显地意识到他们是在同一条船上。他们知道，他们是冲破了重重阻力才走到今天这一步的。他们各自的政府都曾被当作过时的东西而遭鄙弃。他们的友谊是在战火中凝成的，在这一点上，套用一句陈词滥调，也可称为"特殊关系"吧。1992年的选举之后，工党曾派一个以宣传工作权威菲利普·古尔德为首的援助小组赴美助克林顿一臂之力，使之免遭尼尔·金诺克的厄运①。在保守派中央办公厅（Central Office）支持布什的情况下，古尔德给民主党人提出了一些宝贵的忠告：可以利用"恐惧"心理这个因素，宣称多投罗斯·佩罗特一票，就会让克林顿从后门入主白宫；将吉米·卡特妖魔化，说民主党会把经济搞得一团糟。克林顿对此感激不尽。在克林顿赢得了他的"新民主党"推举的候选人资格后，英国那些现代派人物深信，这次他们可以接过"圣盘"②，使工党自1974年以来第一次赢得大选胜利。工党举行了几次专门会议，最后采纳了克林顿在1992年选举中的中心口号："经济才是关键，傻瓜"，又征求了一些"重点组"（focus groups）的意见，以便摒弃那些对选民没有吸引力的工党政策。当纽特·金格里奇登场，

---

① 1992年英国大选中，工党候选人尼尔·金诺克（Nei Kinnock）失利。——译者
② "圣盘"（the Holy grail），按中世纪的传说，这是耶稣在最后的晚餐中所用的盘子。据说，在耶稣被钉上十字架时，其门徒曾用此盘承接耶稣的滴血，似有"衣钵"之意。——译者

使共和党控制了美国参众两院的多数席位时,布莱尔受到的震动绝不亚于克林顿本人因这次中期选举中投票转向所受到的震动。不过,当他看到克林顿总统利用有关预算的争吵,把联邦政府陷于瘫痪归咎于右翼极端分子时,不由深感钦佩。克林顿确实使他在1996年的竞选对手鲍勃·多尔没有多少回旋的余地,他许诺要提高最低工资并适时地为有组织的劳工说了些安抚的话,从而缓和了他对共和党提出的法案的支持。共和党的这项法案实际上意味着"我们心目中的福利国家"。

1997年,布莱尔在英国也巧妙地使用了同样的伎俩。保守党在加入欧盟问题上意见分歧,其程度不亚于共和党在道德问题上的分歧。由于增加税收引起非议,此时要把保守党说成是既无能又极端是再容易不过了,而这些标签正是80年代保守党贴在工党身上的。工党在竞选中,在涉及税收和私有化等问题上,要采取一些正统的、甚至是右翼的立场,因为工党知道,左派还是希望布莱尔而不是梅杰入主唐宁街。

命运女神向左派微笑:温和派走运

布莱尔和克林顿两人都以相当高明的手段调整了各自政党的立场。不过,此外他们还应感谢他们交了好运。让我们再回到1991年。那年,克林顿宣布他将争取民主党提名他作为总统候选人。那时他只不过是一个贫穷的南方小州的州长,默默无闻。当时的估计是,布什由于在海湾战争问题上的表现会让他连任一届总统,他的竞争对手将会是一名较有声望的民主党人,例如纽约州州长巴里奥·科莫。但是有四个因素推翻了上述估计。第一,一些名气较大的民主党人宁愿等到1996年才与共和党一争高下,因为他们相信那时的共和党候选人要比布什容易对付。第二,1991年经济衰退导致许多人失业,因此美国公众突然激烈反对总统。第三,共和党越来越受一些右翼宗教势力的控制,在1992年8月举行的四分五裂的休斯敦党代表大会上达到了顶峰。这就预示着克林顿的中间立场在许多传统的民主党人看来固然过于温和,但他们没有其他的选择。第四,罗斯·佩罗特这位第三候选人冒出来分走了布什的选票,克林顿只要获得43%的选票即可在选举中获胜。在1988年的大选中,迈克尔·杜卡基斯也得到同样多的选票,却输给了布什。

工党同样也交上了好运。五年前,也就是1992年5月,保守党似乎是不可战胜的。那年4月,保守党连续四次在大选中获胜之后又一次获胜,5月又在地方政务委员会选举中击败丧失了士气的反对党。那年夏天,只要电视台转播全国的或国际的板球赛,总会出现热爱板球的约翰·梅杰,手里端着酒杯,轻松地坐在他的支持者为他提供的包厢里,没有最后这样一个镜头,电视台的报道就不算圆满。这次大选是在30年代以来最为严峻的经济衰退中举行的,当时失业者人数在十年中第二次增加300万,但是梅杰还是为保守党赢得了1400万张选票。保守党中的悲观人士对他们是否能组成一个工党政府有疑问,并且已经公开谈论要不要同左派结成联盟,其中包括自由民主党。

黑色星期三却改变了一切。此前,由于英国在汇率机制(the Exchange Rate Mechanism)①中的成员国资格问题,英国的经济衰

---

① 汇率机制为欧共体国家之间通过协商确定各国货币在金融市场上的汇率的一种机制,没有常设机构。——译者

退期延长并深化了。这个机构将英镑的币值按德国马克定位,同时还不允许英国政府降低汇率来刺激国内经济。这一政策的代价高昂,但首相和财政大臣诺曼·拉蒙特仍然坚持说除此之外别无他法。金融市场则自有主张,1992年9月15日,英镑由于一个浪潮接着一个浪潮的投机性抛售而被排除在汇率机制之外。尽管英镑的基本汇率提高了50%,达到了15%,英格兰银行还在疯狂地买进英镑,以至耗尽了英国的外汇储备。黑色星期三对政府经济实力的声誉是一个沉重的打击,从此再也没有恢复过来。不过实际上经济还是很快就从衰退带来的破坏中得到了恢复。这是因为当局奉行了凯恩斯战略,大量供应廉价货币,同时采取财政措施来刺激住房建设和汽车工业的发展。"我们需要一条促进经济增长的战略。我们即将采取的战略就是促进增长率。"在黑色星期三之后的一个月内,梅杰在一系列电视采访中就是这样说的。但是为时已晚,特别是在汇率机制遭到惨败后的六个月中,一个接着一个的灾害降到保守党头上,此时就更加无法挽回了。梅杰在切尔滕纳姆(Cheltenham)的铁杆支持者得悉工业大臣迈克尔·赫塞尔廷宣布要裁减三万名井下矿工后走上了街头支持矿工。这些矿工中有许多人曾公然违抗亚瑟·斯卡吉尔,在1984~1985年举行大罢工并取得胜利。紧接着又发生了众所周知的向伊拉克提供武器的丑闻。丑闻暴露了萨达姆·侯赛因用来对付英国参加海湾战争的军队的部分武器竟是在一些大臣们不顾政府禁运令的纵容下提供给伊拉克的,还有一些政府难以控制的事件也对政府不利。当年12月一场大火烧毁了温莎城堡,查尔斯王子又宣布要与威尔士公主离婚。在60年代末,约翰·伦农对甲壳虫乐队为何解散所作的答复是"美梦已经结束"。这句话用于查尔斯和戴安娜同样合适。在当今这个时代，40%的婚姻都以离异而告终，但是他们两人的婚姻却被认为应该不同于普通百姓。他们的婚姻应该是幸福、厮守终身、完美无缺的。当有关他们秘而不宣的事情的非法录音一旦在公众中传开，人们发现他们原来与其他不幸的夫妻没有什么区别。

虽然在1993年1月基本汇率下降为6%，新的一半并未带来任何缓解的迹象。两个十岁的小学生绑架了年仅两岁的詹姆斯·巴尔杰引起了全国人民的反省。批评政府的人认为，这件事证明英国远没有成为一个遵纪守法的国家。连续四届的保守党政府已经使英国成为一个充满暴力、不遵守道德的社会，在这个社会里，下层阶级只能苟延残喘，要不就会发生骚乱。最后是1993年的预算宣布大幅度增税以弥补经济衰退带来的450亿财政赤字。政府在1992年选举中扬言，工党要是上台，税单上就要平均提高1 000英镑，即使从经济上说，采取财政紧缩政策也是无可指责的。这种政治手段也并不高明。保守党政府在民意测验中的支持率在1993年春天下降到历史最低水平，直到选举开始，始终停留在最低点上。除了在白金汉郡以外，保守党在1993年5月的地方选举中在所有各郡都遭失败。同一天，在纽伯里的补缺选举中因有28%的投票转向而输给了自由民主党。

市郊中产阶级的蠢动：左派
长期以来的分化改组

奥威尔在题为《狮子与独角兽》一文中写道："在英国，人们还是信奉公正、自由和客观真理这一类观念。这些可能都是幻想，但这些幻想却具有强大的力量。信念本身影响着人的行为,正因为信念不同,国民生活也就不会是一样的。"[3] 英国和美国选民指望右翼政党是强硬派;试行严格的管理也需要居住在伦敦市郊的那些日益上升的劳动者阶级的支持,正如里根在80年代求助于密歇根州几个汽车城的蓝领民主党人,并且成功地获得了他们的支持。选民们不希望看到这些政党既无能,又极端、傲慢和腐败。背离廉洁、正直这些基本价值观使左翼政党有机会东山再起,而这种情况在80年代是不大可能发生的。不过按照克林顿/布莱尔的运算法,这种转变是不可逆转的,只有在制定政策时注意适应市郊中产阶级的要求,左翼政党才能够向右翼政党的垄断地位提出挑战。

其实80年代右翼远非如他们自己宣传的那样居垄断地位。70年代末和80年代初,促成撒切尔和里根上台执政的那些文化倾向无疑仍然存在,而且从某种程度上讲,甚至比当时还要强大。但是,总会有一些人不遗余力地抵制保守党和共和党的政策,例如英国职工大会(Trade Union Congress,简称TUC)连续好几天发动反失业运动,1981年夏天英国内地城市发生骚乱,保守党内还存在着温和的反对派,甚至分化出来成立了一个新党——社会民主党,这个新政党惟一的宗旨就是要从冷漠无情的货币主义者和本奈特社会主义者(Bennite socialists)两种极端倾向中挽救战后体制。这是一个公开斗争的时期:里根面对的是一个由民主党把持的充满敌意的国会,在与空中交通管制人员的争论中则面对孤注一掷的工会力量;英国的工会也准备同大伦敦市政会联合起来对付保守党。凯恩斯-贝弗里奇式的福利国家并未立即消失,实际上这是一个缓慢崩溃的过程,历时七年才告完成。到了1986年,英国的失业率达到战后的最高峰,失业人口达310万,但是政府在议会中还占多数,何况占有144席的反对党还有意见分歧;在1983年的大选中,工党战胜了社会民主党和自由党联盟,使这一联盟仅占第三位。保守党在长达一年之久的矿工罢工中击败了矿工,保守党还压倒了英国核裁军运动(Campaign for Nuclear Disarmament,简称CND)这股反对势力,在英国领土上部署了美国巡航式导弹,他们还动用陆军中的特种空勤部队(Special Air Service of the Army,简称SAS)攻占了设于普林斯盖特的伊朗大使馆,并准备随时把英国武装部队派往南太平洋重新攻占福克兰群岛[1],这些岛屿在1982年阿根廷军事政变中被阿方占领。在国内,政府宁愿眼看制造业在1980~1981年经济大滑坡中损失25%,以此作为将通货膨胀率从1980年的20%降低到1986年的2.6%所付出的代价。这些都是把新的"行必果"哲学付诸实施,而且是全方位地实行这一哲学,包括沉没"贝尔格拉诺将军"号,同意警察采用"便捷方法"[2],以确保将恐怖主义和暴力行为犯罪嫌疑人定罪,直到政府支持埃迪·沙[3]和鲁帕特·默多克打垮印刷行业各工会组织。"只要结果,不论手段",这就是所谓的"行必果"哲学。这种哲学与个人主义完全吻合:生育高峰那一代人强烈希望有自己的房子,出国旅行时不受外汇管制的约束,购置一辆新汽车和录相机。60年代是盛行"自我发现"精神的十年,到了80年代这十年,就是"达到个人既定目标"了。即便如此,那些新秩序的"化

---

[1] 福克兰群岛(Falkland Islands),即英国和阿根廷发生战争的马尔维纳斯群岛。——译者
[2] "便捷方法"(corner-cutting method),原意为拐小弯,抄近路。这里似有不经过正常程序因而不合法的方法。——译者
[3] 埃迪·沙(Eddie Shah)和鲁帕特·默多克(Rupert Murdock)为报业和出版界巨子。——译者

身"①也必须谨慎为好。这十年中最流行的一句话是"贪婪是好事"。这是奥利弗·斯通的电影《华尔街》中那个从事资产倒卖的反面主角戈登·杰科说的一句话。不过,在影片结尾时,杰科还是遭到了应得的惩罚。这个角色的原型是纽约的金融资本家伊凡·伯斯基,此人遭到同样的下场。斯通是好莱坞著名的自由主义者,约翰·兰迪斯也是这类人物,他的电影《交易场所》(Trading Places)明确地表现了贪婪不仅不是好东西,而且最终会导致个人身败名裂。撒切尔夫人曾说过"根本不存在什么社会"这样的话,给她自己带来了麻烦。后来她不得不在回忆录中解释说,她这句话在被引用时遭到曲解。这句话的其余部分是这样说的:"作为个体的男人和女人是存在的,家庭也是客观存在。不通过人,政府就一事无成,而个人必先照顾自己。我们的责任是首先照顾好自己,然后再去照顾邻居。"[4]

在撒切尔夫人看来,这样说并不是提倡自私,只不过重新提出了维多利亚时代的价值观而已。但是,这不是人们普遍的观点,甚至撒切尔夫人的经济政策设计师之一奈杰尔·劳森对这种雅皮士式的"无聊庸俗"也颇有微词。[5] 如果说这两种价值观是一对矛盾的话,那么强调"质量"与庸俗小报和澳大利亚肥皂剧的不谐调也是一对矛盾。撒切尔政府的就业大臣和党的主席诺曼·特比特为《太阳报》第三版上的裸女照片辩护说,这只是让劳工阶级高兴,同国家美术馆为中产阶级提供艺术享受是一样的。这种说法自然引起了不小的轰动。对撒切尔批评最为猛烈的莫过于英国的艺术界

---

① "化身",原文为 avatar,源于印度教,意为神下凡化为凡人,似有新秩序的代言人之意。——译者

了。对他们来说，政府削减对艺术的补贴最有力地表明了威斯敏斯特的"新市侩主义"。

于是，为了纠正以往十年中工艺粗糙、工作马虎的倾向，掀起了一场"质量革命"。平等主义被认为既不可取，也是无法实现的目标。此时在大西洋两岸都在追求"优质"。公司享有管理自主权，这样就可以迫使工人生产消费者真正需要的商品，弱者从此得不到保护，如果人们想买日本的或德国的汽车而不买美国的"耗油大王"，或者购置丹麦产的班牌和奥洛夫森牌立体声音响设备而不买英国制造的福格森音响系统，这些事情都不应当由唐宁街或者白宫来操心。质量意味着更加重视包装、销售和设计，不单是饮料、汽车或服装，而且还包括政治过程。政党在推销自己时开始变得更加谨慎。1983年工党的表现给人的印象是杂乱无章，接着在尼尔·金诺克的领导下的表现又像来了一个彻底大翻修。仅仅依靠休·赫德森的政党政治"红玫瑰"节目让人觉得是在做广告，或者滥用勃拉姆斯的音乐，都不会使工党在1987年的大选中获胜。这次大选是在经济繁荣的顶峰期举行的。金诺克实际上只比迈克尔·福特在1983年大选中多得了20个席位；但是工党颓败的势头至少算是得到了控制。

有关质量的想法结果是走了样。公司谈论的是"全方位质量管理"，把数以百万计的钱花在咨询、培训课程和乡村旅馆度假上，就用这种办法来实现对质量的全面管理。商界的语言也影响了政府，其影响力之大竟使英国不称为"不列颠"（Britain）而叫什么"大不列颠股份公开有限公司"①。一个国家也可能走上绝路，除非它

---

① 原文为 Great Britain PLC。PLC 为 Public Limited Company 的缩写形式。——译者

改掉那些过时的坏习惯,并欣然按照管理的路子进行改革。在大臣们就税收和开支作出决定时,严肃地亮出底牌,说国库里已经没有用于学校和养老金的钱,似乎这时只要模仿公司的首席执行官的用语就能证明他的话是真的。

为提高质量所做的努力在某种程度上是与技术联系在一起的,也就是说通过创新,或者改良老产品来提高质量。某些方面的进步十分迅速。80年代播映的《摩斯探长》连续剧的一集中,有一位很有成就的律师使用了私人移动电话,其体积和重量都不亚于一块砖头;十年之后,私人移动电话不仅十分普及,价钱更加便宜,而且体积也小多了。在1997年秋天播映的一集中,摩斯探长本人也用上新式的小型电话了。类似的情况还有,80年代初,通过传真传送文件还鲜为人知,到了90年代已成为家常便饭了。在卡拉汉和卡特竞选失利时,不仅电子邮件和英特网还属于遥远的未来,大多数写字间和政府部门基本上还在使用打字机和文件柜,根本谈不上使用电脑和软盘。

不过,技术进步也有两面性。首先,受益者主要是社会精英,穷人是买不起那些硬件的;许多人为付电话费还需要奋斗一番,更不用说支付一笔额外费用"上网"了。其次,技术进步有助于管理部门控制工人。电脑储存页面、录音电话和传真机的使用意味着上司可以无时无刻地同他们的属下保持联系;电脑化使开辟一系列金融和保险新业务成为可能,这种服务方式只需要一名职员一上班带上一副耳机就行了,从此,除了他的服务对象和一名监管以外,他再也不必同其他人联系了。最后,大部分对新技术的需求不是来自消费者,而是因为资本主义必须为每一代人提供新产品。于是70年代彩色电视机就成了畅销货,等到几乎每个家庭都扔掉了黑白电视机,电子行业又推出了录相机,这样消费者就可以把他们错过的电视节目录下来,或者在家里欣赏本来必须去电影院才能看到的电影。一个更新的能说明供应带动消费需求的例子是CD机。摇滚乐队的那一代人同音乐一起长大,他们出手大方,购置了在六、七十年代堪称高级的音响系统,来放他们收藏的大量密纹唱片。但是到了80年代初,唱片制造业采取了一种销售策略来说服人们放弃那些聚氯乙烯制造的唱片,改用CD盘。最高级的古典音乐是聚氯乙烯唱片最薄弱的一环,首当其冲就是这个最经不起打击的柔软的下腹部。CD盘可以消除录音机和唱片表面磨擦而发出的咔哒声和沙沙声,让爱乐人在自家的起居室里就可以像在音乐厅里那样欣赏音乐。厂家就以这种种优越性进行促销活动。听古典音乐的人一般都比较富裕,不会因为花钱多而不去购买CD机和CD盘。这样的估计大概是不会错的。一旦CD盘确立了它象征身份的地位,下一步就是推向更广大的摇滚市场,其关键时刻就是1987年EMI和甲壳虫乐队的回潮时期。由于CD盘的需求量大增,唱片行业就故意提高密纹唱片的价格,而且在商店里越来越难买到,于是聚氯乙烯制品就不那么有吸引力了。也有人说,这种听音乐的新方式显得有点冷冰冰的,也缺乏聚氯乙烯唱片能够提供的音域;还有人表示弄不明白那些1977年听过"性手枪"的少年在十年之后为什么还有兴趣去拥有《主佑我王》的气声唱法版本。但是音响行业,比如既生产硬件又生产唱片的索尼公司,却说既然唱片的需求下降,他们这样做只不过是对消费者需要"高质量"的音响设备作出反应而已。结果之一就是从埃尔维斯·普雷斯利参军服役到甲壳虫乐队兴起这段时间以来,摇滚乐已跌入低谷。音乐变得稳健、高傲,就像人进入了中年期。1985年

Live Aid 音乐上重视六、七十年的服装就是鲜明的体现。音乐制作业不失时机地从蓬克时代商店自贴标签的做法夺回了控制权,把一、二十年前的歌集唱片重新包装,一时间充斥于成人摇滚乐电台,雅皮士们趋之若鹜。1992 年克林顿竞选总统时选用的主题歌就是 1977 年弗利特伍德·麦克演唱的《永远想着明天》,真是再合时宜不过了。

质量革命进行了整整十年,粉碎了许多对战后体制的图腾崇拜。以设计者命名的服装的兴起将"斜纹粗布制服"一扫而光,这十年中最流行的汽车是"高尔夫 GIT"(Golf GIT),这种车型最受斯隆·兰杰这样的富有青年的青睐。再就是高质量的金钱了。某人手头现有的一英镑从质量上讲就不如将要挣的一个英镑。现在人们开始注重收入的质量和贷款的质量了。这十年也是名厨们的黄金时代。在人们对性的迷恋中,名厨和他们的美食应运而生。在 70 年代,电视台的烹饪节目是范妮·克拉多克的独霸天下,最前卫的也只不过是格雷厄姆·克尔的"快速美食"。这一切到了 80 年代中期都已显得平淡无奇了。确实,巴塞尔·福尔常为他的美食晚宴准备的菜肴只不过是罗赛尼小牛里肌和澄汁鸭,现在,在安东·莫西曼和雷蒙德·布兰的崇拜者眼里已经是陈腐不堪的东西了。

那些因为没有钱穿不起"阿玛尼"时装出入法国式的"四季庄园"(Le Manoir aux quatre Saisons)的人总还可以花 99 英镑买一套内克斯特套装或一套马克斯牌的服装,还有斯宾塞小鸡加龙蒿汁随时可以放进微波炉里加热享用。

大众市场上总会有不那么高雅的趣味。对高质量的重视也涵盖了这方面的潮流,开发了费用不高的度假,为青年人提供享受阳光、海水和性的机会;快餐店雨后春笋般地普及开来,从政者也需要认真听取《太阳报》和《每日邮报》上反映的意见,电视台为了提高收视率艰难地在"修补匠·裁缝·士兵·间谍"或"重访布雷德谢德"(Brideshead Revisited)这类"高质量"节目与深入探讨空虚、残暴和贪婪之根源这类节目之间找平衡。鉴于电视迄今还是最重要的大众媒介,而且是大多数人获得消息和观点的源泉,这场斗争就是举足轻重的了。一位评论家这样写道:"在教育与电视的较量中,或者说在论证和来自视觉的信念之间的较量中,胜方是电视,而现在这一大众媒介的格调比以往任何时候都要低。"[6] 受里根任命来领导美国反毒斗争的右翼人士威廉·巴尼特 1996 年在瑞士达沃斯的世界经济论坛上表达了类似的观点,她强调说,在 80 年代的自由市场革命中,被掏空了的不仅是工业,也包括人民。巴尼特哀叹在现代资本主义社会中,人们缺乏宗教信仰和美德,他让人们注意美国的"脱口秀"中总有人遭到羞辱,有人甚至为此而自杀,而电视台这样做仅仅是为了引起黄金时间观众的兴趣。

工党和民主党在 90 年代面对的就是这样的一个世界。在克林顿和布莱尔看来,他们各自遵循的政治道路竟然如此相似。卡拉汉和卡特一方面要维护战后体制,同时又感到文化的变迁使他们无能为力,他们两人深深陷入这种矛盾而不能自拔。1983 年和 1984 年富特和蒙代尔两人作为保守派的代表,似乎都没有意识到他们的支持者已经被右翼像剥皮一样一层层地夺走了。蒙代尔全盘输给了里根,而富特则败在撒切尔手下。蒙代尔仅在他的家乡明尼苏达州和哥伦比亚特区获胜。1987 年金诺克的命运则是富特命运的重演,无独有偶,杜卡基斯和蒙代尔的遭遇也如出一辙。这个时代是盎格鲁–撒克逊的兴盛时期,撒切尔和布什是不可战胜的。即便如此,左派前景也并非一片黑暗。民主党控制美国国

214

会两院，而工党在地方政府还保存着强大的基础。1989年，工党15年来第一次在全民投票中取胜，在欧洲议会的选举中也取得了胜利。右派虽然在大选中获胜，但在英国，右派在全民投票中却只获得了44％的选票。里根以59％比41％的多数战胜了蒙代尔，但按实际投票人数统计，所得选票仅略高于50％。1968年以后，共和党入侵美国南方民主党的根据地，使民主党人当选总统变得越发困难。美国内战以来的历史上，南方始终对共和党抱有恶感，而现在南方内在的保守主义在选举中的分量却开始超过历来的恶感。1976年，南方的民主党人吉米·卡特获得总统候选人提名，虽然使这一股潮流一时中断，却未能完全扭转这一倾向。90年代初期，人们估计民主党需要另一名南方的候选人，但还必须把美国东北部和中西部支持里根的民主党人争取过来。这部分人在选举团中有相当多的票数。工党也作相似的估计。工党需要把一些渴望有所成就的劳动阶级争取过来，就是这部分选民在70年代帮助哈洛·赫梅尔·亨普斯特德和克劳利等人保住了席位，不过这些人在1979年倒戈投向了保守党，要把他们争取过来，希望不大。

托尼和比尔如愿以偿

布莱尔和克林顿为了上台执政确是作了一些牺牲的。但是，对此作出任何批评都要接受一个事实的检验，那就是他们毕竟胜出了。自30年代以来连续遭受14次惨败，失败之后，被迫退守他们在英格兰北部、苏格兰和威尔士的根据地，现在工党赢得了165席，使保守党受到了一次更大的羞辱。正如大选后三个月，一位工党的大臣所说："我们执政后的100天内为劳动者所做的事相当于我们作为反对党在18年内所做的一切。"布莱尔希望能成为第一位连任两届的英国首相,就目前的情况来看,在这次选举中获得压倒多数的选票已经确定无疑地为他在2001年再次竞选作铺垫了。在克林顿1996年再次当选总统之后,民主党的南方候选人阿尔·戈尔很有希望从副总统的职务再上升一步,可能成为自罗斯福和杜鲁门从1932~1952年间连续入主白宫以来民主党执政最长的时期。对布莱尔-克林顿轴心的任何评价一开始就必须承认他们在几个问题上是正确的,其中之一就是这两个政党都不能再仅仅乞灵于实行集体主义的强烈愿望,而必须对个人主义的兴起作出反应,建立起一种格兰西理论①意义上的对各种势力的集中领导。1995年,布莱尔在一次工党的会议上说:"让我对你们谈一谈我们这一代人的情况。我们是在第二次世界大战后成长起来的。

我们是从书本上了解法西斯主义的。苏联的情况则是我们亲眼看到的。我们从中认识到,左的和右的两种极端都是可怕的。我们出生在一个福利国家,享受过国民保健制度的免费医疗福利待遇,然后又进入了市场经济制度。在这一制度中,我们可以在银行开户,有超级市场,穿牛仔服,有汽车。我们的口袋里有钱,这是我们的父母一辈子做梦都想不到的,我们还出国旅行。我们经过了60年代性解放运动。现在我们的劳动者中有1/2是妇女,而且我们工作的领域由于科学

---

① 格兰西(Antonio Gramsci,1891~1937),意大利共产党创建人。1914年参加社会党。一战期间研究马克思主义,为著名的理论家,属社会党中马克思主义激进派。1921年离党另建共产党。——译者

的进步经历了一场革命。我们建立了一种新的大众文化,这是由彩色电视、"加冕街"节目①和甲壳虫乐队的出现带来的变化。与上一代人相比,我们享有数不尽的优越物质条件;但是我们却正在经历着一种他们没有经历过的深刻的不安全感和精神上的惶惑。"

上面这段话是布莱尔思想的核心,体现于大多数政治领域中。布莱尔思想在对待个人主义方面是保守的,对福利国家和国民保健制度则采取中间立场,其用意是为了保持政治上的一致。至于承认普通百姓普遍感到忧虑不安和不安全则是左倾的。工党的任务是消除恐惧感和恢复自信心,同时对那些享有消费社会带来的果实的人又不构成威胁。布莱尔是这样概括他的哲学思想的:"按我的观点,社会主义从来都不是有关国有化和国家政权的理论,甚至也不是经济学和政治学理论。它只是一种生活的道德标准,是一套价值观念,一种对社会,对同心协力才能做到个人无法完成的事的信念。"

这一主题在大选的酝酿准备过程中不断出现,甚至一篇为庆祝斯坦利·马修斯爵士八十诞辰向体育记者发表的演说也被他用来对一些有问题的裁决和辱骂裁判表示不满。需要更加重视团队而不是个人。在南沃克天主教堂发表的一篇演说中,布莱尔说道:

---

① 《加冕街》(Coronation Street),英国报道工人聚居区生活的电视节目,源于英格兰北部的一条街的街名。此处系指工人的生活有了很大改善,发生了重大变化。——译者

"我看到我们这个国家面临两种前景。英国的一些社区正在效仿美国某些地方已经出现的情况,在这样的社区里,富有者退居于堡垒之中,还雇用了私人保镖,而让其他人生活在机会很少、充满犯罪、威胁和不安全感的贫民区里。但是腐朽和经济业绩不佳的周期还在继续。这是《滑冰者》(*Blade Runners*)里的情节。我可不愿生活在这样一个 21 世纪的英国。这样的前景与英国的本能是格格不入的。英国是一个同情弱者的国家。英国人是宽容的。我们还是伟大的探险家。我们是爱国主义者,但是我们总是坚定地反对对他人的侵犯。"

布莱尔对美国的发展趋势的看法无疑是正确的。美国已经有 800 万人住在警备森严的社区里,有 5 000 万人(大约占全部人口的 1/5)则成了所谓"共同利益新开发区"的居民,受到保安人员的保护。由于他的这篇讲话鲜明地表达了战后体制的原则精神,即团结、就业、责任和正派,这篇讲话也就意义重大了。在某种意义上讲,可以认为他的讲话是再次提出了前面一章讨论过的"家庭和冒险"理念。

尽管如此,其中还是有着重大的区别。布莱尔和克林顿想创建一个"好社会",但是并不像五、六十年代那样对资本进行控制。即使是艾森豪威尔和麦克米伦这样的保守派,也认为这种控制是必要的。正如一位评论家指出的:工党和民主党的问题在于这两个党都是主张加强政府职能的,而在世界上一切地方,政府的管理职能都在削弱。在控制经济、保证充分就业、节制资本、保护工人等重大问题上都存在这种趋势,但是在社会政策问题上,情况就完全不同了。国家不得不集中注意力于社会政策。对于个人，克林顿和布莱尔是准备采取强硬态度的。这里所说的"个人"当然不包括金融家和大企业在内。约翰·肯尼迪执政时，曾采取措施以防止钢价上涨，但是永远不要指望克林顿和布莱尔进行干预以阻止裁减人员。恰恰相反，他们接过了60年代经济干预与社会自由主义相结合的综合政策，又将它颠倒了过来，实行经济上的自由主义和对社会的干预。经济政策听命于世界资本主义留下了一个真空地带，于是社会集权主义就填补了这个真空地带。布莱尔和克林顿都不准备为社会提供60年代被认为是理所当然的东西，如充分就业、提高实际工资、进一步推动福利国家的发展等。但是，克林顿在担任阿肯色州州长时，就毫不迟疑地没收了高中辍学学生的驾驶执照，而布莱尔却热衷于限制饮酒，禁止香烟广告，发动儿童检举向未成年消费者售酒的运动，与家长签订契约，保证让他们的子女每晚要用20分钟读书。

克林顿和布莱尔都不奉行独立的经济政策，反而实行爱德华·勒特韦克独具慧眼地称之为"中央银行主义"的政策。这种授大权于中央银行的制度在高通胀率时期也许是可以接受的，但是在30年代和90年代这样的时期却是危险的。这两个时期都具备充足的劳动力和丰富的资源。勒特韦克在《伦敦书评》上写道：

> 必须充分认识到，中央银行之所以拥有如此巨大的权力是因为这种权力有着广泛的基础。首先，银行的老总们就像30年代那样受到几乎所有负责任的专家的支持。因此批评格林斯潘个人或他那些外国同行老总们是愚蠢的。任何决定都不是他们按自己的意志作出的。他们只是反映、阐述和执

行一致同意的学说。这种学说如同圣母怀胎说①一样,没有丝毫瑕疵,因而是无懈可击的。第二,中央银行主义受到右翼和一般左翼的支持,中间派就更不用说了。他们的主张与可尊敬的内行人士的基本主张正好不谋而合。[7]

勒特韦克的结论是,民主党和共和党的经济思想,或者说工党和保守党的经济思想并无区别,彼此都可应用。它们都主张实行中央银行主义,因为这些人就是银行老总。这样说是符合实际情况的,但这样做又是危险的。说它符合实际是因为没有充分的证据表明布莱尔和克林顿打算向盛行的正统观点提出挑战,也就是说他们并不想改变低税率、低通胀率、技术官僚决策和"滴入论"这些传统观点;说它是危险的则是因为意识形态上如果没有信仰的矛盾和冲突,民主就没有生命力,最终民主也就失去了意义。在英国,两党一度存在着明显的分歧,一党支持企业主,一党支持雇员。这并不是说工党过去是反企业的,只不过它代表的是某种特殊利益。布莱尔上任之初采取的行动之一就是把决定利率的大权交给了不经过选举产生的中央银行,并邀请英国最大的跨国公司之一的总裁出任大臣。正如我们将在后面的章节中讨论的,政治从经济中分离出来,左派在解决不安全问题时就失去了有分量的发言权。中央银行制,管理顾问制,对教育救国论②的信仰,再加上公

---

① 圣母怀胎说(Immaculate Conception),又称"始胎无瑕说",源于天主教信条。按基督教教义,凡是人都有原罪(sin),但是圣母玛利亚自怀胎之日起即无原罪,因此没有半点瑕疵,引申为无懈可击。——译者

② 教育救国论,原文为 messianic faith in education, messianic faith,即信奉弥赛亚(Messiah)。弥赛亚在基督教教义中为救星,救世主,姑且译为"教育救国论"。——译者

司的语言,什么管理咨询机构啦,团队疗法啦等等,想用这些东西来取代主张自由市场的右翼却无补于事。

当然,在单一欧洲货币问题上,布莱尔与撒切尔和梅杰还是有区别的。不过他也有他的问题。他那不加掩饰的太平洋主义加深了他对统一倾向的怀疑。在他看来,这样一个大工程不仅显得有些陈旧过时,而且其中还含有不稳定因素,足以毁掉他梦寐以求的连任首相的机会。在这一点上,他同美国的一些著名经济学家如出一辙,他们认为首批加入单一货币行列对英国毫无意义。鲁迪·多恩布什将此称为"坏消息,就像突然发现你的岳母有一个孪生姐妹似的。"[8] 保罗·克鲁格曼对《马斯特里赫条约》作了如下评语:"一批高贵而严肃的人士坐在铺盖着绿呢的会议桌旁,桌上放着供他们饮用的矿泉水。他们在那里炮制出了一项协议。这项协议在纸面上十分中听,但仔细推敲却发现纯系胡说八道。"[9]

1997年英国需要的是一项把国内经济放在首位的政策。说实在的,英国脱离汇率机制的全部理由就在于此。但是保守党墨守成规,拒不接受新事物,因为他们看不到不安定和不稳定正在起着使国家变得虚弱的作用,他们就死守着灵活性和放松管制。工党身负的历史性任务就是把注意力集中在国内问题上,如保证就业率,维持过得去的工资水平,消除贫困等。对于是否参加统一货币,甚至可以不予考虑。但是布莱尔的思想体系使他对此无能为力。克林顿像任何一位全球性的技术官僚一样,坚决支持货币联盟,他是主张英国参加这一联盟的。布莱尔已经把工党转化为伦敦金融商业的政党,变成了一个跨国公司。虽然伦敦金融商业中心一度被看成是一个包袱,但是现在却被视为无形的赚钱的力量和源泉,因而是十分可贵的了。虽然英国的经济政策一度将重点放在国内,而现在却已转向国际了。正如一位观察家所言:"英国政治已经颠倒过来了。保守党在传统上是一个维护金融和海外利益的政党,现在已由工党取而代之。在伦敦金融商业界的新朋友指导下,工党已经成为维护金融利益的政党,奉行的是凯恩斯主义以前的传统信仰。"[10]或者像莱斯特·瑟罗悲观地说的那样,西方的选举实际上已经成为检验某些人受欢迎程度的民意测验,被一些无关宏旨的细节所左右,起决定作用的是他们在电视上露面时是否有上好的表现。"如果各个保守的政党对政治过程的处理还是那样糟糕,那么各左翼政党可能还会继续当选,不过他们也拿不出什么好东西来。"[11]

无论是布莱尔还是克林顿,他们"拿不出什么好东西来"的主要原因是他们两人都不是什么左派。

第 五 章

心向国外之二:英国左派与欧盟

这(欧洲一体化进程)是一次没有尽头的旅程,因为这一旅程原本就没有尽头。

原财政大臣诺曼·拉蒙特

欧盟不是为了进行国际合作,它是要建立一个凌驾于各成员国之上的单一欧洲国家。

随着时光流逝,这个单一国家的规模似乎在扩大,因为资本和高级官员已把目光投向了东部和南部地区,想到那里去寻找较廉价而且不受组织严密的工会控制的劳动力。

威尔·波德莫尔、菲尔·卡茨:
《掌握至高无上的统治权意欲
何为?》,波德莫尔,1997年

欧洲大陆的政治和经济权势集团梦想着欧洲未来的繁荣。不过为了这样一个未经试验又是出于政治考虑的梦想去冒险是不值得的。

布雷恩·伯基特、马克·班布里奇、
菲利普·怀曼:《不值得付出的代价》,
"争取独立英国运动",1997年

从共同市场走向经济和货币联盟曾对英国的就业机会构成威胁。这个威胁现在已被化解了。

《英国在欧洲的新政①》,英国政府,1975年

18年来第一位工党财政大臣在审议会的第一天上午向与会者发表讲话。大家对这篇讲话至少已经急切地等待了24个小时。头一天晚上,伯明翰的餐馆和饭店的酒吧里议论纷纷,猜测戈登·布朗可能要讲什么。话一出口立即受到热烈欢迎。他的迟到延误了午餐的时间,可是谁也不介意。财政大臣在这次会议上锋头十足。

但是这是一次什么会议呢？这不是工党的会议,甚至也不是英国职工大会②,这是英国工业联合会（CBI）的一次会议,是公司一族的年度聚会。在这种场合,工党一度受到冷落;据报道,在70年代中期,英国工业联合会曾经准备举行一次所谓的"投资罢工",以此表示对工党政策的抗议。1997年11月10日,伯明翰的热门话题是欧盟和拟议中的单一货币,不过,这已是不可挽回的了。当布朗先生宣布英国必须为经济和货币的一体化做好准备时,跨国公司的工商界巨子报以热烈的掌声。连那份地方晨报《伯明翰邮报》也来凑热闹,印了英国工业联合会的一个专版,宣称:"这是领导欧洲的一个当之无愧的城市。"

在发表讲话的人当中有一位来宾,他不愿和大家共享这种欢

---

① 新政（New Deal）,借用罗斯福于1933～1945年在美国为挽救大萧条而实行的新政,但按字面也可理解为"一笔新交易"。——译者

② 英国职工大会（British Trade Union Congress,简称TUC）。英国主要的工会联合组织。有时也译作"英国工会联盟"。——译者

乐气氛,对于欧元可能产生的影响直言不讳地说出了几句不中听的真话:"在英国工业联合会同英国职工大会在单一货币问题上握手言欢之前,你不应当欺骗他们,要问问他们是否准备如实告诉他们的成员有可能削减工资。"讲话者并非工会运动方面的人。他是保守党领袖威廉·黑格。第二天早晨,《卫报》上出现了一个标题,叫做"黑格的工党宣言"。

以往,工党的各种宣言当然都是由工党的大臣们来发布的,但从这以后就不再是这样了。同欧盟的做法如出一辙,新工党及其大企业的支持者得出的结论是英国将会参加单一货币。议会将付诸实施,人民则遵照执行。这就是欧洲式的做法:中央决定,周围照办。无论付出多少代价,不管就业和生活水平受到多大的破坏性影响,都置之不顾。英国参加经济和货币联盟的行动已经起步了。

直通车到了:火车头当然是欧元

1991年底在荷兰的马斯特里赫签定的欧盟条约因为丹麦48 000名投票人的反对使这个国家的全民表决投了否决票而于1992年6月2日夭折了。该条约的R条规定得十分明确:马约必须经所有签约方批准才能生效,而《罗马条约》(马约是该条约的修正案)则规定批准程序按各国的法定方式进行,在丹麦投了否决票之后,有两种法律程序可供欧盟委员会和其他成员国选择使用。第一种办法是起草一份新的条约,第二种是就此罢休,让马约寿终正寝。任何人,只要他相信欧共体(当时还是欧共体)会乖乖地按法律程序办事,显然没有花多少时间去观察这个特别的机构的行事方式。至少从80年代中期以来,退100步进200步已经成为布鲁塞尔的一大特色。根据外交政策专家特别是英国外交政策专家的看法,有些事件本来会把"欧罗巴合众国"这个想法彻底打消的,但是它们一次又一次被巧妙地转化为推动一体化进程的动力。这些事件包括:1985年西班牙和葡萄牙正式加入条约(显然使布鲁塞尔"放松"了控制),1990年德国实现了统一(使欧洲一个最重要的国家脱离了这个计划),1991年发生了海湾战争(再次确定了英国作为美国主要军事盟友的地位),1991~1992年南斯拉夫战争(暴露了"欧洲外交政策"的虚伪性质)。对于推动欧洲统一重要特征的欧共体经济与货币联盟(EMU)来说,这个计划显然是一次向死亡的挑战,其严重程度绝不亚于60年代一部儿童电视剧中的主角斯卡利特船长(Captain Scarlet)所遇到的挑战。在1990年开始出现萧条时人们已经为经济与货币联盟做过临终祈祷了,后来在1992年里拉和英镑被排除在汇率机制(ERM)之外时又做过一次。一年之后,当这个制度的残留部分最终崩溃时,企业家们已经准备好为此作出必要的安排。1996年和1997年,德国的失业人数达到500万,政府企图劫掠本国黄金储备以确保德国能够满足欧共体经济与货币联盟的要求,但是因为中央银行的反对而告吹。这时要求欧共体经济与货币联盟的维护者面对现实,取消这一计划的呼声甚高。但是,就像廉价的科幻电影里的外星人一样,经济与货币联盟不知怎的反倒从遭受的攻击和危机中汲取了一股神秘的力量,而且,在作者写本书的时候,居然还按原定的时间表继续进行下去了。赞赏苏联"长周期"经济学家尼古拉·康德拉季耶夫的人对90年代萧条所带来的毁灭性后果喜不自禁,认为这和30年代的情况不相上下。后来,就像现在这样,经济"下滑"最大的受害者是一个多国王国(当时是大英帝国,现在是苏联)。正如现在的情况,当时地产价格下降失控,工会节节退让,保持货币坚挺成为压倒一切的经济任务,长期失业现象虽然令人遗憾,却被认为是不可避免的。当时甚至英国王室内部也出现了同样的危机因素(当时是辛普森夫人,现在是戴安娜)。

1987年,至于欧共体/欧盟(前者是后者的附属机构)经过这次沉重打击之后能否生存下来,如果将之比作一次赌马赛的话,那么当时的那些通风报信者大概会说那匹马的获赔率是很低的。

欧盟就像坐在一个挤奶女工用的三条腿的小凳上(这三条腿是欧盟委员会、欧洲议会和政府间委员会),这个小凳本来就摇摇欲坠,受跌坐地之苦是必然的。但是任何人预言欧盟即将关门大吉,最好都听从忠告,去核查一下这些机构在濒临崩溃时是如何得以生还的;不论是英国王室还是德比尔钻石卡特尔(在本书写作过程中,两者都在经受着本世纪第二次生存考验),凡是能够幸存下来的事物都有一个共同的特点,那就是具有某种百折不挠的精神。

丹麦的全民公决投票就是证明。当丹麦人第一次在征询意见时作了错误回答时,他们还有一次机会来更正他们的意见。当时谁也不想费心去猜想丹麦人还有一次改投赞成票的机会;再度让丹麦举行全民公决投票是欧共体外交的一大胜利。在条约中附上一份名单,列举了因对其所谓的合法性抱有疑问而"不愿参加"的国家,允许丹麦对一些条款进行修正,这些条款包括单一货币、防务、统一国籍以及司法合作等。1993年5月,丹麦如期举行了第二次全民公决,结果是投票者投了"赞成"票。

事情到此还没有结束。丹麦的那些亲欧派组织急切地想摆脱"不愿参加者"。1995年11月15日,《每日电讯报》作了如下报道：

> 爱丁堡协议(不愿参加的国家在这个苏格兰首府达成了协议)的设计师前外长乌夫·艾勒曼·杨森仍然是一个永不改悔的彻头彻尾的亲欧派。新近一次在电视上露面时他露出了一双袜子,上面有代表欧盟的由许多星星组成一个圆圈的图案,表明他是不会投反对票的。"这些不参与其事的人是为了反对我的劝告和出于某种心理原因而制造出来的。不过从那时以来,情况已经发出了变化。"

所谓的"出于某种心理原因",应读作"愚弄投票者"。

在法国,事情进展得较为顺利。法国的全民公决是在1992年9月20日举行的,投票的结果是微弱的多数(51.05%)投了赞成票。取得这一成功似乎有点神秘,因为有些票箱是从法国的西印度群岛属地运进法国的。这可能是法国在海外的投票人受到了欧盟委员会主席雅各·德洛尔的影响而改变了立场。8月28日他在坎佩尔大声疾呼:"在一个民主国家,没有一个地方的人民会说'不'。"英国政府履行批准条约的手续上采取的类似态度也起到了决定性作用。1993年7月23日,下院投票时以40票的多数为批准该条约扫清了道路。到处都传说议员们受到了恐吓,甚至受到人身威胁,要他们在投票时与政府保持一致。这些风言风语从来都没有遭到否认。

在德国,宪法法院裁决,只有在承认《马斯特里赫条约》必须服从国内法的前提下,德国才能批准该条约。德国的政治当权派对这一裁决作出的反应是不予理睬。

《马斯特里赫条约》只准成功不许失败,事情就这么简单。欧洲权势集团的成员们之间那种歃血为盟的把兄弟关系使他们必然要誓死保卫这个条约。无论下议院中的失利,全民公决的否决,还是法院的裁决,要使这一伟大的设计受阻,都是不允许的。在法律界,像丹麦两次举行全民公决这样的行动都会被视为"滥用程序"而受到猛烈的抨击。但是在欧洲高层政治生活中,更换陪审团成员、改变问题的提法、转移法庭、贿赂证人等等,这些原告经常玩的最肮脏的把戏已成例行公事。用甜头拉拢陪审团也已司空见惯。在《马斯特里赫条约》这件事情上,最大的甜头就是所谓的"附属性"这个概念,意思是每项政府性的决定无例外地应该尽可能由最低一级作出。雅各·德洛尔从1975年起就对这个概念有兴趣,不过,直到在马斯特里赫进行谈判时才开始成为普遍接受的想法。在英国看来,把"附属性"写进条约,似乎提供了一种机制,通过这种机制,管辖权又从布鲁塞尔回到了各国的首都。确实,"附属性"使英国的保守党政府可以声称《马斯特里赫条约》是一个下放权力的条约。1992年10月7日,在保守党会议期间,贸易委员会主席迈克尔·赫塞尔廷对党务积极分子说:"欧洲共同体的全部历史说明,权力集中于布鲁塞尔才能前进"。此时一位诘难者叫道:"权力不应该集中于布鲁塞尔。"对此赫塞尔廷回答说:"那么约翰·梅杰把这一程序颠倒过来,你还抱怨什么?"

一个条约竟然能够把欧洲涉及防务、外交、治安、司法以及关键性的经济和货币管理的管辖权均纳入其中,怎样能够分散欧洲的权力,实在是个难以解析的谜。先后担任过《星期日电讯报》和《每日电讯报》编辑的查尔斯·摩尔在1994年4月3日评论说,声称《马斯特里赫条约》是一个分散权力的条约,那么"这个政府一定是在说谎"。在另一场合,他在写到首相和外务大臣道格拉斯·赫德时说,他们花了不少时间与欧洲其他领导人混在一起,这才知道他们所说的欧盟要让英国获得更大的独立性原来并非真话。

摩尔先生对于这样的骗局感到困惑不解是可以理解的。不过,总算揭示了那批拜把子盟兄弟们在一起干了些什么。既然《马斯特里赫条约》只许成功不许失败,那么,用什么手段把它推销给欧洲各国选民就成为次要问题了。在那部讲到意大利为何遭到颠覆的著作中,菲利普·威兰描述了许多意大利的特工人员是如何认同他们首先应忠于"大西洋公约安全局"(北大西洋公约组织的安全机构)的。[1] 意大利签署了各种附加于北大西洋公约组织条约的秘密协定,这就要求罗马当权派无论如何都要保证西方集团内部协调一致,即使该国的全体选民有异议也不能动摇。也许《罗马条约》和《马斯特里赫条约》也有类似的附件,也许这两个条约并不需要任何附加协议。且不论真实情况究竟如何,这种心态还是很明显的:欧盟的决定必须远离民主的质问。就英国政治而言,反对欧洲统一可能导致一位政客丢掉他的前程。这是明摆着的,并不需要成为一名致力于阴谋学研究的理论家才会发现这一点。撒切尔夫人(现在是女爵士了)在 1988 年以后对于欧共体/欧盟感到失望。在她辞去首相职务之前的一年中,她被看成是一个不可逾越的障碍,于是很快就导致她丢掉了首相职务,而 1989~1990 年间发生的各种事件说明她在经济和外交政策上的立场是完全正确的。

更为扑朔迷离的是那些有关约翰·梅杰政府中那位倒运的财政大臣诺曼·拉蒙特的谣言和谎言,这时恰恰是 1992 年 9 月英国被排除于汇率机制之外的时候。拉蒙特曾明确地说过,他从来没有对英国参加该机制表示赞同,而且还认为英镑被排除在外意味着一种解放,让他可以奉行"英国的政策"。不久之后,一些谣言就散布开来了。报纸上刊载了一个耸人听闻的故事。据说这个故事的来源是一名被准许在伦敦破败的帕丁顿地区卖酒的人。据他说,这位财政大臣一天深夜买了一瓶便宜的香槟酒和一些长支香烟,明显地暗示他是用这些东西来违禁款待一位女友。拉蒙特证明了他是清白的,但是还没有等到进一步调查,这名据说提供这个故事的尼日利亚籍酒店店员已被他的雇主解雇,并遣送回国了,这样,新闻媒体也就再没有机会去调查清楚,这名非法移民怎么能够如此逼真地编造出这么个故事,它又恰好符合财政大臣喜吸两头开口的雪茄的轻浮生活作风,以至政治记者和议员也遭到愚弄信以为真呢?

不过,损毁的目的已经达到了。拉蒙特被说成是一个政治上的障碍。他被解职,继任者是肯尼思·克拉克。此人不仅狂热地支持英国取得汇率机制的成员国地位,而且还急切地想让英国加入单一货币体制。在英国被排除在汇率机制之外后,拉蒙特先生只是在一个短暂的时期执行过一段"英国政策"。在这种情况下,克拉克先生宣布他准备满足《马斯特里赫条约》的条件,以此来取得单一货币成员国的资格,并带着这个目标编制了预算。唐宁街对解除拉蒙特先生的职务表示遗憾,但必须这样做,首相是因为这位财政大臣缺乏政治敏感而不得不采取这个行动。但是最近有证据表明,亲欧盟的克拉克先生在1993年以前早就被列为财政部的候选人了。在英镑贬值五周年之际,英国广播公司(BBC)为制作文献纪录片《黑色星期三》,对克拉克进行过一次采访,克拉克在现场采访中回顾了1992年9月发生的事件。他说道,有三个人在海军部拱形大楼里受到首相召见(那时唐宁街十号因遭到爱尔兰解放军的迫击炮袭击正在修理,首相临时办公地点移至该处)。其中两人是贸易委员会主席迈克尔·赫塞尔廷和外务大臣道格拉斯·赫德,他们对英镑的命运都是关注的。第三个人就是克拉克先生本人。当时他担任内务大臣,主要是管警察、监狱和司法部门,他为什么出席,没有说明原因。在人品上"暗算"拉蒙特的最终结果,就是在英国参与欧洲货币计划中的声誉遭到彻底损毁的十个月之内,英国任命了一名全心全意致力于单一货币的财政大臣。

没有任何迹象表明,诺曼·拉蒙特是首当其冲横遭厄运的最后一人。最近,工党的外务大臣罗宾·库克(他是内阁中反对单一货币最坚决的成员之一)也因为私生活被曝光而受到打击,而且关于他的披露比拉蒙特在无照酒店买酒的故事更有真凭实据。

"附属性"是梅杰政府认为《马斯特里赫条约》是一个下放权力的条约的唯一根据,而查尔斯·格兰特在他的《德洛尔们——雅各建立的大厦内部》一文中却说:"德洛尔们从来没有提出过一张单子,上面列有欧共体要把各种管辖权交还给各成员国。"[2]

不过,到了这个时候,各种陪审团(评判委员会)都已经作出了"正确的"答案。

扩大再扩大:规模大小
究竟有什么关系?

我们一开始就简单叙述了《马斯特里赫条约》得以"批准"的过程,从中可以看到欧盟所做所为的实际情况,从理论上讲,欧盟可能具有许多非常美妙的东西,但也就凭这一点,它采用了种种非法的、威胁性的和欺骗的手段,甚至把它自身制定的规则也视为权宜之计,而且不把它的反对者放在眼里,一意孤行地向前推进。欧盟在布鲁塞尔、斯特拉斯堡以及其他地方的要员身上更是鲜明地具有这些特征,而在欧盟的"下级官员",即成员国的外交使团和外交部人员以及那些应该为欧盟服务的经选举产生的官员们身上,这些特征也表现得几乎与其他要员不相上下。

构成这种"三位一体"结构的还有欧洲的大企业利益,被称为"欧洲公司"(Europe Inc.)。总部设于阿姆斯特丹的"欧洲公司观象台"(Corporate Europe Observatory)曾发表过一份报告,为"全球化国际论坛"工作的科林·海因斯在1997年7月25日的《论坛报》上评论这份报告说:

> "欧洲工业家圆桌会议(European Round Table of Industrialists)虽然是一个不为人知的组织,却是建立欧洲内部市场构想、《马斯特里赫条约》以及拟议中的单一货币制度中的紧缩政策、削减社会福利原则背后的推动力量……大企业正在显示它那不民主的巨大力量,按照它的旨意来改造欧洲。……权力集中于布鲁塞尔破坏了民族民主国家,使跨国公司享有超越社会进步运动的巨大优势。"

海因斯先生列出的欧洲工业家圆桌会议的成员中有英国石油公司、壳牌公司、戴姆勒-奔驰公司、菲亚特公司和西门子公司。在英国,亲欧盟各团体,如欧盟行动中心(Action Centre for Europe)和欧洲运动(European Movement)的经费是各公司利益集团赞助的,其中包括大卫·塞恩斯帕里、罗伯特·博希和金融集团的罗伯特·费莱明。

欧盟的三大支柱之间人员交叉的情况十分普遍。英国石油公司的前任董事长西蒙爵士1997年成为工党的贸易大臣。一年前,他以典型的布鲁塞尔那种蔑视投票人意见的态度在一次会议上吐露:"让我告诉大家一个秘密。英国将加入欧洲货币联盟。"外务大臣道格拉斯·赫德则弃政从商,在马斯特里赫时期,离开了政治舞台加入了国民威斯敏斯特银行市场部(Nat West Markets),即这家银行的证券部门。1996年11月20日,他利用《电讯报》报业集团为他提供的讲坛来捍卫英国的欧盟成员国地位。"……欧盟委员会打开了封闭的市场,逐步取消了国家补贴。……电讯、航空、能源……英国都可能从中得到好处。"他的这番话唯一的立足点好像就是企业界可以从中获利。保险业有一条老规矩,那就是绝不因为某项(有风险的)保险业务可能带来另一项(有利可图的)保险业务而对前者承保。赫德的规则却与此背道而驰:为了某种渺茫的希望,即为了某些英国公司将来有一天可以开办一家航空公司或银行,或者拥有一家电话电报公司这种靠不住的、有时甚至根本不可能实现的希望而牺牲那些"实在"的国家利益和主权。国家的自主权利一旦卖掉是永远也买不回来的,不能为了一时的商业利益把国家的自主权力拿出去做一笔一次性的交易。

赫德的规则不仅在理论上令人怀疑,而且在实践中也从未取得过真正成果。英国在欧盟中的成员国地位已经被证实是一场经济灾难:在加入欧盟之前,英国贸易还稍有顺差,加入后则带来了巨额亏空。英国主要的经济支柱渔业已经到了濒临消亡的地步。但是,造成这种灾难的原因总是被归罪于英国在欧盟成员国问题上态度不够"积极"。情况恰恰相反,加入了单一货币体制之后调节国民经济困难的唯一机制只能是失业。

不足为奇,欧盟的再分配机制是把矛头针对普通老百姓的,得益的行业主要是金融(《马斯特里赫条约》的正确货币政策的主要受益者)、工业(取消资本管制的主要受益者)以及农业(从食物价格上涨和纳税人提供的补贴中直接受益)。所有这一切看上去自然都不像人们所称的"左派";英国的左派确实多年来在反对英国加入欧盟中起着先锋作用。与此形成对照的是,正如威尔·波德莫尔和菲尔·卡茨在他们的研究著作《权力何为:为什么要阻止欧洲货币联盟》[3]中所说的那样,从1961年开始,其间有撒切尔夫人1987年在布鲁日①的讲话,以后直到最为重要的1997年的选举,保守党是一直热心支持欧共体的。1983年,工党忙于撤退,到了1987年,工党已退到了尽头。那年选举过后,政策发生了明显的转变,对欧共体开始热心起来了,最早是从发表一系列政策检讨开始的。在1997年的大选中,工党在两大政党中无疑是更加倾向布鲁塞尔的一个党,尽管由于党的领袖托尼·布莱尔实际上是一个对欧盟抱不信任态度的人(布莱尔曾于4月3日圣乔治节在《太阳报》上撰文,说他要屠宰这条欧洲恶龙),工党对欧盟的立场还是有所修正。

在某种程度上,工党的欧洲主义既受社会因素的影响,也受到意识形态的推动。自从50年代以来,主张欧洲一体化一直是中产阶级一种体面的标志,正如主张单方面裁军是检验中产阶级中持不同政见者的试金石一样。这一运动自80年代初开始先是被后

---

① 布鲁日(Bruges),比利时西北部城市。——译者

者所拥护,到了这十年的末尾,前者也参与了进来,这第二个行动向选民表明工党自50年代以来发生了多么巨大的变化。

尽管如此,从表面上看,最大的可能应该是同英国左派与欧盟之间的关系日益密切有关。但是,从布鲁塞尔这部机器及其周围的卫星的行为来看,我们的开放并非事情的全部。国家行为与一些准国家行为可能很糟糕,但并不影响其结构和生存。几乎没有人会因为尼克松的罪恶行径或甘地夫人宣布紧急状态而提出要解散美利坚合众国或印度共和国。尽管对公共机构进行政治分析时,"实际业绩"是一个有用的手段,但是并非唯一的手段。如果把欧盟作为一个客观存在的机器来评判,那么在左派看来,它具有一种潜能,借此可以重新回到社会民主主义的目标上来。正是因为欧盟目前既起着有关资本的信息交流中心的作用,同时也是一个执行机构,欧洲大陆的"安全论者"也许没有理由认为它将永远运作下去。当然,它也许可以制定一些刀耕火种式的原始自由市场政策,但是一旦领导层发生变化也许就意味着方向的改变。

在评估这种可能性时,我们需将欧盟的各个方面进行分解,对照传统的左派价值观和理想加以判断。做这件事显然首先应从规模开始。欧洲联盟的规模不大只是因为预先设定的政治范围从总体上看就是这样一个地理范围(就中国、巴西和印度而言,也许就是这种情况),但是按原来的设计,欧盟规模是庞大的。从机构上说,"扩大"是势在必行的。原来的卡洛林王朝①的"六国"扩大了

---

① 卡洛林王朝(Carolinian),英国查理王于公元751年建立的法兰克王国的第二个王朝。同时也指卡洛林王朝时期创制的一种小写字体,它是现在罗马字体的基础。最初欧洲共同市场的六国均用这个字体,而希腊的文字则不属于罗马字体。——译者

规模,吸取了英国、爱尔兰和丹麦,后来又接纳了希腊,这是欧盟成员中第一个不使用罗马官定字母的国家。接着是伊比利亚地区[①]的国家,接着是荷兰、瑞典和奥地利,不仅打破卡洛林王朝的地域疆界,现在还在议论是否要吸纳非欧洲国家加入欧盟,比如土耳其。

规模大可能是好事,也可能不是好事。但是,政治单位的规模和实现社会民主主义目标的潜能之间有无关系呢?举例来说,如果将挪威和美国相比,或将丹麦和土耳其相比,那么,不经思索就可立即大声回答说"没有关系"。不过,亲欧盟的社会民主党人完全有理由反对加拿大或格陵兰加入欧盟。更为重要的是,许多左翼人士之所以赞成欧盟与其说是把它当成全球市场的一个砝码,还不如说想把它当成全球市场中一大块封闭的领地。实际上,他们接受了许多欧洲大陆经济学家的思想(在约翰·拉夫兰的著作《污染源》[4]中有广泛而详尽的论述),并把这种思想加以改造,使之适用于资本快速转移和全球化的时代。根据这种思想,一个政治单位在其疆界内保持具有相当规模的总资产并参与全球性经济活动,这样的政治组织才有能力以左派的方式来对付跨国工业大亨和金融投机家,做到有备无患。总之,成员国数量减少,多国优势也就削弱了。当领土的管辖权扩大时,控制资本的手段也就增强了。

于是就有了工程和电机联合工会(Amalgamated Engineering and Electric Union)秘书长肯·杰克逊1997年9月10日在英国职

[①] 伊比利亚(Iberia)指欧洲西南部的伊比利亚半岛,为西班牙和葡萄牙所在地。——译者

工大会上的讲话,关于这篇讲话,新闻协会①作过如下报道:

> "(他)说欧洲单一货币为结束'赌博式的资本主义'提供了一个机会,在这种资本主义下,工人的生活水平操纵在货币投机商人的手中。如果我们实行了单一货币,……(我们就有了)一个难得的机会来把赌台上的筹码都收起来。我的工会勇敢而坚定地向欧共体靠拢。'如果各工会组织采取相反的立场,那就是拿工会会员的未来进行赌博,这是不能接受的。'"

各国政府在全球资本面前已软弱无力,处于可怜的境地,这也就是说,一个"庞大的"多国政府至少可以旗鼓相当地与全球资本抗衡。正是这种想法在80年代把英国工党推向了亲欧立场。1991年11月17日,《星期日泰晤士报》对工党领袖尼尔·金诺克为何改变了理想,倒向欧共体作了详尽的报道:

> 欧共体国家社会民主党联盟在赖希塔格大厦的新址发表的柏林宣言确定了基本路线:左派要进行斗争,以防止欧洲的单一市场被"纯经济势力所占领"。必须立即执行一系列干预政策来消除生活水平的不平等,推行英国至今仍然抵制的社会指导方针,落实最低工资权利并加强工会的权力。

---

① 新闻协会(Press Association)简写为PA,英国负责采访国内新闻并向本国媒体供稿的通讯社。——译者

在工党和欧洲社会民主党统一行动的欧洲,既不能弃社会于不顾,也不能竞相降低税率:实行强制性的最低(所得税)税率可能是在他们之间协调一致的最适宜形式了。金诺克倍加赞许的宣言就是这样说的。

最具吸引力的前景也许就是可望在全欧洲放松银根以图经济复苏;如果整个欧洲集团同时也把刺激需求作为降低失业率的措施,那么,既坚决抵制贸易逆差,又对投机家们作出不利的裁决,就会既不受欢迎同时又遭人嫌恶了。实行这种欧洲的凯恩斯主义不仅需要欧盟内部经济界联手行动(这一前景自艰难的90年代来临后,不但没有进展而且变得暗淡了起来),而且需要政治界(所有这12个、15个或者16个成员国同时都要由左翼政府来领导)的联盟。这一点看来并没有严重地动摇工党领导层新的信念。

一言以蔽之,英国左派对欧盟的热情可以用德国工会的一句口号来概括,那就是"联合就是力量"。世界上对社会公正持有反感的各种力量是强大的,这是因为这些力量既庞大又富有;为社会公正而奋斗的力量就需要组织起来成为政治组织,使之也成为既庞大又富有的力量。运输与普通工人工会秘书长罗恩·托德1988年9月在工会理事会上讲话时是这样说的:"眼下打牌赌输赢的城市就是那个名叫布鲁塞尔的城市。"或许我们还可以再次引用查尔斯·格兰特对雅各·德洛尔的评论:"他把经济视为一个独立的体系,这个体系不受外界任何重要部门的影响。有一次他问一个同事,1992年的(单一市场)计划为什么未能保护欧洲不受美国经济衰退的影响"。[5]

有两个问题需要加以澄清。第一,全球经济从本质上讲是相互敌对的。在这一环境下,在自己周围筑起一道篱笆,把自己封闭起来,在理论上是否讲得通?第二,实际上是否做得到。关于第一个问题,一个大的单位在它自己的疆界内是否必定比一个小单位更有利于规划自身的经济和社会发展重点,这一点目前还远不能说已是定论。中华人民共和国和苏联确实在几十年中做到远离世界经济把自己封闭起来。阿尔巴尼亚和朝鲜也这样做过。前苏联向外国资本的开放带来了一片混乱,这样说算是最轻的了。时至1997年,中国的对外开放政策在某些领域创造了巨大的财富,但同时又使上千万人失去了工作。较小的国家在计划经济向市场经济转化过程中也陷入相似的混乱;这说明大国在控制动乱局面方面并不比较小国家更为成功。

在西方,美国有着广阔的市场,这使美国的决策者在广泛的范围内确实可以实施某些强制性的管理和优先项目,比如规定汽车排气量的标准。一个小单位的立法机构,尤其像法国或英国这样的国内汽车工业处境困难的国家,是不大可能单方面采取这种措施的。不过,小国不愿意做这种事,就其自身而言,是它们自主地作出政治选择的自由。美国疆域辽阔,但这和它控制汽车尾气的能力之间没有必然的联系。比如说,海峡群岛[①]中的萨克岛面积微小(只有2平方英里),却可以做到岛上不准有汽车。邻近的根西岛则实行双重房地产价格,对当地人价格低,对"移民"价格高。这种极端的对市场进行干预的机制并不需要在国际市场上划出一块尽可能大的地域并封闭起来才能行得通。恰恰相反,一个政治实体能够执行一些在大单位中被认为是极端的、不负责的政策,那是因为这个政治单位有着严密的组织。在北大西洋的其他地方,

---

① 海峡群岛(Channel Islands)即英属诺曼底群岛。——译者

比如爱尔兰,社会内部可以普遍实行转移支付①的办法,并不是因为爱尔兰共和国是一个大单位(它并不大),而是由于这个国家在这类再分配问题上意见是一致的。

不过,即使我们同意欧洲左派所持的"大比小好"的观点,"大区域"要立即起作用也不见得有多大可能性。将来的前景是全球经济将囿于几个大区域,比如欧盟、美国和一个以日本或中国为首的远东集团,这样说也许并不算过分夸张。那些对于如有神助的圈子之外的社会要想不遭遗弃就要靠创造性地利用欧盟及其在世贸组织中的伙伴和其他机构,以及利用自由贸易条件中明文规定的"社会条款"。那些威胁说要将资金转到低工资国家的企业会遭到排斥。欧盟本身只不过是那个"非常大的区域"中的一部分,只是在这个范围内社会标准才得到维系。

一个令人沮丧的实际情况明显地与这种光明前景背道而驰,那就是两个公认的全球性伙伴——美国和远东——对这种安排都没有兴趣。克林顿总统告诫美国工人"要竞争,不要退却",而以美国为首的北美自由贸易联盟中还包括一大片低工资地区,那就是墨西哥。在指南针的另一端,任何把中国排除在外的远东集团都不会有太大的影响力,而将中国包括在内的远东集团则将在其社会保障制度中套住10亿低收入的工人。

第二种反对纯粹是从实际出发:大得不能再大的区域,也许甚至是一个世界政府,会不会就是一种国际资本主义的有效抗衡力量?伦敦经济学院的伊恩·安吉尔教授1997年6月在里斯本的一

---

① 转移支付(transfer-payment),指政府或企业不以劳务或货物为代价而支付的款项,如退休金、失业救济以及此处所举的老年人享受能源、电话、交通等免费待遇。——译者

次会议上发言说,技术的重要性正在超过各民族国家政府采取的一切税收和金融措施。他说,金钱的电子化使金钱成为非物质性的东西,这种金钱将会储存在电子计算机这块"全球公地"中,包括海底或者外层空间。他还说,"外星银行业务正在朝我们走来。"

面对这种事态发展,即使是积极拥护欧共体的社会民主党人也应该接受以下的观点:力图建立越来越大的政治性区域,试图以此将社会责任强加于国际资本是一种舍本求末的徒劳之举。这样说并非主张向全球资本主义举手投降,远非如此。但是要看到,以建立大区域对国际资本作出反应是不会有结果的,因为同金融利益打交道时,认为地域大小是一种可资利用的资产本身就是错误的,而且我们还可以加上一句,这种设想确实有点不可思议。实际上,政治地理与自由市场之间并没有什么联系。企图以"围堵"的办法来驯服资本市场犹如想把风"围堵"起来,只不过是异想天开。

这样就引出了我们的第二个问题:在实践中建立大区域的办法究竟有什么作用?正如我们在上面谈到的,雅各·德洛尔本人对这种办法的成效就并不十分满意。与原来的共同市场相比,单一市场对于世界经济的有害影响是更大而不是更小了。关贸总协定得到默认只不过是欧洲主义的社会民主主要错误的一个表征。大区域权力的增强使大企业利益感到由它来左右决策过程是值得的。80年代以来,从单一市场、通过汇率机制和关贸总协定实行的紧缩政策直到拟议中的由大银行家通过单一货币实行经济独裁,布鲁塞尔的决策趋势已明白无误地显示出大企业已经牢牢控制了决策过程。正如波德莫尔和卡茨所言,"尽管条约中有关社会的一章说了一些'认真的废话',实际指导欧盟的还是'自由市场'经济学和撒切尔在英国执行的刀耕火种式的原始产业政策。"[6]

在某种程度上,企业在欧共体问题上似乎意见分歧。不过其分歧只是集中在应该由谁来主宰单一货币时代,是金融利益呢还是那些大公司。前者追求的是稳定价格和资本自由流动处于压倒一切的优先地位,而后者则出于一种传统的观点,认为欧盟只不过是一个大型多国风险公司,在国际论坛上代表欧洲工业,并确保在欧盟内部提供金融或其他形式的支持,使欧洲工业可以享有国外市场。这是戴姆勒-奔驰或空中客车眼中的欧共体和伯格SBC或德意志银行眼中的欧共体之间的分歧。分歧确实存在,但是不应夸大这种分歧。这只不过是一家人内部的争吵,如此而已。在1997年本书的写作过程中,建立经济货币联盟的进程正在加速推进,这种争吵此时实际上似乎已经逐渐缓和下来了。

但是,大金融机构和大企业争夺主宰欧洲的行动却未曾稍有懈怠。如上所述,80年代末英国左派大肆吹嘘欧共体的"社会领域",说这个方面表明欧共体的水是温暖的,现在正是跃入水中的大好时机。结果证明这不只过是一些"煞有介事的废话"。更糟糕的是,所谓"和睦相处的欧共体"的发展轨迹似乎同"友好相处的英国"别无二致,其实就是对资本的管制越来越松,而对个人的管制却越来越严。欧共体的社会事务专员帕德里格·弗林忙于制定有关性歧视和工作场所吸烟的新规定。(至少有)三个层次的(地区的、国家的和欧共体的)立法活动都面临噩梦般的前景。所有这些层次的立法机构就像一家生产法律的工厂,在"欧洲警察"(Europol)和泛欧洲犯罪记录电子计算机系统的支持下,大批量地粗制滥造出成千上万条刑事罪行。理查德·霍格特和道格拉斯·约翰逊在欧共体区域内旅行时注意到,"我们通过了反对种族主义行为的法律,……防止鸟蛋被人从鸟窝中取走或者有关用诱饵捕獾的法律,反对性歧视的法律,关于歧视的法律以及诸如此类的一大批的法律。所有这些法律不仅以限制个人自由为代价来维护社会秩序,它们还坚定不移地要(用简·奥斯丁的话来说)强制性地让公民树立美德。[7]这样强大而又地域广阔的政治单位显然对英国左派的传统对手、保守党内持帝国主义立场的一派具有吸引力。保守党的欧洲议会议员约翰·斯蒂文斯为坚决捍卫欧盟这个超级大国写下了下面这些话:

> 我们(亲欧盟的保守党人)……坚持保守主义的两大目标:一是使英国在世界上的力量增强到最大限度,二是把政府在经济领域的权力削弱到最低限度。
> 我们视自己为保守党帝国传统的继承者。我们并不怕把我们自己变成某种庞大公共企业的一部分,前提是我们在确定其形式和目标方面要起主导作用。[8]

这种观点实在是体面得很,同丘吉尔[①]和迪斯累里[②]直到现代英国出现这段时间里盛行的"大英帝国"思维是一致的。但是,正

---

① 这里所说的丘吉尔是二战期间英国首相温斯顿·丘吉尔之父伦道夫·丘吉尔(Randolph Churchill, 1849~1895),政治家,保守党内有影响的人物,曾任印度事务大臣,推行帝国主义政策,发动第三次英缅战争,终于兼并全缅甸。——译者

② 迪斯累里(Benjamin Disraeli, 1804~1881),英国政治家和小说家。1837年当选为保守党议员,曾担任三任财政大臣,两度出任首相,其言论表明他捍卫君主制、上议院和教会,提出保守党应巩固其大英帝国地位,在当政期间极力推行帝国主义外交政策。——译者

如我们在前面一章("钱才是真的")里论述的,我们认为"不自量力"不是左派应采取的外交政策立场。

总之,"大欧洲"(即欧盟所涵盖的广大地区)不会在任何方面有助于左派实现其目标。据称欧盟最主要的好处是可以把国际资本的活动舞台限制在一定的范围之内,但这是不切实际的,而且其广阔地域使它可以执行一套与英国左派传统不相容的外交政策立场。不管把欧盟说得对英国左派多么有利,欧盟的规模都绝对不会给英国左派带来好处的。

分离而平等:联邦制能使你获得自由吗?

如果说地理上的广阔不能为英国左派带来什么好处,那么与之相对应的联邦制也许会产生较好的效果。在这一点上,拥护欧洲统一的人肯定会有更加站得住的理由;从20世纪初期的地方社会主义到限制地方征收房地产税①的"人民共和"运动(80年代工党领导的集合城市运动②),英国左派周期性地发现,地方政治与全国性混合体制相比,能够使政府更有效地采取行动。一个真正实行联邦制的欧盟会为这类地方性或地区性进行大规模的试验创造条件。再说,联邦主义不正是一切社会主义者孜孜以求的信念

---

① 指的是英国政府为遏制超支,限制地方当局征收房地产税,并为此制定了最高限额。——译者

② "人民共和"(people's republics),指英国工党在80年代提出的一种主张,即将数个小城市扩大并连接起来,成为更大的城市区域,叫做集合城市(conurbation)。——译者

吗？联邦主义不仅是一种更为有效的行政管理，它是否还会成为未来人类建立大联邦的基础呢？联邦主义这个词与"兄弟情谊"、"兄弟般的"以及其他类似的用语是同根的。那么一个社会主义者怎么能不是一个联邦主义者呢？

联盟这一理想之所以有吸引力，部分原因是它具有均衡性。在一个单一国家内，下层要服从上层。而在一个邦联内（如同1931～1947年的"白色同盟"[①]或苏联解体后出现的"独立国家联合体"），高层单位的重要性次于低层单位。但是在一个联邦内部，各个单位没有高低之分，每个单位在其自身的范围内都是最高的，正如古老的爱尔兰祝酒辞说的那样："不在你上，也不在你下，而是在你身旁。"粗略而有效的联邦性质的结构自古以来就存在，可以举出为例的就包括雅典城邦联盟和（历史上不太稳定的）纷争不断的希腊特洛伊。在中世纪，英国的部族首领们随着他们与盎格鲁－撒克逊人的战争中的成败兴衰，一而再、再而三地结成联盟。直到1776年美利坚合众国成立之后，联邦主义才作为一种完整的治理国家的理论出现在世界上。美国政治体制的核心前提是，凡是不明确属于中央政府的权力都归各州所有。英国的制度却恰恰相反，按照这种制度，地方政府只能行使法律规定的某些具体的职能，而中央政府是不受限制的，只有议会可以制约中央政府。

美国各州的"内部主权"（至少在纸面上）是目前实行的联邦原则最有力的一个例子。并非所有的联邦的下级单位都能行使如此高度的自主权。马来西亚联邦的各州虽然都吹嘘说它们享有最高

[①] "白色同盟"（the White Commonwealth），指二战期间英联邦国家中的白种人国家如澳大利亚、新西兰与英国结成同盟对德、意轴心国作战。其终止年份为1947年，即为该同盟解体的年份。——译者

统治权,但实际上并非如此。尽管虔诚的联邦主义者宣称,联邦主义的核心是平等原则(即"不在你上,也不在你下"),大多数观察家仍然同意,各种机构的"联邦性质"因情况不同而各异。① 例如,一所规模很大的州立学校就较少"联邦特性":学校的教师是地方当局聘用的,校长也不例外,而预算即使下放到地方,也要受教育和就业部管辖。一所私立寄宿学校自治权力稍大一些,如男女舍监在制定规章、纪律、守则、费用和预算时可以行使相当大的自主权,但是招生、开除学生以及课程设置仍属校长或董事会一级管理。牛津大学的学院自治权就更大一些:它可以拥有自己的教职员工、房地产业和资金,有时,它享有的自主权比"中央"大学还要大。再说,只要不是君主专制或极权主义的社会,任何社会生活本来都是具有"联邦性质"的。假如一位英国首相信步走进一家正在演出的剧院,点起了一根雪茄烟,这时他大概也只好服从剧院的规定,将雪茄烟掐灭,理由是,首相握有执政大权,因此他掌握着国民保健署,但他也不能在"他的"医院里为所欲为。同样,他也不能强迫地方图书馆收藏所有他喜爱的图书,或者要求伦敦地铁修建一条通往他的居住地的专线。人(无论是自然人还是法人)之所以享有其应有的权力只是因为他在法制下生活。联邦主义不是一个绝对的标准,但它的含义还要超出上述的范围。联邦主义是一种哲学,根据这种哲学,只有下级单位无法履行的职能才上交中央政府。美国模式告诉我们,这些职能的核心包括防务、移民、对外关税与大规模犯罪作斗争以及保护环境。例如,加拿大允许各省之间设立

---

① 这里作者用了一个经济学用语"滑动费率"(on sliding scale),即按某种公式和根据不同情况而变动工资率、税率、收费率、价格等等。此处为意译。——译者

关税壁垒,而且魁北克还获准管理移民事务;西德在70年代赤军发动恐怖主义运动之前没有联邦警察部队;奥地利联邦政府保留了管理教育的权力,但不是华盛顿特区拥有的那种单一市场的权力。苏联(理论上)允许各加盟共和国对外签订条约,而美国根据宪法是不准许这样做的。一个国家是否属于联邦大家庭,这并不难确定:英国、法国和爱尔兰不是联邦国家,而比利时、瑞士和阿拉伯联合酋长国则都是联邦。那么,欧盟是一个联邦还是一个孕育中的联邦呢?

对于这个问题的第一部分,立即就可回答说不是。无论定义如何广泛,联邦中只有两个国家拥有核武器而且在联合国安全理事会中占有席位,即可断定这不是联邦制的结构。至于说欧盟是不是一个孕育中的联邦,答案同样也只能是否定的。欧盟不是一个孕育中的联邦,而是一个孕育中的单一国家。正如我们看到的,联邦的基本原则是只有那些必须由中央行使的职能才交给联邦这一级。且不管具体细节如何,这些职能总是处理一些"大"问题,比如战争与和平、发行货币、对外关系。其他一切,包括大量的司法和警察职能以及一般的法律制定,都留给下级单位去办。

欧盟恰恰一步步地向相反的方向发展。首先,根据罗马条约,相对来说小权归布鲁塞尔(如支持农业、食品卫生、对外关税和贸易关系)。根据1985年为建立单一市场通过的"单一法规"(Single Act),更多的实权移交给了欧盟,如工作条件、保健和安全,对工业的支持和一些社会政策。《马斯特里赫条约》则制定了单一货币计划,共同的外交政策,共同公民权力并建立警察局。确实,法国总统和英国首相保留了发动核攻击的权力,但是这一(没有什么用处的)特权几乎是他们保留的唯一不受约束的自决权力,而且在另一次类似马斯特里赫会议的会议上肯定也会将建立欧洲的"防务支柱"纳入其权力范围。

联邦是不应该按欧盟的方式行事的。欧盟制定的法律事无巨细,什么都管,从系安全带到公共海滩的清洁工作,无所不包。一个联邦制的欧盟要集中管好防务、高层外交以及在单一市场的重大问题上充当裁判员,打击垄断性的兼并和隐蔽的国家关税壁垒。而现在的欧盟则是不论大事、小事,都是它的重点。联邦制的欧盟不必设立主管交通或社会事务或"地区"的专职官员,也不要去资助摄制电视剧,把英国人描绘成精神变态的仇外者(如1996年摄制的BBC恐怖剧《写在墙上的字》),也不用设置一个布鲁塞尔宣传部门第十局。

目前,欧盟的地位仍不稳定。一方面它的目标是建立单一国家,同时,虽已逐渐削弱,但它仍然是一个政府间的组织。欧盟仍在两者之间徘徊。有两个最重要的法律原则使欧盟的地位仍然是一个主权国家的联合体,即卢森堡谅解协议(允许每个成员国使用国家否决权)和成员国的资格必经国家议会批准的原则。未来的事态发展看来肯定是要完成这个过程的。每个阶段的失败都被用来作为下一阶段的推动力。于是我们看到,单一市场运转状况不佳,所以就必须实行单一货币;当单一货币也不能产生预期效果时,就需要建立单一政府了。联邦就是一系列的解决矛盾的协议,也可以叫作长期有效的政治合同。欧盟运作是以营造势头为原则的,也就是逐步扩大它的权力。如果英国左派一心一意要追求联邦主义的话,那么它在欧盟是找不到的。

首先是英国应不应该追求联邦主义?很难确定左派心目中联

邦主义的基本原则究竟是什么，至少就迄今已实行的联邦主义而言是这样。每一次富于想象力地试图用地方自治来解决社会公正问题，总会出现一个享有内部主权的英国领地南罗德西亚总督乔治·华莱士或总理伊恩·史密斯这样的人物。英国试图在联合王国内部实行联邦主义，即北爱尔兰的政府和议会，经历了半个世纪的历史之后，这一试验终于在1972年结束了。对此大多数左派都大大松了一口气。每届中间偏左的政府都发现，每当要采取必要的强有力的政府措施时，联邦结构也并不能适应需要。正如伊恩·威廉斯在1997年9月26日《卫报》上发表的《美国来鸿》一文中提出警告说的："英国的政治制度之集中已到无可救药的地步。……美国的联邦结构只是表面上看着有吸引力。其实，美国政治犹如患了硬化症，其目的就是阻止一切重大的改革，这是十分明显的。对英国来说，这不是解决办法。美国有8 000个各不相干的单位在管理国家，每个单位都享有被授予的权力和一定程度的自主权。"有意思的是，他还补充说："尽管美国的治理有这么多的层次，但是联邦政府却将管理经济的生杀大权授予信仰艾恩·兰德的金本位制的艾伦·格林斯潘。每当他认为美国工人正在突破他们已忍受了20年的冻结工资时，他就提高利率。

重要的问题并不是欧盟是否拥护联邦主义，而是有没有一个地方真正实行了联邦主义。这么说并不是要否定联邦是可以治理国家的，而且可以治理得很好，问题只是人们是否能靠它实现他们自己的联邦主义理想。

企鹅出版社出版的《政治学辞典》中，"联邦"这一条目是这样写的："联邦和邦联之间主要的区别在于联邦的各机关对于构成联邦的各省或各州的公民拥有直接的权力。"[9] 这是联邦理念中的一大缺陷。如果我们把凯恩斯有关货币控制的论点改动一下,我们就可以说,谁控制宪法,谁就控制了人民的权利,从而也就控制了国家;在一个联邦国家中,这就是中央政府。近代有签署人权宣言的习惯做法,这种做法强化了上述控制。最近的一个实例是澳大利亚对塔斯马尼亚州采取了威胁性行动,原因是这个州关于同性恋的法律同澳大利亚的条约义务相悖。即使没有正当的外部理由,联邦当局,尤其是联邦司法系统,也有效地控制着政治过程,其依据就是人民都是联邦的公民,而不是像邦联那样,人民是各成员国的公民。

这一缺陷在美国表现得最为显著。所有按规定不属于中央的权力都属于各州,不过,中央又把美国生活所有方面的权力都接收过来。一个明显的例子是毒品政策。安布罗斯·埃文斯-普里查德在1996年12月22日的《星期日电讯报》上报道,当加利福尼亚州的投票者通过了关于大麻用于医疗的立法(实际上是使用者认为用于医疗),华盛顿特区作出的反应是"既感到愤怒又难以置信";"……宪法第10条修正案……规定,除具体归属华盛顿的权力之外,一切权力都归各州所有(其中只有很少几种权力直接归中央,而有关毒品的政策就不在此列)。"据他报道,尽管司法上有缺陷,联邦政府反毒品的斗争还是不断升级,直到反毒斗争成为美国刑事司法以及与之相关的监狱-工业联合体的主要活动",而且这也不是一个孤立的例子。在80年代初,里根政府威胁说,无论哪一个州拒绝将饮酒的年龄提高到21岁,联邦政府就撤回拨给这个州的联邦公路资金。

人们有时说,在美国,各州与华盛顿之间就像翘翘板一样,有规律地上上下下,在紧急状态下,如战争和萧条时期,各州就丧失权力,而当人们对华盛顿的行事方式预感到某种失望时,各州又把这些丧失的权力夺回来。这种说法具有很大的误导性。各州丧失了权力,从法律上和事实上都是如此。这种状况已经持续了将近一个半世纪。这一过程在不同时期有快有慢,但总的趋势是朝这个方向发展。当美国最大的丑闻水门事件阴影笼罩着首都时,不少权力回归各州。直到现在,各州在死刑问题上最明显地享有自主权,但近来变得不那么突出了,因为死刑在联邦一级也成了主要问题。在美国全国范围内,谋杀执行任务的联邦官员这类罪行是要处以死刑的(在俄克拉荷马投掷炸弹的蒂莫西·麦克维就是以这种罪名判决的)。

美国有着强大的民事管理机构,而且具有独立性,更不必说还有不听话的地方政府和地区政府。这一点是毫无疑问的。但是这一事实并不能证明美国就是一个各州享有主权的联邦国家。美国的制度既要归功于它有着独立性很强的城市、警察和县级治安官①,也要归功于各州。即使联邦主义拥护者都十分虔诚地信奉联邦主义,联邦主义仍然是一种幻想。当他们的信念并不虔诚时,如供职于布鲁塞尔的那些人,那么联邦主义就是死亡陷阱。

教全世界唱歌:啊,国际主义,
　　人类大同,啊,布鲁塞尔!

在一些左派人士看来,欧盟作为一个国际组织,从本质上就是好的,就像英联邦、联合国、世界卫生组织以及一长串有价值的机

---

① 县级治安官(sheriff),这种治安官大多是由民选产生的。——译者

构一样。

欧盟的形象就像某种国际童子军运动和联合国儿童基金组织的杂交品种，而欧盟却很愿意维持自己的这种形象，但是这种形象和欧盟大肆鼓吹的作为欧洲超级大国的"联邦前景"却格格不入。联合国和英联邦都没有自己的"防务支柱"和有约束力的法庭，也没有"国"旗和国歌。假如欧盟真的仅仅是一个国际论坛，它就不能同时要求拥有一个主权国家的一切权力。友好组织不需要共同的外交政策，或者各种庞大的官僚机构。

以此类推，加入欧盟成为其成员，无论从哪一方面说，都不同于北大西洋公约组织或联合国的成员国。没有哪一个人会让别人说服他把积蓄、家庭和身份证一股脑地交给一个社区，仅仅是因为有人告诉他说，加入社区并成为其成员和他参加美国运通信用卡成为长期会员没有什么区别。同样，英国在加入欧盟问题上的辩论中常常表达的什么团结互助的虚伪言辞大概也不会让他上当受骗：这条街上的其他家庭加入社区并不成为我们家也必须效仿的理由。假如英国拒绝加入欧盟，英国该怎么办？这个问题反映了一种错误的概念，似乎一个国家和某种多国企业差不多，为了企业的繁荣，它需要寻求"战略联盟"。

欧盟并不是国际主义的，就像我们的社区也并不总是那么友善相处的。恰恰相反，真正的国际主义和真正的睦邻关系一样，应该是自愿的而不是强迫的。要为本节做一总结，引用一段格洛斯特郡的约翰·帕菲特先生1995年6月致《泰晤士报》函中的话是再恰当不过了："我有幸拥有许多朋友和亲戚，但是我对他们的尊敬和热爱不会让我发展到请他们来照料我的家庭，也不会让局外人把手伸向我的银行账户。"

我们已经花了一些时间来考察欧盟究竟是什么和不是什么：它是一个孕育中的、由中央控制中心治理的核超级大国，它利用通货紧缩性质的单一货币和经济独裁为大金融和工业利益服务，这样一个超级大国不是也永远不可能是英国左派心目中的实行国际主义的进步组织。按照他们的想象，欧盟仅仅是一个偶发事件，英国的成员国地位的历史纯粹是保守党的历史，从申请（麦克米伦时期）到获得成员国地位（希思时期）、单一欧洲法（撒切尔夫人时期）和《马斯特里赫条约》（梅杰时期），都是保守党执政时期发生的。但是这并不是偶发事件。在右派看来，欧共体/欧盟一直是他们从法律上和经济上阻止英国左派政府上台在国内实行激进主义的一种手段。随着工党在80年代末实行改组，这种激进主义的威胁消除了。这时保守党才觉得可以放心地对布鲁塞尔种种荒诞的做法提出批评。

一本"欧洲民主党人"（当时这是英国和丹麦保守的欧洲议会议员的称号）80年代初出版的情况简报小册子宣称："工党左派希望改变英国社会的性质。……英国工党说它的政策和欧洲经济共同体（EEC）的成员地位是不相容的。仅仅这一事实就说明工党政策的极端性本质！"这本小册子的名字就叫《英国与欧洲经济共同体——工党错在哪里？》。

在1975年全民公决运动中，一本亲欧派的官方小册子《为什么你应该投赞成票》将一条信息传递到国内，说欧共体是与左派极端主义抗衡的力量："还有什么可选择的呢？那些想退出的人同床异梦，他们彼此间存在深刻的分歧。……有人想建立一个共产主义的英国——成为苏联集团中的一员。"没有人认为谁要想退出共同体就一定是一个共产主义者。没有，绝对没有。只不过选民可能注意到,主张退出欧共体的那种人具有某种类型的(共产主义者)倾向。80年代初还有一本欧洲民主党集团的出版物《传统与现实:保守主义哲学与欧洲一体化》。作者是当时担任欧洲议会议员的罗伯特·杰克逊。这本小册子再次提醒人们注意共同体成员国地位和抵制左翼政策之间的联系:"工党提出要改变英国的社会性质,这种主张具有极大的破坏性,而这种主张却同决心让英国退出欧共体是密切相关的,这也是毋庸置疑的事实。"[10]

还有一些人,比如我们曾经引用其言论的保守党欧洲议会议员约翰·斯蒂文斯,还在继续大肆宣扬欧盟在抵制传统的英国工党政策方面的功效;他在同一篇文章中宣称:"工党对建立一个独立的(欧洲)中央银行怀有戒心,工党也知道,限制政府开支会使他们在欧洲全面干预地区援助和政府补贴的梦想破灭。保守党已经在英国废除了地区援助和政府补贴。"与此相类似的是,人们早就注意到,欧盟的哲学和工作方法对英国左派是一种明显而现实的危险。托尼·本在1979年就说过,早在1963年他就列举了他反对英国成为成员国的各种主要理由,其中有一条就是"罗马条约将自由放任主义确定为它的指导思想,并选定权力集中作为其行政手段"。[11]

九年之后,前工党大臣埃里克·迪金斯直言不讳地说:

> 1992年国内自由市场的建成已经标志着工党上台执政并实施激进的经济和金融政策的前景已经终结,更不用说实行社会主义的政策了。
>
> 保守党、自由党和社会民主党早就认定,加入了欧洲经济共同体,任何工党政府都会被阉割,并实际上把工党变成了一

个中性的党。[12]

工党立场的巨大转变使两方面的调门都降低了;(无论是赞成方还是反对方)现在都不怎么说英国左派的目标与欧洲统一多么地不相容,也不再谈论以布鲁塞尔为中心的欧洲的性质如何如何了。普遍的看法犹如一股潮流,汹涌地向另一方面流去:据说,欧洲天生就主张社会民主主义,因而从结构上就仇视主张自由放任的保守主义。只有温和的保守党人如爱德华·希思、迈克尔·赫塞尔廷、肯尼思·克拉克还认为欧洲一体化是一个诱人的前景。这时的英国左派却一拍大腿,大声嘲笑它自己一度对进步和社会公正的巨大动力所采取的态度。

除了上面引用的几点例外情况,一般说左派对欧盟的厌恶并没有很深的根基,这是不错的。英国以外的左派不喜欢欧盟是因为它无异于一个没有北美参加的北大西洋公约组织;尊重传统的人不喜欢欧盟是因为主事者是外国人(一位工党议员在鼓动发起加入共同体的运动时称德国总理施密特为"德国佬"①);工会则怕失去实力——除冰岛(非共同体成员国)以外,欧洲所有的劳工组织都不如英国工会有实力;在左派内部,如芭芭拉·卡斯尔,反对欧盟(部分地)是因为他们怀疑(据约翰·斯蒂文斯的看法,这种不信任是正确的)欧盟是"苏伊士以东"的代表(这是一个准帝国的角色),只不过方式不同罢了;有些人反对欧盟只是因为工党中的社会民主派对此情有独钟(钟情如此之深以至1981年时最坚定的社

---

① 德国佬(Hun),这个词有几个含义,如"匈奴人"、"匈牙利人",并转化为对德国人的贬称,其贬义甚至超过一般对"佬"的理解。根据上文所说的"外国人"也可译为"外国佬"。——译者

会民主分子觉得有必要建立一个自己的政党,部分原因就是要捍卫英国继续作为成员国的地位),除此之外,并没有更加站得住的理由。保守党在此前的十年中对进一步走向一体化的疑虑确实有所增强,有时竟达到党可能因此而分裂的程度。英国两大政党在海湾战争之后改变了对欧盟的态度,但是,在人们完全接受这种转变之前,让我们先看一下以下几点基本事实:

• 1987年选举之后,在英国左派奉行自由市场政策之前的一段时间内,右翼对欧盟的怀疑论作为一种准运动是不存在的。只要反资本、反大企业的真正激进的政策仍然构成一种现实的危险,右派就会全力拥护欧共体取得重大进展。在一次党的会议上,玛格丽特·撒切尔在欧共体旗帜面前发表讲话,自由市场的支持者考克费尔德勋爵受派遣前往布鲁塞尔,在那里他使出浑身解数来粉碎一切国家设置的贸易壁垒。撒切尔夫人任命的贸易和工业大臣杨勋爵是"1992"单一市场的热心鼓吹者。只是到了国内左派构成的威胁消退时,在英国占主流地位的中左派才开始对"更为密切的联盟"表示怀疑。布鲁塞尔授意制定的最低限度的社会一揽子计划(社会行动计划以及其他种种"认真的废话")的历史要比英国右派想让我们相信的长久得多,这是事实。令人感到可悲的是,这种一揽子计划逐渐显示出它并不是把我们从彻头彻尾的社会主义下解放出来,只不过是作为一种代价,而这种代价因为"强硬左派"政府的退让,现在已不必付出了。

• 保守党中对欧盟持"怀疑态度"的显赫人物中,没有一个主张从根本上修正英国与欧盟的关系。约翰·雷德伍德是1995年与梅杰争夺领导地位的人,他很快就排除了采取这种行动的必要。现任保守党领袖威廉·黑格也是一个类似的对欧盟有着诸多抱怨的人。迈克尔·波蒂罗(在本书写作过程中,他正在谋求重返议会)是拥护英国加入欧盟的。

- 保守党认为,欧盟各种机构将继续陷入1975年前曾主宰过该党那种软弱的、"协商一致"的政策泥淖之中。保守党对欧盟的政策是以此为前提的。保守党一直想"把欧盟拉到现实世界中来";所谓"欧盟怀疑论"就随着这一努力的成败而起落。

- 真正对欧盟持怀疑态度的人,从伊诺克·鲍威尔到(改变了态度的)诺曼·拉蒙特,都因为他们的信念而在政治生涯中一蹶不振。英国右派是容不得那些反对一体化的人进入欧盟的。

上述的几点都不是巧合或历史上的偶发事件。同样,欧盟充当欧洲资本的政治上一翼的角色也只不过是犯了一个可怕的错误,通过善意劝说和积极的态度就可以纠正。欧共体是按照跨国联合企业的模式建立并运作的。从50年代以来,它对英国右派的吸引力就在于它能够摆脱国内民主领域里的各种重大问题,如资本自由流动、劳工控制、放任自由竞争等等,英国右派担心可能因这些问题而失去选票。80年代和90年代期间,保守党在这些问题上的国内得票记录有了改善,因而其亲欧的情绪也就冷下来了。

说起来也可叹,欧共体对英国左派的吸引力也是沿着这条轨迹来的。左派想通过暗室交易来实现其社会计划,至少是部分社会目标,随着他们从国内获得支持的可能性变小,于是这种吸引力就增强了。

不过,这种"左"和"右"的对称也容易令人产生误解。如果把欧盟的一体化计划对左右两派各自的消极影响都放在天平上来称一称的话,那么显然是左边的分量要比右边重。欧盟是把资本自由流动、低通货膨胀率、严格控制公共开支和贷款、苛刻的竞争规则作为其基石的。从另一方面说,建立所谓的"社会的欧洲"①这个障碍如果还不能搬掉的话,那么跨越过去则无疑是可以做到的(从1993年欧盟委员会发表有关经济增长、竞争与就业的白皮书之时起,设法避开社会保障这个障碍物的过程就已经开始了)。不仅通过暗室交易把左派的目标降低到最低限度,甚至还可以按"欧洲股份有限公司"的旨意将之搁置一边,不予理睬。在一个政治上单一的民主国家内,要就经济和社会进步达成一致意见已经十分艰难了,那么按照欧盟方式做成这笔交易其难度就可想而知,就像玩纸牌一样,赢了一局难保下一局。

进了疯人院②:欧洲货币联盟及其后来的发展

英国前财政大臣奈杰尔·劳森在解释他为什么反对单一货币时说:"我反对英国加入该联盟是因为,往好里说,实行单一货币的时机尚未成熟;往坏里说,它还具有极大的破坏性。当欧洲各国的人民还不赞成将他们的独立、主权和忠诚服从于对大欧洲的忠诚时,单一货币就可能具有破坏性。在时机不成熟的情况下实行单一货币就会损坏政治结构,把每一个欧洲国家置于排外主义者和蛊惑民心的政客们的控制之下。"[13]劳森的基本论点是,货币联盟

---

① "社会的欧洲"(Social Europe),似指重视社会保障的欧洲。——译者
② 进了疯人院(Into the Madhouse),作者将欧洲货币联盟比作疯人院,可能指一个国家加入该联盟犹如一个人被送进了疯人院,从此失去自由。因为疯人院为防止意外,往往让病人穿上捆绑式的马甲。——译者

从经济学上讲是错误的,因而在政治上也是错误的。在 1987～1997 年这十年间,劳森是保守党内"神的黎明①"的领袖人物,他完全有资格说这番话。劳森在 1987 年和 1988 年试图抵制德国马克未成,结果是 1988 年昙花一现的繁荣紧接着不可避免的严重衰退。抵制马克在经济上是行不通的;最终的结果先是劳森倒台,后来还波及他的情妇。参加汇率机制更是经济学上的失算;先是导致尼尔·金诺克跌入陷阱,最后则是约翰·梅杰。汇率机制是疯人院的经济学;政治上因此而成为牺牲品的人还不止这些。肯定还会有人成为牺牲品的。

正如劳森在下院财政委员会作证时所说:"实行单一货币政策的主要不利之处在于,这个联盟规模越大,情况就越多样化,这种货币政策就越不可能适合联盟所有成员,而且永远如此。"[14]当布鲁塞尔在 1997 年加快行动以求在 1999 年 1 月实行单一货币时,这些反对意见就被搁置一边,不予理睬了。不过,意味深长的是,拥护者们也说不出参加货币联盟有多少经济上的好处,只不过提出了卡桑德拉大桥式的警告,说是如果不推行货币统一的话,那么欧盟就要分崩离析了。为什么会这样?原因是显而易见的:所谓经济上的好处大多是幻想,而代价超过利益则是毫无疑问的。60 年代,两位名叫哈罗德的人想加入共同市场却遭到戴高乐的冷遇,当时加入共同市场在经济上还是可取的。六个共同市场的创始国,即德国、法国、意大利、比利时、荷兰和卢森堡,经济增长加快,失业率降低,生产率提高,生活水平得到改善。英国的决策机构一

---

① "神的黎明"(Twilight of Gods),原为德国作曲家瓦格纳所作歌剧,剧中描绘了各路神祇之间的明争暗斗,这里指保守党内部各派之间的斗争。——译者

而再地赶时髦，用羡慕的目光注视着英吉利海峡彼岸，在欧洲大陆上，共同市场好像对英国遇到的一切问题都提供了解决办法。

1973这一年，不仅英国最终加入了欧洲经济共同体，而这一年恰巧也是"黄金时代"的最后一年，当时，现在欧盟的成员国失业人数是371.2万人。到了1996年底，德国一国的失业人口就达到了当年的总失业人口，失业率达到了希特勒上台以来的最高水平。1973年欧共体的失业率只是美国的一半，而对于1 800万领取失业救济金的人来说，货币统一意味着这个数字将翻一番。

布鲁塞尔在单一货币上寄托了过高的期望，以为它能提供一剂灵丹妙药来治愈这种各国的通病。但是这种期望是没有根据的。汇率机制是一把三条腿的凳子，这三大支柱就是60年代盛行的"大就是美"的概念，从70年代起对德国的崇拜，加上80年代执着地反通货膨胀。到了90年代后期，这三条腿都有一点不稳当了：至少在经济学方面，小国的情况表明规模大小并不起作用；德国开始数以万计地向海外输出就业机会；而全球的经济都受到30年代那个紧缩的幽灵的困扰。

不用说，大企业对此持有不同的看法。在跨国公司的董事会看来，单一货币好像是个好主意。公开说出来的理由是货币统一降低了交易的成本，阻止了外汇流失，因而充分开发了单一市场上的财富。没有说出来的真正理由是货币统一把风险从公司转嫁到工人头上。在这个不安全的时代，不仅对于实业家而且也对政治家，这看来是唯一正确而且正当的做法。他们乐得放弃经济政策中货币这一主要的手段。

英国在1992年发现，汇率是一件强大的武器。如果一个国家丧失了竞争能力，那么低汇率就是恢复经济平稳的一种手段。不用货币这个武器,可供选择的机会就减少了。只有三条路可走:首先,经济中处于生产效率低下、增长缓慢的工人可以转移到效率高、增长快的地区去。这种情况在美国是发生过的,但是难以想象在欧盟这个存在着不小的文化和语言障碍的地域范围内工人也可以大量地流动。在服务业日益占据主导地位的经济中,曼彻斯特的一个银行职员除非能说一口流利的西班牙话,否则就无法流动到马德里去。即使有的话,那也不会太多。

另一种可供选择的机制是建立一种财政转移制度,通过这种体制将资金从欧盟这个地区转移到另一个地区。这种情况在美国也发生过,把繁荣地区的税收转移到其他州去用于福利开支。但是,布鲁塞尔要做到这一点,它的预算要增加十倍,而且富裕的国家还要愿意帮助较弱和较穷的国家才行。假如西德人对于把增加税收得来的财政去帮助东德重建日益不满,在这种情况下,这种办法就行不通。我们已经明确工人流动和财政转移支付都行不通,那么企业就要采用第三种选择方案,即加强劳动力市场的灵活性,以此取代汇率的灵活性。简言之,那就是工人要保全他们的工作就不得不降低工资。

正如人们所预料的那样,货币统一的支持者对于新出现的欧元区会不会受到这类问题的困扰一笑置之。他们认为,马斯特里赫条约确定的趋同准则意味着采取"均码"[①]利率的方法可以把欧盟各国紧密地团结起来。不用说,英国在奉行"均码"政策方面有着丰富的经验;这就叫做"汇率机制"。汇率机制有一个好处,那就

---

① "均码"一词原文为 one-size-fits all,意思是"同一号码对各种身材都适用",如弹力袜。——译者

是至少有一条退路。但是欧洲货币联盟这座建筑物却没有火灾紧急出口。对于布鲁塞尔来说,这真是一件咄咄怪事,因为布鲁塞尔一般总是十分认真地确保有关保健和安全的各种规章都要一丝不苟地加以执行的。

但是,人们看来总是有忘性的。布莱尔政府在1997年10月示意,它想在下个世纪初的某个时候加入货币联盟。很少有人怀疑到了兑现的时候,工党会说经过五种测试,英国都已达到要求(或者说正在争取达到标准的过程之中)。

打开西恩城门[①]:左派拥抱敌人

每当符合参加晚宴身份的阶级聚会时,就会发生这样的事,某位人士听说了一件他不赞成的政治活动或外交活动,他就会摇着脑袋,说出一句对任何事情都适用的套话:"愚蠢之极"。1984年美国历史学家巴巴拉·塔奇曼[②]出版了一本著作《从特洛伊到越南》,书中她对不同时期人们奉行违背自身利益的政策作了调查研究。当她精心提出的有关"愚蠢"被用于一切公共事务——从征收人头税到希特勒侵略俄国——只要这些行动的结果都是适得其反的这一概念已被大大地改动并淡化了。[15]经过改动和淡化,塔奇曼夫人独创的真知灼见已不见踪影。在我们还来得及补救时,让我

---

① 西恩城门(Seean Gate),特洛伊城城门之一。希腊人将木马送进特洛伊城后,夜间士兵从木马中出来打开了西恩城门,此处有"开门揖盗"之意。——译者

② 巴巴拉·塔奇曼(夫人)(Barbara Tuchman)1912年生,曾以《八月的炮声》(1962)和《史迪威和美国在中国的经验》(1970)年两次获普利策奖。此处提到的是她所著的《愚蠢的行进:从特洛伊到越南》(The March of Folly: from Troy to Vietnam),书中举了四个不同时期的实例来说明政治上的愚蠢行为。——译者

们重温一下塔奇曼夫人那独到的、有关"愚蠢行为"的真正含义:第一,必须在事与愿违时批评此事,而不是事后诸葛式的批评;第二,统治者个人作出不当的决定;第三,必须已经制定出另一可供选择的方案。

英国左派对欧元的政策与这三个条件全部吻合。工党内部有相当数量的人继续反对布鲁塞尔的发展趋势(符合第一条);而统治集团对此不予理睬,一意孤行(符合第二条)。至于第三条,即有没有可供采纳的方案,我们还是回头来看一看波德莫尔和卡茨当时是怎样说的:"我们需要的是主权国家间真正的国际主义,在贸易和交往中是以互相尊重对方的领土完整和主权独立为基础的。"[16]

英国左派对待欧洲经济共同体的办法,其核心是一种想象出来的(如果不称之为幻想的话)讨价还价:一切争取经济发展和社会进步的传统手段,其中主要的工具是民族国家,都被用来作为交换条件,以此换取在欧洲大陆这样大的地域内争取这种进步和发展的计划中占有一席之地(或对此寄于厚望)。但是这种交易的核心中含有一个根本的错误,这个错误就是认为欧盟直到目前为止一直代表那些反对进步的势力,其原因仅仅是因为选错了领导人。工党领导层似乎认为欧盟的运作并无失误,其实并非如此:现在有1 800万失业者,出现了兼并和合并浪潮,以及采用电脑监控、关于颁发身份证明的提议和建立欧洲警察的计划。这些本来都是应该做的事。

英国左派对欧盟新采取的"积极态度"不禁令人想到一个规模小、效率高而且和睦相处的社会管理委员会的行为。面对大量有关"社会份额"和"资金不足"的宣传,这个社会正在失去生存的勇气,对其事业也丧失了信心,于是这个社会的管理委员会就去寻找一家大保险公司与之合并,并说服自己相信这家保险公司有着与他们相同的价值观,在合并之后,这个社会"独有的和睦精神实质"还可以保存下来。一个和睦相处的社会,无论是实际存在的或者仅仅是一种比喻,都需要有深厚的根基。社会成员之间要有强大的凝聚力,其领导层也必须以崇高的理想为动力,而不仅仅是追求金钱和权力。欧洲大联合的主张,对于英国左派来讲,与其说是一条走不通的死胡同,还不如说这个大联合看上去像是家庭中温暖宜人的炉火,其实却是熔炉中的熊熊烈火。在这样高的温度中,什么都保存不下来,炼出来的只能是国际资本的九九纯金。

第 六 章

无路可通:左派在两条死胡同里行进

> 剧中的"安道尔"与同名的真实小国安道尔无关,也不是另一个同名的真实国家。这里,安道尔只是一个典型。
>
> 马克斯·弗里希:《安道尔》注释,
> 艾尔·梅休因公司出版,1964 年

> 我开始觉得自己既洞察一切,又理解了一切。现在已是我应该打点行囊、身归故土的时候了。
>
> 埃里克·安布勒:《戴尔切夫的报应》
> 霍顿—斯托尔顿公司出版,1951 年

> 给我出一个谜语,我的谜底是:
> 考特尔斯顿、考特尔斯顿、考特尔斯顿馅饼。
>
> A. A. 米尔恩:《温尼普之歌》[①]
> 达顿出版社,1994

[①] 温尼普之歌(The Songs of Winnie-the-Pooh),童话故事,温尼普是一只小熊的名字。——译者

英国报纸的读者在 1997 年 12 月 2 日读到的许多新闻中有两条具有特殊的社会意义。第一条宣布任命希尔赫德的詹金斯勋爵担任一个委员会的主席,这个委员会的建立说明准备以比例选举制度取代传统的一人一票制度。据报道,布莱尔首相仍然不认为有必要改变英国的选举办法,他采取的措施是任命长期以来热衷于改革选举办法的前工党主席、短命的社会民主党前领袖詹金斯为这个委员会的主席,看来首相的立场有所变化,已不是人们过去认为的那样,认为没有必要改革选举方法了。

第二条新闻讲的是德比的一所公立学校两名小学生因为骑自行车往返学校不戴安全头盔而被学校开除。法律上并没有规定骑自行车必须戴头盔,但是这位女校长辩称,她之所以这样做是因为这两名学生把自行车存放在学校里。凡是不戴头盔的学生,只要能把他们的自行车存放在学校附近友好的住户那里就可以逃避女校长严厉的处罚。这件开除学生的事正好发生在辍学在家的学生日益增加,官方对此倍加关注的时候。

一位政治上的大人物詹金斯勋爵和一所鲜为人知的内地学校里师生间的小纠纷之间有什么联系呢?其实很简单:这两件事都分别与现代英国左派两个主要领域的活动有关,即修订宪法和社会集权主义。我们将阐明,两个领域中的任何一个对左派来说都充满着危险,每一个领域都反映了左派的活动领域有误,最终将破坏左派的事业。不过,让我们首先考察一下左派怎么会变得热衷于此类活动的。

我们当不了英雄:大墙的
坍塌和左派的个性危机

常识告诉我们,导致1989年东方共产主义集团崩溃的那次地震给西方社会民主党带来了一次强烈的余震,由此而来的信心危机迫使这些政党从上至下对实现社会民主的工作重点进行反思。这种反思开始有了成果,使左翼在意大利和联合王国取得胜利,并使克林顿总统在1992年和1996年连任两届总统。在不偏不倚的观察家看来,这种信心危机对于宪制下的西方左翼来说似乎是前所未有的,却又是必须承受的负担。难道战后的社会民主党主要人物不都是同他们的保守派对手一样,至少是反对苏联共产主义的吗?明显的例子包括约翰·肯尼迪和他的"导弹差距"(1960年),约翰逊及其在东南亚的战争升级(1964~1968年),哈罗德·威尔逊和他(以高昂的代价)使北极星火箭部分现代化的"谢瓦林计划"(1974年),赫尔穆特·施密特(巡航式导弹,1977~1983年),詹姆斯·卡拉汉(巡航式导弹和中子弹,1976~1979年)和弗朗索瓦·密特朗(他泰然自若地主持了在太平洋上一次大规模的核试验计划,并视察了将要发射朱庇特导弹的控制室,从而引起人们关注)。

尽管如此,这一危机直到苏维埃帝国解体之后才被诊断出来,而这一诊断结果在某种程度是自我完成的。而且,还有些人感到苏联解体的影响实际上可能还要更大些:

"欧洲共产主义和苏联的崩溃来得如此突然,据我所知,事先几乎完全没有估计到。社会民主主义圈子和各社会民主党对这一突然剧变的反应如此之微弱实在令人吃惊。……从历史上说,革命和改良的界线似乎只有一溪之隔。……更为重要的是看到了社会民主主义和共产主义之间还存在着某种程度的依存关系。一方面,社会民主主义走的是一条令人放心的温和的第三条道路。另一方面,共产主义却像一块磁铁,把政治全方位地向左的方向吸引。"[1]

人们认为西方社会民主主义在"大墙"坍塌之后之所以面临危机据说有三个根源:

• 共产主义的崩溃至少可以说既是经济上的失败,同时也是军事上(从冷战角度看)的失败,这就从正面证明了(与社会民主主义的看法相反),马克思主义的共产主义计划没有"一丝可取之处",更不可能与西方的自由主义相结合,从而为"两个世界都带来最好的结果"。与其说共产主义的洗澡水把社会民主主义这个婴儿从排水孔中冲走了,还不如说,澡盆里的水放掉之后发现里面从来就没有什么孩子,只不过多放了一点洗澡水而已。

• 与此相联系的是,从前担心西方社会里穷人和心怀不满的知识分子会结成一股力量,现在这条路已经封死了。过去,共产主义对于工厂车间里的煽动分子和大学教授们有着强烈吸引力,使他们着迷,而现在那些拳击手不但已经精疲力竭,而且场边的医生宣布他们已经死了。社会上这些群体在共产主义问题上已经没有出路了。因此,对于历来支持社会民主党传统的人来说,这些党维持安定的功能已经是多余的了:现在第二条道路已不复存在,那么还需要谁去引诱亲共的社会群体去走第三条道路呢?在离现在不算太远的1980年,克里斯托弗·布鲁克写道:"一两年前,当我在观看罗伯特·基的关于东德生活的电视剧时,我看到的是一个充分就业、没有通货膨胀、不纳税、每个人都可享受政府补贴的便宜住所的社会。那时我不禁想到,罗伯特·基的这部影片可能会使我们这个国家的大多数人受到震动,对东德的生活羡慕不已。"[2] 现在,会不会产生这种效果,已无关紧要了。德意志民主共和国已经不复存在,因此也就"不存在"什么社会主义生活方式了。准确地说,现在已经不存在另一种选择了。

• 危机的第三个根源与第一和第二根源是有联系的。对于这一根源,欧洲大陆的社会民主党人比英国的社会民主主义者更为关切。这一根源的中心是外交事务,还有就是相信社会民主党虽然在防务问题上无疑是坚定的,但是在同东方的那个笨重迟缓的核武器巨兽谈判时,具有一种特殊的镇静作用。人们认为,遵守宪法的左派在着手解决防务、缓和、军备控制等问题时能够采取一种令人放心的一板一眼的技术官僚态度,这一点可以英国前外交大臣、社会民主党的引路人大卫·欧文所著的小册子为代表。这本小册子的书名模仿一本有关裁军的出版物《抗议与生存》,而这一出版物的名称又模仿英国政府的民防宣传品《保卫与生存》。欧文博士(现在是勋爵)以一种真正的社会民主党风格把两种立场都否定了:这本小册子叫做《谈判与生存》。[3] 在第二次冷战时期,一代温和的、不具意识形态色彩的保守派(理查德·尼克松、爱德华·希思、瓦勒里·吉斯卡尔·德斯坦)被另一代十字军战士所取代,这里主要是指罗纳德·里根和玛格丽特·撒切尔。欧文否定谈判与生存的立场就像一堆珍宝在这期间大放异彩(如果说古板也能光芒四射的话)。冷战问题解决了,不过并不是按社会民主党人的条件解决的:"如果德国统一,那么这个德国肯定不是阿登纳……所要求建立的某种更大的联邦共和国。它会像一个合资企业,在这个企业中,西德变得不那么资本主义,而东德也不那么共产主义。……(但是,)一个停摆不走的钟,在一天之内总会有两次指着正确的时间。历史会倒转过来证明阿登纳和科尔是正确的,而备受痛苦折磨的社会民主主义理论现在好像已成为一堆过时理念的化石。"[4] 社会民主主义对冷战的分析是以"缓和紧张局势"和"加强相互了解"为中心的,这种分析不仅已被证明是错误的,而且与其这样说,还不如说社会民主党人在外交领域里已经完全没有实用价值了。

据说,这些就是90年代初中间偏左派面临危机的主要因素。他们既缺乏理想,而且在内政和外交上也没有实用价值。不过,这个故事还是有一个传统的"大团圆"结局。深刻的反省、异想天开、现代化、总体上承认错误等等,这一切都加在一起,就导致了中左派的调整和重组。经过了80年代末的动荡之后,中左派(响应最新的劝告和建议)改头换面,以新的姿态出现了。这个被抛弃的配偶在失去终身伴侣之后痛苦异常,经过了一段郁郁不乐的时期之后,振作起精神调整自己,终于又找到了一个远比原配偶更合适而且稳定的伴侣,于是安定了下来。这个新伴侣就是"社会市场"("social market"),实际上就是通过劝说的办法把下层阶级融入经济主流,并通过体制和机构改革实行一种经过改造的自由市场。

我们认为,真实情况更平淡乏味一些。英国左派根本谈不上洗心革面。经过多年的睡眠疗法之后,在铁锤开始击向钢筋水泥的柏林墙之前的一些时候,英国左派已经开始了新的议事日程。

这好比在原来的配偶尚未离去前,据说是陷于痛苦之中的一方已经同一位新情人同居了。或者换一个比方:解决贫困、失业和经济改革问题犹如攀援悬崖断壁,左派遭受一系列失败之后,丧失了信心,于是就改而从事另一种不需花费多少力气的新嗜好,到高低不平的荒野上去步行,这就是在宪法上做文章和进行政治上十分正确的劝说工作。要使经济机制再回过头来向劳动者和穷人有利的方向倾斜再也不是一件轻而易举的事了。幻想出一个不是问题的大问题,并且把它当成一个实际存在的问题去解决,天下还有比这更容易的事吗?左派新信念中重要的一条就是:人们不满的根源是我们这个国家而不是自由市场经济。具体说,英国社会和政治结构的性质是这个国家一切腐朽现象的根源。看看它们结出的果子你就明白了:带刺的树木结不出好果子,同样,腐朽的英国制度也不会带来良好的经济效益和社会稳定。按照这样分析,金融和企业确实是无辜的。金融和企业是中性的,社会和政治机制要它们向哪个方向走,它们就朝哪个方向发展。

我们应当立刻宣告,这种分析,就文化高于经济而言,与我们的分析是一致的。任何断然否定政治和文化仅仅是经济制度的副产品的观点都是无懈可击的。问题不是这些持修正意见的人的基点是否正确,而是他们后来走的路是否正确。

从国家腐朽这个中心概念引出了两个截然不同的学派。广义地说,第一种认为英国的制度是国家的病根子,而第二种则责怪英国人民。这两派学说在 90 年代产生了两股中间偏左的主流思潮:第一股思潮敦促进行体制改革,第二股思潮则主张实行社会权力主义。第一股思潮要求全盘推倒现有的政治和文官结构,其中包括议会、法院、地方政府和公司法,以"现代化"结构取而代之，这种结构既是"合理的"，也适合于产生左派偏爱的结果。第二股思潮要求清除许多已确立的行为方式和"态度"，在酒馆饮用烈性酒、吸毒、饭前不洗手、坐在汽车后座上不系安全带、在火车或飞机上吸烟以及一切被认为对社会健康有害的东西，都一律消除干净。

这两种思潮是平行的，但是它们之间并不相互排斥。相反，改造政治结构和对公众进行再教育可以是互补的。经过改造的政治制度可以为重塑社会行为提供法律上的支持，而接受过再教育的公众则可为制度改革的主张提供有利的气候。现在让我们来考察一下这两股思潮。

"神经错乱"：宪法改革和其他替代

1988年对英国的左派来说真是糟糕透顶的一年。前几年已经很糟了，看来未来的几年还可能同样糟糕。英国人确信经济奇迹终于出现了，又加上财政大臣奈杰尔·劳森在春季的预算中大幅度地减税，于是他们就发疯似地开始大把挣钱，大把花钱，住房价格飚升40%，失业率下降，自70年代初以来，工业第一次出现劳动力短缺，甚至出现了垂青于女性和少数民族工人这样的激进行动。

经过高度繁荣时期，工党的处境艰难，其作用降低到只能每过一段时间就建议利率不管怎样也要比当时的利率低一个百分点。此时，另一支左派，即分裂出去的一直希望出现整个一代中间派工党的社会民主党则正在被历史所淘汰。1981年发起之初，这支左派的前景显得过于灿烂了。它在两次大选中的表现令人失望，而它在这一沉重打击下晕头转向,到了1988年竟然投靠在先前的竞选小伙伴自由党的卵翼之下。

不过,灌木丛中还是有动静的。1988年11月30日《卫报》报道,就在一天前发起了一场新的政治运动:"以宪法改革为宗旨的'88宪章运动'是当代英国再度对公民权利和管理国家的新方式发生兴趣的一个最新插曲。"这一运动的名称有意同11年前共产主义捷克斯洛伐克发起的争取公民权利的"77宪章运动"相呼应。有人或许会认为将英国的任何政治结社与"77宪章运动"中那些勇敢人物相提并论是品味不高的表现。捷克斯洛伐克的勇敢分子到了1989年初面对的是公开审判、警察的暴打和有期徒刑,但是与"88宪章运动"有关连的人对这些情况并不介意。他们之所以发起这场运动完全出于他们相信英国就是某种警察国家。在发起之初,这个组织宣称:"联合王国只是在最近才加强了极权统治"。外星来客在听到"88宪章运动"对英国状况的描述之后,他们绝对想不到就在一年前,这个国家还举行了一次竞争激烈的大选,或者也想不到英国被普遍认为是压制最少的政权,它为自己拥有一个讲求实际、主张渐进的民主政府的历史感到自豪。给英国贴上"权力主义"的标签具有极大的好处,这样一来,"88宪章运动"就可以否认别人对它的指责,说他们把联合王国同东欧的极权主义政权相提并论,并将其人员比作"77宪章运动"中的那些英雄儿女们。同时,这样一来也可以使"88宪章运动"从他人的不幸遭遇这一点点残存的号召力中受惠,扮演某种抵抗运动的角色,而其成员还可以绝不承担任何个人风险。

这种时髦的地下活动是当时成立的其他一批组织的一大特色,其中包括1988年成立的成为众人笑柄的"6·22组织"。这不是一个武装游击队的名字,它只不过是一个讨论会,其成员在剧作家哈罗德·平特的肯辛顿家中聚会,其中包括约翰·莫蒂默、玛格丽特·德拉布尔、伊恩·麦克尤恩等作家。1988年还出版了一本名叫"Samizdat"①的杂志,其宗旨是要"打破(人们)一致倾向保守党的神话,并集中反映实际存在的普遍的见解。"这本杂志的名称使人们更加感到左倾知识分子已经集体撤退到一个梦幻世界里去了,在那里,他们似乎每天都面临他们仇视的保守党统治集团对他们进行逮捕和拷问的危险(假设他人真的有了这种遭遇,他们会发明一系列对付警察盘问的技巧和手段以及在法庭上陈述意见的权利。对此,他们无疑会觉得十分快慰。这都要归功于保守党统治集团在四年前颁布的"警察和罪证法")。

不过,假如他们真的退居到这样一种梦幻世界里,这种梦境还只属于他们自己这个小圈子。令人注目的倒是蓬勃兴起的"宪法改革"事业,比如上面提到的"88宪章运动",从来就没有对英国作为自由国家大家庭的创始国地位提出过疑问,他们只是说这种毫无价值的传统在某种程度上因多年实行"一党统治"(这是对过去十年中选民令人遗憾地使保守党连续执政的一种反面的委婉说法)而处于危险境地。这样,"88宪章运动"及其支持者显然不同于(英国的)托尼·本和(美国的)戈尔·维达尔。这两个人虽然都认为各自的国家已经不是真正的民主国家,但是他们之间是有区别的,托尼·本的论点是,一个时期以来,英国实际上是一个经选举产

---

① "Samizdat"意为"地下出版物",源于斯大林死后在苏联出现的刊载秘密写作出来并流传的作品。最初主要是莫斯科和列宁格勒的知识分子的作品。这是一种自发的活动,没有组织,也没有共同的纲领,主要是对官方限制言论自由的一种反抗。——译者

生的君主制国家,在这个国家里,首相行使着君主的权力。据戈尔·维达尔看,他的祖国已经失去了联邦民主国家的功能,并且已经异化为凯撒大帝式的专制独裁国家,合众国的名称应改为"统一的单一国家"①了。

在宪制改革运动的正式文献中是看不到如此有趣的(无论是正面的还是贬义的)见解的。本和维达尔两位先生干脆就说 A 实际上就是 B,这种说法使他们自己遭到了激烈的批评或引起争议。改革运动倒是更愿意根据当时的情况制造合适的气氛("88 宪章运动"的名称可以为证),暗示虽然没有直接进行比较,但是当人们想起他们这种说法时,与 A 有关的许多事情就自然而然地变得与 B 很相像了。牢骚满腹、喋喋不休的知识分子那种不诚实使宪制改革运动的根基无论是过去还是现在都存在着一道深深的裂痕。对于他们的这种说法,极为宽容的解释是,彻底摧毁各种制度需要有思想基础,他们的说法为这种思想基础提供了(或未能提供)根据。不太宽容的解释则说改革运动只是一种更广泛的意图的一部分,即采用某种办法来改变政治过程,这样就可以甩掉那些极端保守的选民。他们的计划就是建立一个由大人物和好人组成的"教会法院"来取代那个以政党为基础的议会。这个"教会议会"的部分议员由广大选民(如此之广大以致毫无实际意义)选出的州议员和"参议员"②中选出,或从政党中选出。1997 年,这个计划在现行

---

① "统一的单一国家"(United State),美国的全称为美利坚合众国(United States of America),"国"是复数名词,这里将复数改为单数,而 united 一词既有"联合"的意思,也可作"统一的"讲,于是就成为"统一的单一国家"了。——译者

② 这里所说的州议员(assembly members)和"参议员"(senators)都属于是美国政体的名称。——译者

制度下甚至还曾取得很大的进展；议会所具有的"最高法院"的职能被割裂出去，分给了诺兰委员会及其分支机构，而首相在一周内要用一半的时间去同议员们见面。那一年的选举中，电视台和广播电台为自我宣传举办的节目和观(听)众热线直播节目数量之多令人瞩目，说据此举是为了让公众有"发表意见"的机会。这种做法让选民不解，因为按他们的概念，他们是通过民意测验发表意见的。这种想把英国的民主制度改造为管理性制度的一致意见有时使人不无恐惧地想起六、七十年代一些第三世界国家的统治精英们认定"威斯敏斯特模式不适用于"他们的国家，从而出现了一批所谓"集中指导下的"民主国家。

本来左派对于经济改革的热情已经逐渐冷下来了，而热衷于宪制改革使左派对经济改革更加冷淡。工党1983年的竞选宣言曾宣称，工党将致力于争取充分就业；1987年的竞选宣言则保证工党将大大减少领取失业救济的人数。到了1989～1990年时，这种保证已经听不到了，提出的是一种没有实质内容的替代品，叫做"培训和投资"。与之形成鲜明对照的是，1983年的宣言对宪制改革基本上是保持沉默，只不过说要为取消上院作出努力，其动力还是那种过时的阶级冲突论，并不是因为该党热衷于修改宪法。十年以后，工党却致力于推动威尔士和苏格兰实行地方自治，在英格兰建立地方政府，民选一位伦敦市长(这是第一位通过直接选举产生担任这种公职的官员)，对选举改革举行公民股票表决，并实行了上院的体制改革。

在一个层面上，宪制改革运动演化为左派的"宏图大略"，即以此作为对付保守党的自由市场体制的抗衡力量。1997年时，对于担任公职的左派来说，自由市场体制已经作为一个既成事实基本上被接受了，所以，政治能量需要找到一个新的散发点。除此之外，宪制改革到了 90 年代初已经开始成为一种统一的理论。这一理论最具影响力的支持者是现在担任《观察家报》编辑的威尔·赫顿。他把英国在 90 年代面临的一点一滴的危机和困难用一根线穿连起来，勾画出一幅制度腐朽的图景。伦敦的商业金融中心、"获胜者得全票"的选举制度、私立学校、古老的宪法、公司法的"盎格鲁－撒克逊"结构，所有这一切连在一起就构成了一种迷恋于短期回报（无论是公司的红利还是在选举中获胜）的不稳定的社会和经济环境，其代价就是牺牲了健康的经济增长和机体健全的社会。

甚至英国的高离婚率也反映了这种制度带来的"现货市场"精神状态。[5] 英国最高层人物的离婚事件，即威尔士亲王和公主的离婚，也被引用来作为政治上分崩离析的证据（赫顿先生在 1995 年 11 月 22 日的《卫报》上写道，"他（威尔士亲王）个人的种种困难把国家的种种困难放大了。而北爱尔兰的紧急状态只不过是反映这个国家的政治通病的鲜明实例而已（这个国家是受行政机关直接统治的，并没有经过民众投票的认可。"见 1992 年 7 月 27 日《卫报》）。

赫顿先生对于"行政机关直接统治"并不一贯持敌视态度。他认为英格兰银行独立是必要的。但是，他提倡的这股大潮会使他的论据产生混乱，进而会使整个改革产生混乱。当他在议论什么"绅士资本主义"的时候，他是在哀叹野蛮的盎格鲁－撒克逊式的"现货市场"缺乏"绅士资本主义"风度呢，还是在谴责这种"绅士资本主义"的存在呢？他是不是真地在怪罪伦敦金融市场上追求高回报率的"变现性"（一切证据表明，变现率提高则回报下降）？

还有,英国是不是真的在某种意义上还是一个"准封建"社会?"封建"这个词除了具象征性意义外,是不是还保留着实质的含义?[6]

如果说威尔·赫顿是集中火力攻击中央的话,那么其他改革派人物却从各地方得到启发。在整个改革运动中,尽管大量的证据表明地方政府腐败、营私舞弊、平庸无能,改革派人士还是具有一个重要的信念,那就是地方自治本身是一件好事,而保守党执政的那些年中,最不光彩的莫过于对这种优越的体制加以钳制。安东尼·霍华德在谈到撒切尔夫人时说道:"……(她的)种种丰碑之一实际上就是剥夺了我国地方政府的权力。"[7]

先是限制工资增长率,其后又征收人头税,在这些事件之间还撤消了大都市周围的各郡(县)和大伦敦市政委员会(the Greater London Council)。最后的这一举动被视为激起民愤和妄自尊大达到极致的表现。实际上,大都会周围六个郡的政务委员会几乎没有什么事可做,它们之所以建立是因为保守党政府赶潮流,一心一意要推行城市两级管理制度而不是出于实际需要。英格兰中部的几个郡把郡和区的职责分离开来是合理而均衡的,也符合逻辑,而大伦敦则不同:"大都会"的各大行政区和市在伦敦市政当局中起着极为重要的作用,各郡的政务委员会一般说只是执行一些空洞的所谓"战略"任务。1974~1979年的工党政府考虑过恢复某些城市完整的郡和自治城镇地位,但作出这一决定却是为了防止发生另一次动乱。总之,保守党政府并没有"取消"大都会周围的各郡(它们至今仍然存在),取消的仅仅是各郡的政务委员会。

建立于60年代中期的大伦敦政务委员会的情况则稍有不同。即便如此,它行使的大部分权力也都带有"保留的"或"战略性的"

这类修饰语，真不知道这个委员会怎么能够让它的22 000名工作人员都有事可做。所有这一切都不足以说服改革派人物。安德鲁·马尔斯[8]和西蒙·詹金斯[9]两人都抨击英国那种"过于集中的"、"中央集权的"(詹金斯语)状态，他们要求自下而上地恢复人民当家作主的权力。

民众理应感谢这些杰出的作者以及他们的效仿者。这不仅是因为他们满腔热忱献身于使命的精神为这个国家的活力作出了贡献，而且激起了千百万民众对政治经济的关注，要不是有了这些人，他们对这样的问题都会保持着疏远的态度而不加以过问。在这种情况下，对他们的种种主张以及有关整个改革运动的有益建议，评头品足并表示异议，说它们固然颇具英雄气概，却同英国面临的问题几乎没有关系，似乎不甚礼貌。但是，正如克莱夫·詹姆斯在谈到一位学者的一部艰涩难懂的文学批评著作时所写的："他是一位十分耐心的导师，他主动提出要澄清某个艰涩难懂的问题，而这个难题之所以出现其实他也是有份的。从长远来说，对这样一个人表示感谢一般来说并非明智之举。"[10]与此相类似的是，宪制改革派人物主动提出要医治人们想象出来的疑难病症，我们对他们的努力也不应该过于感情用事地向他们表示谢意。

他们的主要论点是，1989年以后的英国还是一个尚未实现民主化的国家。即使他们的这个论点是正确的，这种论点是否能够对英国国民经济保证这个国家可以为人民提供选择、机遇和社会安定产生积极作用，也是十分值得怀疑的。90年代经济发展最快的(如果不是惟一的)国家之一是马来西亚。在这个国家，轮流执政的是一批地区性的苏丹，管理这个国家的是一个以粗鲁的态度对待其反对党且尚未民主化(实际上是不民主)的政党。1997年，世界上高速发展的地区从马来西亚转移到了拉丁美洲,而这个地区绝对不是以其理性政治文化而闻名于世的。

那么这种论点是不是正确呢? 概括起来说,这种论点指责英国不是一个民主国家,而是一个"半封建国家"(见赫德的文章,1995年1月21日《卫报》)。半封建主义(或者就是封建主义,赫德在某些著作中是去掉"半"这个修饰词的)从政治上说,表现为政治权力的集中性,政治权力被授予政府大臣,代国王行使权力。围绕着这一核心的一切现象都加强了这个中心思想:不经过选举产生的上议院、国教①、戴假发套的法官,当然其中还有君主制。从这一中心产生了一系列邪恶的后果:狂妄自大而又容易犯错误的行政机构、司法不公正、把个人所有权置于合伙经营之上的公司法,把那种令人深恶痛绝的、陈腐狭隘的阶级制度带入生物技术和电子计算机时代。其因果关系是:一种正在腐坏而又拼命维护自己的宪政结构带来的结果只能是机体不健康的、不稳定的社会经济环境。

幸亏还有一个可供选择的出路,这就是那个现代化的、合理的欧洲国家,那里有成文宪法、繁荣的经济、精力充沛而又勤奋的青年、对艺术和文化的慷慨资助、出色的公共交通系统并全心全意地致力于改善人权。这个美妙无比的王国所在地自80年代末期以来多次转移:西班牙一度曾经是阳光灿烂的"欧洲加利福尼亚",那里主办了1992年的巴塞罗那奥林匹克运动会和1992年(国际)博览会。但是,腐败的丑闻和财政困难把这耀眼的光环转移到了其

---

① 国教(The Established Church)指英国的圣公教派圣公会(Anglicanism)。——译者

他地方。德国曾经多年成为出色的典范,那里有生产效率极高的工人在"股份制"企业里勤奋工作;但是到了1997年,失业人口达到500万,使其光辉形象甚至在那些狂热的崇拜者眼里也暗淡了下去。弗朗索瓦·密特朗的法国也许是最不出色的一个,但是那里也有规模巨大的公共事业计划和超高速度的火车,在一个时期内也被视为不亚于德国,直到有大量证据表明实际上由社会党执政的国家是一个高度集中的国家机器,其腐败和滥用权力到了如此严重的程度以至保守党掌权的英国看上去就像托马斯·莫尔爵士[①]笔下的乌托邦岛。最近,爱尔兰共和国已成为备受称赞的范例,经济"虎虎有生气",还有流行歌手、电影明星和几任富有同情心的女总统。我们希望爱尔兰人民享有他们新获得的地位,只要能维持下去,就继续享用。我们这么说,是因为这种地位从来没有长久过。

最终起作用的并不是哪个国家体现了改革派所选择的另一条出路。正如布莱恩·沃尔登在1990年所说,要紧的是这种思想本身:

"欧共体之所以具有吸引力是因为它给我们带来物质上的繁荣。公众已经听说了一些神话故事,例如耗费巨大的社会服务事业、巨额养老金、很长的假期、高工资,外加凡是阳光所及之处的一切活动都获得大量的补贴。……人们到处听

[①] 托马斯·莫尔(Sir Thomns More,1477~1535),英国律师和人文主义者。作为公正的法官和穷人的庇护者而深受爱戴。1516年其著作《乌托邦》(Utopia)出版,书中激烈批判当时的英国社会经济制度,并描绘了乌托邦岛上一个理想的好社会。——译者

说,欧共体的支持者恰巧遇上了一批仁慈的领主,他们对待其臣民就像喂养供斗鸡用的公鸡,让它们好吃好喝。在一种纵容和手足之情的氛围下,不管有无建树,每个人都能过上好生活。不仅人们的个人需求都得到充分的满足,而且公共服务也好得不可思议。人们把大部分时间都消磨在不受污染的海滩上,终日无所事事,除此之外,就是花很少的钱在最快的火车上旅行。"[11]

最近,欧洲大陆遭遇经济衰退和罢工,为了实现单一货币,都在实行紧缩政策以达到《马斯特里赫条约》规定的标准,而人民也不得不受其后果的影响,这诸多困难也使那种丰饶富足的景象暗淡了下来。但是这一切几乎没有使人们对于原来的前提产生怀疑,还是认为欧洲大陆上的人比英国人更幸福、更健康、更有智慧,因为他们拥有开明的经过改革的政治结构。

英国的宪制确实充满了各种怪异的东西,如果我们能够另起炉灶的话,其中许多内容就永远也不会出现。起草这部宪法的将是一个勇敢的人,他将向黑杖侍卫①或兰开斯特公爵领地②那里寻找灵感,或者告诉他的同事,他在澡盆里想入非非时想出了一个叫作"女王的演讲"的概念。问题不在于宪法中有没有这些花花草草的装饰物,关键首先在于它们的实际效果是否把英国排除在西方

---

① 黑杖侍卫(Black Rod),1350年设立的上议院官员,由国王任命,其主要任务是召集下议院议员到上议院去听国王的训谕或由国王宣布批准法案。执行任务时执黑色檀木杖,故名。——译者
② 兰开斯特公爵领地(Duchy of Lancaster)。兰开斯特公爵是英王爱德华三世最信任的顾问,1351年被封为兰开斯特公爵,他在其领地内享有王权。——译者

民主主流之外;其次,如果是这样,那么左派心目中那种社会和经济运作不灵的根源是否就在这里。

英国的宪政与其邻邦有多大的区别呢?只要看一下15个欧盟成员国中有7个国家实行的是君主制并且保留至今没有改动,这一事实还是颇具吸引力的。但是,这大概不大可能让那些改革派就此罢休的。他们最愿意做的事就是把英国已成为化石的、远离民众的王室同欧洲那些进化了的民主化的加冕元首进行比较。因此,我们必须对此作更深入的考察。

也许我们应当从法国开始,因为法国是宪制改革派提倡的那种"合理的"民主政府的发祥地。法国的宪法只有40年的历史,但是对英国制度的指责(今天没有人会从零开始再来创造一套崭新的制度)其强烈程度与英吉利海峡彼岸的强烈程度是不相上下的。法国的政治结构是以一个行政系统的总统为首的。这位总统与美国受到制约的总统不同,他拥有缺乏明确界限的、包揽一切的权力,尤其在外交政策、防务和欧共体国家之间的关系(这是保留下来的一块领地)方面更是如此。只要总统一时兴起,议会、总理和内阁就可能被解散或免职。在这种制度的背后似乎有一个设定的前提,那就是同一个政党既担任总统职务又控制议会。1986年时未能做到这一点,于是立即提出一个主张,叫做"有效同居"。就此而言,法国的宪法和英国的一样也属于"不成文"法。不仅在横向上几乎没有分权,在纵向上也谈不上分权。按照惯例,市长同时兼任议会的副议长,甚至兼任总理;这种市一级和国家一级在政治上的交错已被证明是腐败的温床,因为只要向执政党提供"相应的财政捐款"(实际上是贿赂)就可以获得改建或重建的许可证和得到地方性的合同。

同样，与神话相反，法国也不是一个世俗国家，无论从法律上或事实上讲都不是。法国总统无论本人的宗教信仰如何，他必然是梵蒂冈的圣约翰·德拉特兰大教堂①的教士。法国的市长们按惯例为天主教神职人员提供免收租金的房产，而且法国大多数官定的假日都是基督教的节日。法国同英国一样也封授爵士或骑士称号。实际上，法国和英国在宪制上都具有同样的缺点和长处。

对法国的邻邦德国是不是就批评得少一些呢？它难道不是既继承传统、实行联邦制而又十分开明的典范吗？德国的制度不是在嗜杀成性的独裁统治的废墟上建立起来的吗？对这些问题的回答是肯定的，同时也是否定的。德国的中央政府在许多方面确实是议会政体的典范，但是这个国家的"联邦"性质却强调得过分了。正如约翰·劳夫兰所说，德国的联邦制在很大程度上是把行政权力下放（实际上是庞大的地方政府）和法律上的统一性结合在一起。[12]他写道，德国的各州在任何方面都完全不同于英国的苏格兰，在"权力过于集中的"联合王国中，苏格兰在法律上是享有自治权的。再说，德国尽管有其自己的方式，但是并不比英国或法国更加世俗化。政府在征收其他各种税收的同时，还从注册登记的天主教徒和新教徒的工资中免除"教会税"。这种做法远不止于允许人们自动为教会捐款。这是一种强有力的手段，使教会神职人员可用开除教籍来威胁那些不登记的教徒。

伯纳德·康诺利提到，欧盟委员会主席雅各·德洛尔曾认真考

---

① 圣约翰·德拉特兰教堂（St John de Lateran），罗马最大的天主教堂，由于其历史悠久和正统，成为全世界天主教徒朝观的圣地，同时也是天主教的象征。——译者

虑过一个提议,建议欧共体信奉圣母玛丽亚。[13]这也许是一个绝妙的主意,但是认真思考一下,与过时的英国对照来看,这对于欧盟自诩的理性主义毫无助益。

确实,英国的贵族院是早先不民主的遗产。但是引进终生贵族制(通过政治提名),并且几乎肯定地要取消或剥夺世袭贵族的投票权,从本质上讲,使英国的上议院更接近某些欧洲国家的上议院。例如,爱尔兰的参议院议员中有11名是总理提名的,6名是高等院校选举产生的,47名是由以专业为基础组成的小组选举产生的。原来意大利的上议院议员全部都是由选举产生的,自1993年以来才有了终生议员;11名终生参议员都是前总统和前总理(这是模仿英国的做法)。比利时的上议员则是一个大杂烩,议员中有的是拉进来的,有的是间接选举产生的,有的则是直接选举出来的,其全体议员的构成反映了这个国家的三个主要的民族群体,以此达到和谐的比例平衡效果。

但是,尽管花样翻新,却都是换汤不换药,一个基本的事实是不变的,那就是任何政治体制都是跟不上时代的。越是新近修订的宪法,这种危险就越大,因为没有任何东西像一年前政治上的时新那么快就过时了。以1947年修订的意大利宪法为例:第1条:"意大利是以劳工为基础的民主共和国。"第32条:"共和国为穷困者提供免费的医疗援助。"第36条:"任何受雇者有权得到……在任何情况下都足以维持其本人和家庭的自由而有尊严的生活的工资。"第44条:"法律执行向山区倾斜的政策。"第48条:"参加投票是公民的义务。"最具威胁性的一条是第139条:"共和体制不受宪法修正案的约束。"

无论某人对宪法条文中含有的战后社会民主党的理想是赞赏

还是对什么"山区的权利"加以讽嘲，都难免要得出一个结论，那就是，以我们那些宪法改革派的标准来衡量，这些东西确实令人糊涂。一些看来细小而随机的事情，不论在什么时候，都纳入了法律制定程序之中，变成固定而僵死的东西，而被我们这个时代认为是事关人权的许多大事（如同性恋者应享的权利）在法律中却根本没有提及。问题是一切宪法都有其制定时期的烙印。宪法中的用词常常十分模糊，在情况已经发生变化时，就显得没有什么意义。例如，"意大利是以劳工为基础的共和国"这样的条文就属此类。有时，就像美国宪法的第 2 条修正案（"纪律良好之民团对于一个自由国家的安全保障是必需的，故人民持有和携带武器的权利不得侵害"）这样的条文，经过多年发展到今天就产生极为严重的恶果。为了不让人们误认为意大利宪法只是一个独一无二的例子，让我们简略地考察一下西班牙的宪法。这部宪法是 1978 年制定的，其中第 129 条第 2 款神圣地写入了鼓励建立合作社；第 130 条庄严地规定了要使经济现代化，尤其要重视"农业、畜牧业、渔业和手工业，其目的是要将全体西班牙人民的生活水平提高到同一水平。"第 131 条第一款的内容是有关计划和经济的协调性。

与 70 年代以来采取的种种政治和社会改革妙方并列的还有一些涉及西班牙君主政体的条文，这些条文同英国宪法改革派心目中"封建的英国"最为黑暗的一面不相上下。国王是"神圣不可侵犯的，他也是不负任何责任的"。王位的继承一定要以一贯的"长子继承传统和象征性为依据"；王储"一定要被授予阿斯图里亚斯亲王的头衔"。其他条文则保证西班牙人"具有享有荣誉的权利"，这种提法如果在英国的宪法文件中出现将会受到改革派的嘲笑，但是在"现代化了的西班牙"则显然是完全可以接受的。

在英国支持布莱尔政府第一批实行的一系列宪法重大改革时（如苏格兰实行地方自治和将权力下放给威尔士），西班牙的例子经常被人们援引，包括权力下放给地区政府。在有关改革的辩论中，两派主张改革者之间的分歧是很有趣的：一派相信经过修改的宪法将为中左派实现其目标提供一种手段，特别是在经济复兴方面；另一派则认为宪法改革本身就是中左派的目标。前一阵营中是罗宾·库克，他后来担任了工党政府的外交大臣；1994年10月3日他在布莱克普尔举行的一次党务会议上说过下面这番话：

> "我坚信，英国经济的发展受阻和停滞是因为英国是一个全欧洲权力最集中的国家。在东欧计划经济崩溃之后，只有我们英国的政府还相信一切决策最好由首都作出。但是工党认为，地方比白厅更了解如何使他们的经济向前发展。工党将把发展经济的工具交给地方当局、地方的企业和地方的劳工。"

从这一观点出发，我们可以推断出这样一种想法，那就是政治体制改革会引发全社会各种关系的改变，尤其是经济关系。在这方面欧洲共同体又是一个实例。欧共体坚信，以比例代表制和联合政府为基础的各方取得一致同意的政治体制与各方同意的公司法律结构一起发挥了有效的作用。按照这种公司法律结构，持股人只是由许多持股人构成的集体中的一员。改革派说，难怪英国的保守党人力争英国不参与布鲁塞尔提出的一些倡议，例如工厂委员会，因为在英国守旧的传统主义者看来，真正的工业民主和真正的政治民主同样可怕。

但是,这种完全的对称是否真的存在呢?德国"莱因兰"①的资本主义模式可能会也可能不会使"盎格鲁－撒克逊"制度得到很大的改善,那么把这种模式移植到英国来是不是左派一个合理的目标呢?至于说要保住工作,欧共体国家的工人,无论是法国航空公司的还是德国煤矿的,他们能够起来反对裁员,更多的是依靠英国式的"对抗性"工业关系,而不是所谓的"合作伙伴关系"。1997年最大的工业倒闭事件之一,即设于维尔伏尔德的雷诺工厂的倒闭,完全是根据"联合决定"程序来实现的,那些被解雇的汽车制造工人看到法国公有经济部门的工人实行古怪的"盎格鲁－撒克逊"模式一定还羡慕不已哩。这些法国公有部门的工人能够通过罢工迫使 1997 年以前主张降低成本的各届右翼政府作出了一系列的让步。

此外还有一个根本性问题,那就是在正常秩序下,工人在他们所在的工厂中是不是"合作伙伴"。这并不是要恢复极左派提出的反对拉拢和腐蚀无产阶级的战斗口号,不过是提出一个简单的问题,即自由社会中雇佣关系的实质是什么。英国同其他国家一样,"开明的"老板和工会想方设法定期提高工资,以此来取代对工作岗位的保证。劳资双方签订一些长期有效的具有约束力的交易性协议,以求在工资的上限与保证一定的就业水平之间保持某种平衡,但是这种交换条件总是不断地遭到破坏,原因是缺乏"稳定"劳工队伍的手段,因而没有办法阻止工人到封闭性的公司经济以外去找工资较为优厚的工作机会。工人向外流动不可避免地成为公司内部提高工资水平的一种压力。在某种情况下,这种出自好意

---

① 莱因河以西地区的统称。——译者

的交易实施的结果表明,"交换"来的是不可"交换"的东西。而改革派的主张则是建立在一种完全错误的推论基础之上的:政党是以某种"联合"的方式在一起工作并从中获取利益的,但是员工和管理层并不是不同的政党。

再说,说"伙伴关系"是长远成就的保证,证据并不充分。假定我们这个世界更公平一些,毫无疑问,实行雇佣关系的公司最终将输给那些实行伙伴关系的公司。但是到目前为止还找不到这样的证据:有一家宝马公司(BMW),就必定还有一家福特公司(Ford),有一家布朗(Braun)公司就有一家国际商业机器公司(IBM)。有一点是肯定的,无论在莱因河,默西河还是哈得孙河上①,让雇主和雇员之间具有某种平衡的讨价还价权力,最佳方式就是竭尽全力搞好经济,并让集体与个人之间不受约束地进行讨价还价。

再说,受到高度赞扬的"莱因"模式反映出某种程度的财务机密和缺乏透明度。人们可以想象,这一点会使改革派惊恐万状。说明问题的财务数字照例是保密的;秘密储存的现金则被用来掩盖利润状况。最了解情况的就是董事会里的人,持股人和工人毋需为复杂的财务问题操心。1993年9月,庞大的戴姆勒-奔驰集团公司报告,上半年的亏损达到10亿马克。最令人震惊的是这一财务赤字之所以曝光只是因为戴姆勒公司打算在华尔街证券市场上登记注册才不得不公布了详细的财务收支状况:根据德国莱因模式的规则,戴姆勒本来可以报告说该公司获得了1.68亿马克的利润。没有人比他们更聪明了,其"社会伙伴"(即工会)肯定是不

---

① 分别为德国、英国和美国的三条河流,作者以三条河流代表上述三个国家。——译者

会那么聪明的。

除了所有这些反对意见之外,没有任何过硬的证据能表明有"伙伴关系"(在金融领域相应的用语则是银行和公司间的"长远"关系)同一个国家的政治体制有什么实质性的联系。日本是世界上金融和产业间合作最为密切的国家了,但日本实行的是"得票最多者当选"的选举制度和傀儡天皇相结合的政治体制。与此相对照的是爱尔兰共和国。那里实行的比例选举制堪称世界之最,而这个国家从来没有工业领域"合作伙伴"的传统或银行－产业联盟的传统。反过来说,也没有证据表明,各国按比例制选出的政府就一定会支持莱茵模式的资本主义。1994年的关贸总协定很快就显示出与莱茵模式是不相容的,很可能就是这种水火不相容性导致前者战胜了后者。法国和德国联合起来,几乎肯定可以阻止欧共体集团签署关贸总协定,假定还有一些"股东"成员国如荷兰的支持,就更加可以做到这一点。结果,布鲁塞尔几乎没有多费唇舌就签署了关贸总协定。

不过,并不是所有宪制改革者都把改变政体看作是经济体制变革的预兆。在有些人看来,改革本身就是左翼的目标,为了实现这一目标,除了"下放权力"和"扭转集权倾向"之外,并不需要更多的东西来证明其正确性。在苏格兰实行公民投票表决的运动中,托尼·布莱尔表示他同意第二种发展方向,1997年9月8日他在格拉斯奇说,地方自治就是要使英国的宪制现代化,使权力更接近于人民。那一年的早些时候,布莱尔政府平静地确认,苏格兰的议会如果愿意的话,可以有权恢复死刑。有一种观点确信,使权力更加贴近人民的行动本身就是一个可取的目标,而上述例子就再清楚不过地反映了这种观点。然而绞架的阴影却恰好引出了1989年以后左翼思想的第二个主要组成部分,那就是社会集权主义。

指挥与控制:英国公众的国有化

格拉纳达①电视连续剧 Cracker 中有一集一开头,主角(罗比·科尔特伦纳)坐在一辆黑色出租汽车的后座,这辆汽车内乘客座位区贴满了各种禁令:不准吸烟,不得将脚放在座位上,在此车内不得购买食品和饮料,不收支票或信用卡,不得让司机分心,等等。因为科尔特伦纳点燃了一支香烟发生了一场争吵之后,司机闻了闻车内的气味,于是就问这位乘客是不是在车内放过屁。科尔特伦纳问道:怎么啦?难道放屁也是禁止的吗?

这个场面引起了各种习惯和信仰的人们的共鸣。无论什么人,只要在1997年乘坐过伦敦的公共交通车辆都会证实该剧的编剧所描写的场景十分真实。公共汽车和地铁车厢里,凡是可用于张贴的地方几乎都贴满了各种禁令和警告。五年前,伦敦交通局确实出版了一本用有光纸精印的宣传小册子,其中详尽列举了各种被禁止的损坏该局的建筑物、车辆和铁路客车的活动,并通过售票处发行这一本"乘客必读"的小册子。

上述的这一切都是我们在前面已经讨论过的"放松国家对资本的控制,同时加强了对公民个人的控制"的一个侧面。在1997年以前的英国,这一过程几乎全部与保守党政府有联系(我们用了

---

① 格拉纳达(Granada),英国的一家电视台(公司),获准向英格兰西北部播送节目。——译者

"几乎"这个词是因为由工党控制的地方当局对于这种控制文化也曾作出过自己的贡献)。现在保守党下台了,这是否意味着政策要翻过来了,抑或这种政策还要强化?

过去有一个时期,这样的问题几乎是不需要提出的。以往几届工党政府曾大规模地把国家从广大的个人活动领域中"撤出来",这一举措几乎可以同英国军队在世界范围内从过去的殖民地撤退相提并论。虽然笼统地将60年代所有的变化都称之为"开明的改革"是不正确的(废除死刑和堕胎合法化都不属于这个范畴,这两者都以不同的方式反映了"好社会"这个概念发生了很重大的变化),但是,因为堡垒被一个接一个地放弃,国家这面旗帜也随之降下来,却是千真万确的。这些堡垒包括戏剧上演前必须经过审查,成年人同性恋是禁止的,文学、电影和电视都受到严格的控制。法定成年年龄降低到18岁,与此同时格雷特纳式的婚姻①行业也经营不下去了,大学里的工作人员也卸下了代人为父母的沉重包袱。

70年代,詹姆斯·卡拉汉和他的副手迈克尔·福特成功地把那个强制执行系安全带的计划搁置了起来,卡拉汉的根据是平民主义,而福特的根据则是自由主义。工党的大臣们批准的这类"撤退"也并不只是与进步的中产阶级的迫切愿望有关。开放"欧尼电子摇奖机"②和场外赌马下注这两件事是同劳工阶级文化密切相

---

① 格雷特纳(Gretna)是苏格兰南部的一个小村庄,地理上紧靠英格兰边界。在苏格兰结婚限制较少,可不经父母同意。因此英格兰不符合结婚条件的男女,如私奔情侣往往跑到这个村庄去结婚,使办理结婚成为那里的一个行业。——译者

② 欧尼电子摇奖机的原文是"Ernie",这个词是 electronic random number indicator equipment 的第一个字母组成的缩写形式,这是用来确定政府债券的中奖号码的一种摇奖设备。这里指的是购买政府有奖债券是劳工阶级的一种嗜好。——译者

关的,但是这是保守党采取的措施。不过,历届工党内阁在当时都有力地保护了(更不用说采取保护态度了)传统的劳动者的享乐方式。1971年1月,费边社①出版了一本小册子《一个社会民主主义的英国》,作者是最具中产阶级倾向的工党重要人物安东尼·克罗斯兰:[14]

> 支持我的工人阶级有着他们自己对环境的说法,他们的说法也同样十分生动具体。……他们需要不大拥挤的居住环境,有较好的学校和医院;他们需要洗衣机和电冰箱以减轻家庭杂务的负担;他们需要汽车以及汽车给他们带来的度周末和假期的便利,他们需要通过一揽子旅游安排到马略卡岛②去旅游,在僻静的海滩上吃鱼和薯条。他们为什么就不能享受一下阳光呢?他们想要得到这些东西并不是因为他们被洗了脑,或因为他们的口味受了广告的影响已经变得不那么纯天然了,而是因为这些东西本身就是令人向往的。

二十多年以后,工党的要人似乎已不大可能还把这些劳工阶级的生活必需视为可望不可及的向往了。例如鱼和薯条,就不太符合最新的"健康饮食"指南的要求,而阳光则可能增加患皮肤癌的危险。到马略卡岛去旅游本身不一定是坏事,但是当旅游者读了各式各样的、内心感到厌恶的政府小册子,在小册子重要处划上横道之后,他们增长了见识,懂得了饮酒要适度和使用安

---

① 费边社(Fabian Society),1884年成立于英国,主张通过渐进方式缓慢地实现社会主义。——译者
② 马略卡岛(Majorca,又称Malloca),位于西班牙东部。——译者

套防止性病传染，特别是防止艾滋病，于是他们就可能改变看法了。

1977年克罗斯兰英年早逝。在他死后20年，工党重新执政，上面提出的那个问题很快就有了答案：左派的胜利表明控制文化的政策是强化而不是缓解了。工党在开始执政的三个星期内，外交和政治上的日程排得很满，任务很重，要参加在阿姆斯特丹举行的欧盟首脑会议，还要为爱尔兰的前途举行艰苦的谈判，但是工党还是腾出时间来建议禁止为烟草做广告，禁止为这种广告提供资助；在全国发起母乳喂养运动，向公众发表演说，主张在水车上装上节水装置以减少水的消耗，并宣布政府打算强制在自行车上安装车铃以确保行人安全。不久之后，卫生大臣组织了一次示范行动，告诉人们做饭前洗手的正确方法。

新的权力服从和原来的相互宽容之所以形成如此鲜明的对照，从一个方面说，仅仅说明了工党的选民基础已经发生转移。当克罗斯兰先生维护那些想享受阳光、海水和性的群体，让他们不用花费多少钱就可以度假和享用快餐时，他是在保护他的选民基础。其后社会结构发生分化，使这一运动的基础发生相当大的变化。假如说，技术人员、律师、"广义的"卫生工作者、顾问这些严肃的、政治上正确的新中产阶级，从数量上还不足以构成工党的新选民基础的话，这些人至少可以称之为工党的中坚力量。以往，工党的大臣们在向其工人阶级支持者发表演说时，大谈他们嗜好冒泡的啤酒和"神鹰20"[①]无异于自杀，而今天如果不谈这些反倒是自毁前程了。

[①] 神鹰20（Condor XX），是一种用于烟斗的浓烈烟草。——译者

这种转变也反映在运动领袖形象的变化中。奈尔·金诺克是根红苗正的工人阶级出身，维护矿工利益，坐在劳动者的俱乐部里，在烟气弥漫的环境中大讲黄色笑话而怡然自得，他大概是后无来者的一个人了。他接受了"开明的"社会意识和他戒烟不成一样，纯粹是他个人的事。这只不过是一个乡下孩子取得成功过程中的一个组成部分而已。他喜欢喝酒，平易近人，他在对公众发表演讲时，中心题目总离不开大讲保守党人如何的缺德。

约翰·史密斯的当选标志着重心的转移。史密斯是一位苏格兰律师，据报界评论员们说，他的重要资本是他那"银行经理"的风度和一派深谋远虑的气质。他的这种资本在英格兰选民中究竟引起什么反应（在任何选举中，英格兰总是主战场），从来没有人做过分析。不过，在他短短的担任领袖期间，在某些观察家看来，他不幸养成了一种坏习惯，那就是严词谴责英国南部，说那里人自私自利；在南部正陷入"负面的公平"和"丧失信心"的困境时，这样做对于他获得南部的支持也许并不十分策略。这里私下还传递着一个信息：英国之所以屈从于他国，就是因为南部的贪婪和自私；南部的行事方式，即"撒切尔主义"，曾经给英国带来好运，掀起了一个"让你自己富起来"的热潮，但随之而来的却是让人不知所措的持续衰退；苏格兰（被认为由于某种文化和遗传的原因更倾向公有社会）会为治理国家既提供疗法又提供医生，这就是史密斯先生。

直到1994年托尼·布莱尔接替了史密斯先生，工党在社会和政治上的联盟重组才告完成。布莱尔律师出身，又娶了一位当律师的妻子，还爱到托斯卡纳去度假，像他这样的人，如果让参加克罗斯兰提倡的一揽子旅游的那一群人威胁到他田园诗般的假日生活,他肯定会惊恐万状并作出他的反应。他感到惊恐并不是因为他本人的平和和安静受到干扰。人们很快就看清了工党的新领袖是一位不加掩饰的社会卫道士,他决定要按照"公有制社会"的路线来调整英国的社会结构。在实践中,除了在社会工作者的主持下实行某种强制性的集体主义之外,他的这种路线并不容易被察觉。有人嘲笑他是一个"传道士",有人则指责他是假装圣洁。这类批评只不过像玩具枪射出的纸团子弹,打到为他竞选的热闹宣传车车帮上就弹开了,对他不会造成丝毫损伤。

用地道的中产阶级口气进行半宗教式的规劝使工党新领袖的行为方式就像一所颇有名声的英国圣公会寄宿学校里的一名舍监。按照这位舍监一般的行事方式,对于有真正问题的孩子,学习的大门总是敞开的;对于那些虚度光阴的学生,躲在自行车存放棚后吸烟的学生以及那些一般来说行为(用布莱尔喜欢用的词来说)"可悲"的学生,反倒处处刁难。难怪1996年1月布莱尔选择了新加坡(其实这就是一所假充主权国家的寄宿学校)来发表演说,大肆赞美这个"股东"社会。新加坡狂热地致力于建设一个"卫生"的社会环境,竟创造性的发明了"厕所警察"这样的新事物。这些警察组成小分队,专门逮捕那些在厕所里方便后不放水冲洗的人,并处以罚金(这些厕所里装有报警音响,可以唤来小分队执行任务)。新加坡的生活还有一些别的特点,其中包括国家出资兴办的婚姻介绍所、禁止嚼口香糖以及普遍地禁止吸烟。

布莱尔就任后,当他的政府征聘一位"反毒克星"时,他再次向新加坡学习,宣布英国的海外情报机关军情六处(MI-6)将协助实施"反毒战争"。过去,许多中产阶级的行政领导曾经对新加坡街道清洁和犯罪率低倍加赞扬,现在他们中间的一员所据的地位已经让他可以在英国国内推行相似的做法了。如同商界盛行采用"参照评估"的技术来评估自己的公司与对手竞争的效果,布莱尔似乎已下定决心要把从新加坡这样的国家学来的"最佳措施"移植到英国来。

不过,除了工党新的阶级特性以外,向权力主义转移还有更深刻的原因。其中之一就是英国左派与城市劳工阶级的离异。保守党的一些政策,例如统建公寓①的"本世纪大甩卖",使保守党一举成名。工党和"工人"对此感到无比震惊,由此工党和"工人"开始分道扬镳。90年代后期,知识界对新兴起的富裕劳工阶级甚为反感。当他们开始集中力量的时候,工党及其新的核心支持者已经准备好作出反应了。这种激烈的反对具有不同的形式:提倡"绿色"消费主义,提出"艾塞克斯人"(工人阶级中那些素质不高、生活好斗又不遵守道德准则的个人)概念,有些城市规划部门想方设法(多半是徒劳的)阻止开设麦当劳经销店和设立卫星电视天线,内务部对白人居住区(用心良苦地将之归入城乡结合部)酗酒闹事展开调查,对暴力抢劫②和青少年高速开车在道德上感到恐慌,仓促通过立法禁止饲养"具有危险性的狗",而这些狗却是那些一肚子啤酒、毫无知识的男性劳工所钟爱的。1992年,托尼·帕森斯抨击这个新兴的劳工阶级以及与之有关的罐头啤酒、电脑游戏、足球场上的暴力行为和愚人文化。"劳工阶级中有些美德已经死亡,例如

---

① 统建公寓(council house)为郡、市统一建设的公寓,价格比私人营建的住房要便宜一些,属于福利待遇的一部分。——译者

② 暴力抢劫(ramraiding),90年代盛行于英国,特指盗贼驾驶偷窃来的汽车,撞破商店的门脸,径直开到店堂,将商店洗劫一空,装上汽车,警察尚未赶到已逃之夭夭。——译者

讲究体面、有社会意识、聪明、正派和机智等等。人间的精华已经变成了社会渣滓。"①15他们这个世界都被摄影家马丁·帕尔无情地摄制成电影,如《新布赖顿》(1984年)和《录相放映厅》(1985年),描写的是消费无度带来了废品流溢的垃圾箱和污秽的环境,以及一群马丁·艾米斯笔下懒惰而贪婪的掷镖玩家基思·泰伦特这样的人物。16这种强烈反应抨击的对象囊括"在职的劳工阶级"和长期失业和不可雇用的劳工阶级,就是所谓的"下层阶级"。工人确实被描绘成下层阶级的成员,不过他们有钱,而且有太多的钱,结果对社会、对个人都有害无益。不管他们有工作还是失业,他们只能被称为贫贱的白种人。②

对于这种心态,工党不仅可以泰然处之(这些弃党而去的选民本来就不值得被留住),而且工党还可以毫无政治风险地执行其"改造"这一不健康、不起好作用的社会成分的任务。其实,工党把改造这种粗俗文化逐渐纳入总体上对犯罪采取的强硬立场之中,还可以使工党从中获取巨大的好处。当布莱尔还是影子内阁的内政大臣时他就宣称:"对犯罪不能手软,对于消除犯罪的根源也不能手软。"所谓"对犯罪的根源不能手软",其实是一张空白支票,在对劳工阶级的态度和行为进行打击时,可以随意填上他所需要的数字。

不过,需要"转变态度"的不仅仅是传统意义上的无产阶级。根据新思维,一般来说,英国被视为一个长期深受苦痛和封闭的国

---

① 原文为"The salt of the earth has become the scum of the earth,"直译应为"世界上的盐都变成了浮渣,"此处为意译。——译者

② 贫贱的白种人(white trash),原指美国南部贫穷的白种人。他们与北方富有而体面的白人有着天壤之别,尽管他们都是白人。——译者

度,它需要一大批顾问、平息怒气的专家以及其他专家队伍。按照苏西·奥巴赫(此人因担任威尔士公主的私人医生而一举成名)的说法,这个国家缺少"对情感的理解"。据托尼·本的看法,保守党政府1972年通过的产业法已经为"实行社会主义"奠定了基础,做好了准备,所以,保守党1990年作出决定,允许全科医生从地方卫生部门那里获得用于聘用健康顾问的70%的经费,也就为90年代末实行"精神控制"文化铺平了道路。精神辅导顾问的人数,即英国精神辅导医生协会的成员,从1987年的3 451人猛增到1994年的10 700人。精神健康"专家"出现在一些绝对意想不到的地方。青春少年因1996年最初的几个星期流行乐队Take That解散而痛苦不堪而向这些专家进行电话咨询;英国广播公司(BBC)的记者1994年要报道1944年二战盟军在法国北部登陆五十周年纪念日(D-Day),他们的雇主主动为他们提供帮助,以解除他们可能感受到的情感上的压力(有人提到,很难理解这一事件的参与者如果没有那些精神健康顾问们好心对他们进行安慰,怎么能熬过来)。

1997年8月31日威尔士公主戴安娜亡故后,政府实际上是负起了处理举国哀伤的责任,一切对工党能否致力于"感情理解"的怀疑也就一扫而空了。这件事不仅使政府和"正当情感"联系在一起,而且还明确反映了人们心目中国家工作重心的根本转移。1976年英国发生危机以及随之而来的紧缩措施之后的20年对英国人来说是一段艰难的岁月,其间只有80年代末经济高度繁荣才使国家有了生气。一届工党政府本来一度可以通过推动充分就业和其他措施来促进普遍的物质繁荣和安全感,以此来结束这段艰难时期。但是现在工党政府却仅仅乞灵于某种含糊不清的精神升华,其中还有报界评论员们有步骤地推波助澜,说什么对戴安娜公主的哀悼标志着英国国民性格的一场革命。有些人甚至说,受到5月1日工党选举胜利的鼓舞,对戴安娜的哀悼反映了某种进程缓慢的公众群起对权力的反抗(继续习惯性地污辱宪制改革派将他们比作捷克的持不同政见者,有些评论还示意说,5月选举的胜利是一次英国特有的"天鹅绒革命"①)。

对犯罪的强硬立场和一心推动所谓"情感工程",两者结合在一起,就成了对6 000万英国人私人生活的"微观"管理,从做家庭作业花多少时间到日常饮食结构,从个人的生活习惯到在酒馆喝醉酒,无所不包。在主张实行社会权力主义的人眼中,从本质上讲,英国就是一个可能做出不轨行为的等级社会。借用奥威尔在《大洋洲》一文里的说法,有那么一个无产阶级,他们吸烟,喝低劣的烈性酒,具有暴力倾向,对教育和培训持否定态度,在"外层"总有一批人具有"不反对"吸毒的危险性,对子女的教育也不能进行应有的督促,在"内层"②则有一批颇有成就的脑力劳动者,他们经不起洗黑钱、逃税和幕后交易的引诱。具有讽刺意味的是,假定严厉对待犯罪和重视法律和秩序是一个等式的话,那么,前者在左派内部就引起很多批评,而后者一般倒是没有理由加以反对的。工党现在不是,过去也不曾是一个开明的政党。上面提到的工党在干预私人生活方面有所收敛,是考虑到公众利益,从实际出发又经

---

① "天鹅绒革命"("velvet revolution"),似指非暴力的革命,同天鹅绒一般的温和柔软。——译者

② "内层"和"外层"(" inner party and outer party"),来源于乔治·奥威尔讽刺苏联"极权主义"的小说《1984年》。所谓"内层",指的是统治者,或上层阶级,而"外层"则为下层广大被统治者。——译者

仔细权衡后采取的行动,而不是受意识形态的支配而确定的立法重点。工党在执政期间,在安全问题上采取强硬路线,如向北爱尔兰派遣(陆军的)特种空勤部队(SAS),通过反恐怖主义法,在"B上校"、ABC秘密审判等事件中都采取坚定的立场,通过埃德蒙德·戴维斯的报告提高警察的工资,等等。工党一直都十分清楚,其传统的支持者一般来说对法律和秩序持有偏执的看法,而他们是犯罪的主要受害者,万一对罪犯过于"软弱",其右翼反对派就会毫不留情地利用它来打击工党。

无所畏惧地、不偏不倚地坚决执法,就其自身而言,与文化控制毫无关系。这样说确实是一种悖论。但是,把公共领域内严厉的监管同国家提倡的重新安排家庭和个人生活结合在一起,那就有从法治社会转化为《活的马克思主义》杂志(有些夸张地)描绘的"开放的监狱"的危险。

工党对于公民权利显然采取了一种"资产负债平衡表"的做法,即每一项权利都附带一项对等的与权利相对立的义务。这样一来,上述的危险性就更大了。1997年6月13日,托尼·布莱尔在伍斯特向一批听众讲:"权利和义务不得受到侵害。"但是实际上它们并非不可分的。要说任何权利都附带着义务的话,莫过于有义务尊重他人所享有的权利,权利和义务本来就是两种不同的东西;不履行义务并不意味着没有资格行使权利。

权利和义务不可分割是一种伪箴言。与此相联系的意思就是,只要政府提出的任何属于治标的经济措施(保住工作就是一个明显的例子)被某人接受,那么这个接受者就立即被一张义务的网套住了。《先驱报》在报道伍斯特会议时写道:"(布莱尔先生)强调,谁要是拒不接受已经得到改善的机会而去追求一种犯罪的生活方式,那么他将受到严厉的惩罚。他在总结政府关于法律和秩序的哲学时说道:'当你已经被给予机会而你却拒不接受时,你将受到更为严厉的惩罚,那时你不要大惊小怪才好。'"迄今为止,法院的判决之所以正确,其主要理由就是你罪有应得。从目前的状况来看,国家为改善个人境况实施的计划本身就会使犯法行为更加严重。乔纳森·考尔德1997年9月15日致函《卫报》,他在信中写道:"工党实际上正在把失业改头换面,变成了某种形式的个人犯罪。"

正如坚定不移地实施刑法与控制文化两者相对立一样,按常规执行对个人之间和公司之间关系进行规范的民法与控制文化也是相互对立的。民法的核心概念是必须有甲方和乙方(如同必须有"原告"和"被告"两方)。假定某位男士对其女秘书进行性骚扰,又假如一名雪茄烟成瘾的人闯入了一个特别珍视新鲜空气的居民区并在那里吞云吐雾,那么无论是哪一种情况,这个人都可以说是犯下了过失。控制文化注意的是"政治上的正确",但它摇身一变,成为完全假想出来的丙方,而丙方的权利和利益需要国家机器、社会管理人员和警察来维护。鉴于丙方并不存在,当然也不能站出来说话,结果就是为了保护他们,采取任何严厉的措施都不算过分。

因此,在美国,(至少)是不鼓励工作场所的桃色关系的(这里指的是纯属同事间两厢情愿的关系)。1997年11月6日《虎报》(*Standard*)晚间版报道,伦敦的金融商业区也开始效仿美国的做法。于是,旅馆都必须留出大面积的禁止吸烟区,以免得罪想象中的那些讨厌烟味的客人。公共场所饮酒必须依法禁止,以免发生饮酒者中间有些是想象的未成年人。商店收款处不得摆放糖果,以免有些家长拗不过孩子的要求给他们买糖果吃导致影响儿童的健康。

无论是办公室里的风流韵事还是家长对孩子要求买糖果的反应,一度曾经被视为仅仅是甲方和乙方之间的人之常情的关系,甚至仅仅是甲方(旅馆经理出于周到,坚持所有的客房都要保持空气新鲜,客房暂无客人居住时一定要吸尘)单方面的行为,上述所有的例子都属于这个领域,但现在这些例子却象征着通常属于公共领域的矛盾和冲突正在转移到私人领域。换句话说,正如我们在别处说过的,那些公共领域里的人不恰当地处理本属于工作场所和家庭里那些尚可容忍的、两厢情愿的事情,把私人领域里的冲突公开化,而这些冲突本来并不存在,或者是只要双方不断地作出让步或通过非正式的协商一致就可以弥合的。

于是这就成为一个社会权力主义的问题了。新型的"经济至高无上"地位是英国的精神:下层阶级必须更新他们的观念,而在工作岗位上的人则要服从于"团队建设"并接受"态度评价"。换言之,国家的目标就是要改造乔治·奥威尔所说的存在于人们头颅内部几平方厘米的东西。

权力下放:合不拢的东西合二而一了

1997年9月11日,苏格兰人民投票赞成地方议会拥有有限的征税权力。新工党政府承诺要进行的伟大宪制改革的第一艘航船就要下水启航了。新闻界对这一决定国家命运的时刻津津乐道,但是实际情况却不免有些枯燥乏味。苏格兰新的地方政府被授予一大堆杂乱无章的职能和责任,选择了这种做法实际上是为

"合理的"宪制改革做了一次蹩脚的广告(例如,苏格兰议会可以自行处理死刑问题,但是在堕胎、颁发车辆驾驶执照或金融服务等问题上则无自主权)。工党总的宪制蓝图也并没有显出特别的合理性:计划中的苏格兰、威尔士、北爱尔兰和大伦敦的议会情况也各不相同,而工党对于"韦斯特·洛西恩的问题"(为什么苏格兰的议员可以就关系到英格兰的事务投票表决而苏格兰的事务则由苏格兰议会自身来决定?)的反应却是假装视而不见,认为根本不存在这样的问题。

但是,如果说苏格兰的权力以及与之相关连的种种创新不能作为为宪制改革辩解的依据,那么无疑只能动用文化控制的推动力。其中最突出的是苏格兰议会。它似乎能够消除大量底特律式的新型犯罪行为。可以预料,它将制定数以千计的法规,涉及公共场所饮酒,私下吸毒,在电话亭里吸烟等等,大概也不会遭到反对。苏格兰的立法者们已经在摩拳擦掌,跃跃欲试了。苏格兰将是宪制改革和加强社会控制融为一体的一个重要的标志。

整体宪制改革有个全盘规划,尽管其中不无缺陷。同时还有一个同样具有缺陷的规划,那就是企图把社会管理者和经理阶层的文化强加于整个社会。有人甚至可以争辩说,在某一时期和某些地方,左派也可能依法推行这类计划,但是必须注意到两个危险信号:无论实行哪一种计划,其中现在没有、将来也不会有什么界线分明的左派,也不可能反映什么中间路线的政策纲领,或者什么理性思维或意识形态。第二,这两项计划中无论哪一项都是死胡同而不是畅通无阻的走廊。我们在前面曾写到,宪制改革同英国面临的现实问题并没有太大的关系(在社会权力主义问题上,我们也是这样认为的)。它们可能与现实问题有关,那只不过是因为支持者认为问题要不是出在宪法上(没有商量余地),就是出在公众的生活方式上(也没有斟酌的余地)。无论哪一种计划都不会有什么结果,两者都是死胡同。

第 七 章

让我们替卡尔·马克思捎个信：市场秩序下不平等也不安全

国家治理、经济、学校，总之社会上的一切事物都不是为一批享有特权的少数人利益服务的。我们能照顾自己。社会上一切都是为芸芸众生的利益服务的。这些人不特别聪明或引人注目，他们也没有受过高等教育，没有什么成就或命中注定会前途辉煌———一句话，他们实际上就是一些普普通通的人。……任何社会，只要是为这些人设计的，不是为富人、聪明人和出类拔萃的人设计的，那么这就是值得在其中生活的社会。……世界并不是为我们的个人利益而存在的，我们生活在世界上也不是谋图个人利益。一个自称具有这种意图的世界不是一个好的世界，因而也就不应该长期存在下去。

埃里克·霍布斯鲍姆：《论历史》，第9页
Weidenteed & Nicolson 公司出版

在全球范围内，贫穷、人口增长和环境恶化加在一起就形成了对国家安全的威胁。

摘自《现实世界的政治》，Earthscan, 1996

>……于是资本家可以伪称他们是财富的创造者,是他们为其他人"提供"了工作。其实,他们的所做所为都是窃取他人的劳动成果,除非他们被允许继续窃取,否则他们就会不允许将窃取来的劳动成果用于发展生产。
>
>　　　　　克里斯·哈尔曼:《疯人院的经济学》
>　　　　　　　　　　　　Bookmark, 1995

千里长堤,毁于蚁穴。专制政权一旦开始步履维艰地走向自由化,它们就变得非常脆弱,不堪一击。米哈伊尔·戈尔巴乔夫执行公开性和改革的政策断送了苏联和东欧的共产主义,恰恰证明了这句古老的格言。开始就是一两户勇敢的东德和匈牙利人家挤进破旧不堪的特拉本特汽车逃往西方。几个星期内,从中欧上空拍摄的影片就像二战时的新闻纪录片中出现的难民在轰炸中纷纷逃离家园的景象。此后不久,弧光灯照到的就是年轻的德国人手执大锤走向柏林墙了。

自从1989年那个寒冷的深秋之夜起,马克思的名字就失去了光彩。马克思主义的堡垒一个接着一个地坍塌了;非洲那些执行强硬路线的独裁政权,东南亚的农民政权,东欧那些受他人庇护的国家,已经纷纷拜倒在自由市场资本主义脚下。像印度这样的国家,过去在两大阵营之间脚踩两条船的政治精英们都满怀热情地接受了自由放任主义,以此来解决自身的问题。除了古巴和朝鲜之外,现在已经很难找到为共产主义奠基者说好话的人了。马克思错了,事情就这样了结了。

但是,事实当然并非如此,马克思在许多重大问题上错了。在冷战结束前多年,他犯下了许多根本性错误已经十分明显。卡尔·

波普尔在《开放社会及其敌人》一书中指出,只有那些实行小农经济而且又摆脱不了封建主义的国家才接受马克思主义。在《资本论》中,我们发现马克思认为革命条件成熟的是发达的工业国家,而事实证明这些国家显然排除了革命的可能。当受压迫的无产阶级不再受到日益贫困化的威胁,而且逐渐变得更为富有和心满意足时,他们组织起来进行阶级战争的可能性就变小了。

马克思的著作(他喜欢将这些著作与牛顿和达尔文的发现作比较)实际上一部分是历史,一部分是经济分析,一部分则为幼稚的未来学。他未能预见到资本主义居然是这么有弹性;资产阶级远非消极等待群众起来使曼彻斯特、柏林和纽约的街道上血流成河,他们早就作出了让步,而且是很大的让步。公民权利扩大了,福利国家出现并得到了发展,工会活动也得到容忍。这些改革中的大部分都是在保守派而不是激进派的推动下实现的。提出第一个养老金计划的是俾斯麦;在爱德华七世的英国推动了改革的是作为自由党人在阿斯奎思政府中任职的丘吉尔;在30年代的美国建立了福利安全网的是罗斯福。美国的情况颇能说明问题。如果说曾经有那么一个国家曾经具备发生革命的各种因素的话,那就是19世纪后期的美国,当时的美国充斥着掠夺成性的产业巨头和大批贫困化的移民。但是,宅地法①的通过使定居者免费获得西部的处女地,同时还通过了严厉的反托拉斯法,以阻止权力垄断。这一传统一直延续下来,到第二次世界大战后通过了"美国军人法案"(GI Bill),这项法案的目的是使退伍军人有机会接受良好的教

---

① 宅地法(Homestead Act),1862年经美国国会通过实施,其中规定每个移民在当地定居并连续从事耕种五年后即可以微少的费用获得160公顷的土地。这部法律大大刺激了向西部移民,开垦荒地。——译者

育,让他们也能享受战后的繁荣。60年代有关公民权利的立法和林登·约翰逊的"伟大社会"计划都是以这种哲学为基础的。在约翰逊的故乡得克萨斯州,这项计划被称为"让每只锅里都有鸡";到了今天,就叫做"人人都有份"。二战以后,马歇尔计划和福利国家计划双管齐下,保证无论在国内还是国外,在这一制度下,每人都有一份,使这一主张达到了极至。

资本主义灵活机动的策略使马克思主义在西方仍然是一个并不重要的学派。只是在一些因为战败而使民主制度遭到破坏的欧洲国家,如一次大战后的德国和二次大战后的法国和意大利,才存在着共产党夺取政权的真正危险。即使在那种情况下,革命的激情也很快消失了。

但是,西方以一种坚定不移的方式来强化自身,而这种方式却又加强了马克思的主要论点之一,具体说就是,如果让资本主义自行其事,它就具有内在的不稳定性。在马克思从事著述的时期,这无疑是正确的。那时,经济周期激烈波动,结果以惊人的规律性交替出现繁荣和衰退。从马克思去世的1883年到二战后出现黄金时代的1973年这90年中,资本主义已经变得更加人道了,这一事实却又强化了马克思的另一个重要论点:社会是在斗争中变化的。

在本章的其余部分我们要阐述的问题是,西方,特别是美国和英国,采取了积极进取的资本主义形式,加速了80年代的共产主义崩溃。美国在80年代大规模地加强军事力量,玛格丽特·撒切尔和赫尔穆特·科尔同意美国在英国和德国的基地部署导弹暴露了苏联在经济和政治上的破产。但是一旦外来的威胁消除了,一旦全球只有一种发展模式可资利用,资本主义很快就把100年来积累起来的历史抛到脑后去了。福利国家已不再被视为对付共产主义的支柱,也不再被认为是让工人保持满意与平和而值得付出的代价。突然之间——尽管西方已比以往任何时候都更加富有——福利国家倒成了资本主义社会难以承受的负担。福利分走了投资,耗费了精力,其目标就是为了满足那些福利开支难以满足的需求。到了90年代中期,西方思想中有一条公认的至理名言,那就是发放给惯坏了的工人的非工资性支出,如过分的福利待遇、医疗开支、失业保险等,已经从内部把德国蚕食殆尽。然而在70年代,设于沃尔斯堡的大众汽车公司的工人享受七至八个星期的假期被认为是从正面证明了为什么德国的劳动生产率出现了奇迹,但是到了90年代末期,这种福利待遇却遭到指责,说这是德国的欧洲式僵化的表现。1991年初,美国工会运动领袖约翰·斯威尼在瑞士达沃斯举行的世界经济论坛这个资本主义的年会上讲话时,对这种更为严厉的资本主义形式讲得极好。他说,在50年代和60年代,资本主义的某些邪恶之处得到了缓和。那时每个人都可以从收获的成果中分得一份。而现在呢,董事会很少关注裁减工人和降低工资对工人的影响。他说:"我们一度是劲往一处使,现在我们是各奔东西。"

前途光明:为资本主义正名

资本主义以冷战的胜利者姿态出现之后,却以一种奇怪的方式开始模仿起共产主义那套更为令人震惊的特点来了。听话的学术界右派,在"不安全的时代"影响下,就像勃列日涅夫统治下受到共产党干部的压力那样众口一致,都跟着说自由市场经济不仅可取，而且是不可避免的。公司、社区乃至整个国家的不稳定，如1995年的墨西哥和1997年的泰国，都没有动摇他们的信念，还是认为已经全球化的资本自由流动是科学而合理的，就像30年代在饥荒中饿死上百万人也未曾使斯大林对大规模集体化产生过怀疑一样。资本主义曾经开始奉行一套随环境而变化的实用主义信念。在这以后，资本主义就成了一种教条的、一统天下的信条，容不得任何反对意见。正如苏联模式曾经把工人们的欢乐带给了南也门和莫桑比克一样，实行自由市场的资本主义也将把和平和繁荣送到全世界每个角落。

然而，到目前为止，其表现并没有达到宣传的那种标准。联合国的人类发展报告表明，与70年代初期相比，现在有更多的人处于绝对贫困的境地。1997年在丹佛①举行的八国集团首脑会议发表了两个公报：一个是经济宣言，用令人振奋的词句谈到了全球经济状况；另一个是政治声明，长达90页，共91个段落。政治声明列举了世界秩序面临的种种问题：人口老龄化、环境遭到破坏、传染病流行、核装置不安全、跨国有组织犯罪、非法毒品、恐怖主义、克隆人类、联合国改革、对民主和人权的威胁、核武器扩散以及非洲、香港、刚果、海地、中东、塞浦路斯、阿尔巴尼亚、阿富汗、朝鲜和缅甸等地的地区性冲突。在这种形势下，八国集团对全球经济状况仍然十分乐观，否则，种种问题的单子可能比《大英百科全书》还要长。

大卫·科滕的著作《当公司统治世界的时候》[1]对世界的真实状况作了相当准确的描述：

---

① 丹佛(Denver)，美国科罗拉多州首府。——译者

• 1992年,美国最高级的1 000名首席执行官的收入是一般工人的157倍,而1960年仅为40倍。他们的收入达到38亿美元,比1991年的数字提高了40%;

• 仅占1%的美国最高收入者的收入是40%的低收入者的总和;

• 《福布斯》杂志列举的400名最大富豪的财产1993年是3 280亿美元,相当于印度、孟加拉、尼泊尔和斯里兰卡四国的国内生产总值的总和,而这四国的人口总数是10亿;

• 世界贸易的70%是由500家公司经营的,1%的跨国公司占外国直接投资额50%的份额。

那些发号施令、坐头等舱飞机、住五星级饭店、每年去达沃斯赴会的全球精英无疑是发达起来了。八国集团在某种程度上就是这些全球精英的延伸。它的预言还是准确的。但是对于大多数人来说,也就是对于占英国36%的白领员工和美国的为人父母者来说,这个世界已经变得更加艰难而险恶了。这部分英国的白领员工自愿每周工作48小时以上,因为他们都害怕变成第一个失去工作的人;美国的家长在孩子身上花费的时间与30年前相比已减少了40%。再说,八国集团(或者世界贸易组织,或者国际货币基金组织,或者大多数首席执行官和整个西方政治阶层)声称现在已经找到医治经济百病的灵丹妙药,但是这一断言是虚假的。整个欧洲领取救济金的队伍日益庞大,超过了历史记录,美国的"施粥文化"①再度兴起,加勒比海的香蕉生产国由于世界贸

---

① 施粥文化(soup-kitchen culture)指美国在经济衰退或危机时向穷人发放救济的一贯做法。——译者

易组织坚持前殖民国家英国和法国不得给予贫穷的单一经济国家贸易优惠而陷于破产的境地,拉美和东南亚经济动荡不定使取消对资本的控制成为可能;这一切都证明并没有什么包治百病的良方。

全球人口中只有一小部分人对社会进步仍然有信心,这已是不争的事实。美国经济学家罗伯特·弗兰克杜撰了一个词叫作"赢者全得"市场,在这种市场中,经济增长的果实都集中在越来越少的人群手中。更准确地说,这种市场应该加上两个字,叫作"赢者永远全得"才对,因为全球精英是永远不会输的。1995 年戈德曼-萨克斯和其他华尔街上的蓝筹证券交易所①在墨西哥的投资出了问题,他们的遭遇如何?他们曾经不顾后果地把几十亿美元贷给萨利纳斯政府来弥补财政赤字,他们会让这些"热钱"②血本无归吗?当然不会。几天之内,由美国充当中介人,国际货币基金组织一笔 500 亿美元的一揽子贷款像变魔术似地拿出来了,目的是确保西方的金融系统不受到全面威胁(应理解为避免华尔街输得精光)。自然,墨西哥人拿到这笔钱绝非轻而易举。他们必须通过国际货币基金组织的一揽子紧缩计划来明白他们所犯的错误。这个紧缩计划导致经济紧缩 8%,失业人口增加 100 万,投资减少了 40%。该国欠国际货币基金组织和美国的钱已经偿还了,而工资要恢复到经济崩溃之前的水平则要等到公元 2000 年,1/4 的劳动力受到失业的影响。在国际社会中,墨西哥还算是一个成功的例

---

① 蓝筹证券交易所(blue-chip houses),指那些发行经营管理良好、效益显著的公司的股票的证券交易所。这种股票不易受短期经济衰退的影响。——译者
② "热钱"("hot money"),指投资者为追求高利率或获利机会频繁地将资金由一个金融中心转到另一个金融中心,"热钱"即国际游资。——译者

子,而且也确是成功的,就像一个赌徒在赌场里赌博,每次当轮盘停止在红色点上,他就得到双倍赔偿,如果停止在黑色点上,他还能拿回他的筹码,那他就算是成功的了。对于某些人来说,有些买卖本来是有风险的,而现在已经不存在风险了。但是并不是每个人都那么幸运。在另一种环境中,有些人从来就没有机会得到一笔丰厚的退职金或突然提升要职,这些人就会对进步丧失信心。1995年MORI民意调查向调查对象提出的问题是他们是否指望他们的孩子生活得比他们过去的生活好。在战后的大部分时期,孩子们一直满怀信心地希望他们能比父母生活得更美好,而他们持有的看法是兑现了的。但是现在对于未来却不那么乐观了。MORI调查发现,六个人中有五人(60%比12%)预料他们的后代的生活将不如现在。

得到这样的回答是不足为怪的。20年来,首先是蓝领工人,然后是白领职员,均被告知,不平等不仅不可避免,而且是可取的。所有人的总体生活水平会有所提高,但必须给现有的富人以合理的物质刺激,他们才会投资和创新。"滴入论"已成为正统信仰,为一个多世纪以来极度增强的不平等提供了合理的依据。有些人抱怨,那些脑满肠肥、长期占据董事职务的人眼看他们以特优价格购买本企业股票的权力买进的股票价格扶摇直上,这是因为他们裁减了工人而不是增加就业机会。据说这些有怨气的人都有患红眼病之嫌。人们比几十年前更为悲观并不仅仅是因为不平等,而且还因为人们感到自己之所以处于不利地位是由于老板们占据了有利地位。所有限制资本自由流动的措施都被取消了,工会也由于立法和失业两者的结合而变得驯服了,而且按福利国家的规定提供的社会工资在财政上和意识形态上都遭到打击。简言之,如果工人失业，那是他们自己的过错。假如不是因为他太懒怠或太愚蠢而找不到工作，那就是因为他们效率低下而要价颇高之故。公司不得不在一个讲求实际的世界上竞争，在这样一个世界上，是容不得感情用事的。而工会的任务就是为争取较高的工资而斗争，并反对灵活的劳力市场的顺利运作。在这种情况下，所谓的市场灵活性只能有一个含义，而且是惟一的含义，那就是："你被解雇了"。这种新的出发点，由于有了"管理层享有管理权"的说法，而被认为是合理合法的，因而也适用于一切方面，甚至适用于国民保健署这样的机构，尽管这些机构面临的你死我活的竞争究竟来自何方并不明确。种种说法认为，西方因为从东南亚"小龙经济"那里进口低价商品而深陷泥淖，实际上这种说法是捏造出来的。英国工业联合会的总干事阿戴尔·特纳出于礼貌是承认这一点的。特纳先生说，裁员的主要原因是技术的发展使公司能够使其大部分运作实行电脑化，通过电脑化使利润和股东的回报得以增长。他的观点是有现成的证据可以证明的。西方同由29个成员国组成的经济合作与发展组织以外的地区进行的贸易所占比例不到5%，与欧盟、北美和日本的贸易额却占80%以上。尽管这都是事实，这些不同意见还是都被认为无足轻重，而且是吹毛求疵。对于新秩序的啦啦队来说，具有决定性的一致意见是，资本的全球化是科学的，是不可改变的趋势，这点务必请马克思原谅。我们的分析就从这一断言开始。

伏都教徒①的天下:市场问题权威和伪科学

经济学不是一门科学。许多经济学家,特别是那些认为是否要结婚也可以简化为一个等式的经济学家,他们把世界看成是一个复杂的有机体,要用正确的微分学才能对它有所了解。但是,我们所了解的经济学的每个方面都说明经济学仅仅是巫术的一个分支,而且还是不甚高明的分支。华尔街的分析家和伦敦金融商业中心荣获智者的崇高地位,但是这些智者往往像在美国荒蛮的西部流浪、到处做表演的江湖医生。他们对衰退和繁荣的致命后果从来都是估计过低,甚至短期预测也往往不准确到了可悲的地步。伦敦金融商业中心一家美国公司高薪聘用的经济学家曾承认,他向客户发出的有关联合王国贸易数字的预测通常都是把前三个月的亏空数字加起来然后除以 3 计算出来的。他不无得意地承认:"自从我开始采用这种计算方法,我的业绩有了长足的进步。"

即使说现代经济学是一门科学,那么它同其他学科也有着根本的区别。全球经济是由某些法则决定的。这不用说也是可以明白的:低通货膨胀率会带来较快的增长,失业率要保持在一定的水平之上,低于这个水平,通货膨胀率就会开始上扬,低税率能刺激投资和经济增长,让富人变穷并非让穷人致富的途径。这些论断(正因为这些仅仅是一些论断)我们在下面将详尽地加以考察。但

---

① 伏都教(voodoo),海地民间宗教,为天主教和非洲巫教的混合,本质上为巫教。此处作者将经济学比为巫术。——译者

是我们一开头就可以说,所有其他科学门类,其创新过程都受到冲突和斗争的影响。只有不断地验证构想才能取得进步,进步不是靠喋喋不休的重复得来的。在精神分析学中,容格关于利比多[①]的理论对这个概念作了概括。这种理论认为精神是能动的,是不断地运动着的。利比多在两极之间流动,两极之间的张力越大,能量就越大。容格认为,没有张力就没有能量,而健康的人的特点是利比多流动于思维和感觉之间,内向性和外向性之间,前进和后退之间。一旦达到极端的程度,利比多就走向相反的方向。用容格的话来说,世界可以分割成两部分,即西方外向的、积极进取的物质主义和内向的、深沉的东方特性。不过,容格提出的利比多具有自我调节功能,对于全球化并不适用。在一个世界上,文化领域如果由沃尔特·迪斯尼、鲁珀特·默多克[②]和可口可乐称霸,其特点只能是单调和乏味,而不可能有相反的东西与之形成鲜明的对比。但是,总归要在什么地方找到一个突破口。所以,尽管占主导地位的经济模式越来越走向外向型,在这种经济模式中生活和工作的人就越来越趋向内向,他们回归到自我的境界,企图找到一片属于自己的天地,享受一下个人的欢乐。

---

① 容格关于利比多(又译力比多)的理论(Jung's theory on libido),容格(Carl Jung, 1875~1961),瑞士心理学家和精神分析学家,曾与弗洛伊德合作研究多年,学术上颇有建树。利比多理论实为弗洛伊德提出的概念,原指与性冲动有关的生理能量,后来又指与人类创造性有关的生理能量,在此意义上,指的是人类的性本能或生存本能与死亡本能为两个相反的极端,两种本能相互冲突,相互作用,产生人类全部活动。此处作者将其说成容格的理论。——译者
② 鲁珀特·默多克(Rupert Murdock, 1931~),闻名于欧、美、澳三洲的报业巨子,出生于墨尔本。在澳洲拥有《新闻报》、《星期日邮报》、《每日镜报》,在英国有《世界新闻》周刊、《太阳报》、《新闻晚报》,在美国有《新闻》晚报、《纽约》杂志。善于利用色情、丑闻扩大发行量。——译者

如果用容格的理论来解释新秩序出现了一些问题的话,那么人们可能认为用达尔文的学说更为安全可靠。归根结蒂,达尔文的进化论主张的"适者生存"有助于解释为什么资本主义不可避免的趋势是首先应当战胜共产主义,然后扩展到世界的每个角落。其实,这是对达尔文著作的一种十分片面的理解。他对加拉帕戈斯群岛著名的研究①实际上就是研究有关适应性和生物多样性的问题。最近出版的一本著作特别注意到该群岛并没有啄木鸟,但其他鸟类却逐渐具备了啄木鸟的某些特点,并以此取食。在取得胜利的全球模式下,加拉帕戈斯群岛上的伪啄木鸟看来已经太过时了,而且远远不够了。其解决办法是建一座桥通向最近的大陆,即厄瓜多尔,从南美进口真正的啄木鸟。这一进程要在世贸组织的观察和监督下进行,以确保厄瓜多尔出口啄木鸟不受任何不公平的限制,直到最后一批变异的啄木鸟全部被杀死为止。

在许多方面,至高无上的全球模式最大的反对者是马克思的老敌手波普尔②,他的核心信念是知识只有通过批评才能有所发展。波普尔在《开放社会及其敌人》[2]一书中强调,人们盲目地接受现状是有害的,不过有其积极意义;政策,准确地说,仅仅是一种假设,必须经过检验;如有必要,则需加以修订或纠正。当他赞美民主制度的优越性时,他想到的是纳粹德国和斯大林时期俄国的极权制度。他认为这是一种纠正错误的动力机制。在开放的社

---

① 加拉帕戈斯群岛(Galapagos Ills.),属厄瓜多尔,亦称科隆群岛。达尔文在研究地质学和生物学过程中,发现该群岛的自然条件相似,而其所产的鸟类和龟却大不相同,得出物种可变的结论。——译者

② 波普尔(Karl Popper, 1902~),奥地利出生的英国自然科学和社会科学哲学家,主张反决定论的形而上学,相信知识是由心灵的经验积累逐渐形成的。这里提到的著作是他1945年出版的后期著作。——译者

会,当不正确的政策付出的代价过高时,就产生了要求改革的压力,而封闭的社会因为缺乏民主,都谴责其统治者,结果却使他们在将来犯下更为严重的错误。

对波普尔的研究认为,这位奥地利出生的哲学家是一位典型的社会民主党人。这一评价颇有道理。波普尔是从政治多元论来看问题的。政治多元论实行的是制约与平衡体制,在这一体制下,允许不同的观点和相互冲突的目标共存是正确的,必然的。他还从自由的矛盾特性中受到启发。绝对的自由使强者有权利和能力来统治或奴役穷人。

> 我们必须建立一些社会机构,并通过国家权力来强化这些机构,目的是让经济上的强者能够保护经济上的弱者。……当然这就意味着要摒弃不干预原则和不加制约的经济制度;如果我们希望自由得到保障,那么我们就必须要求以国家有计划的经济干预来取代不受限制的经济自由政策。我们必须要求不受制约的资本主义让位于经济干预。[3]

从上述的观点看,波普尔部分地继承了一个半世纪以来的自由主义传统。约翰·斯图尔特·穆勒[①]这样的思想家是信奉资本主义的,对马克思提出的解决办法并不赞同,但是他仍然能够看到维多利亚时代中期的工业社会需要改革。人们普遍认为狄更斯如实地记录了那个时期社会不公平的种种现象,但是马克思的多年合

---

① 穆勒(John Stuart Mill,1806~1873)英国哲学家、经济学家和逻辑学家。他对当时的分配制度迫使劳工阶级遭受贫困和饥饿感到不满,认为有改革的必要。——译者

作者恩格斯也有一篇短文同样十分令人警醒,而且言简意赅。恩格斯披露了他有一次同一位典型的曼彻斯特资产阶级谈起这个城市贫民窟的恶劣状况。这位中产阶级绅士礼貌地听他讲,待恩格斯讲完,他提了提他的帽子说:"可是你知道,这个地方可是有很多钱可赚的。先生,我们再会吧。"[4] 穆勒主张实行更具干预性的经济政策以此普遍提高国家的福利,他的理论为实行干预政策奠定了哲学基础。"有些人之富有已超过自身之所需,难道还应该成倍地提高其消费能力吗?这种消费除了显示其富有之外,并不给他们带来多少乐趣。我看不出这种情况有什么值得庆幸之处。"[5] 穆勒信奉的是,国家应是一种积极主动的力量,是文明的一种工具,应能有助于消除经济危机周期。这里他预示的并不仅仅是一种代替马克思主张的阶级斗争观点,而是一个世纪以后凯恩斯和贝弗里奇提出的思想。

> 我必须承认,有些人主张的理想生活对我没有什么吸引力。他们认为人类正常的生活状态就是以斗争求生存;目前那种社会方式,那种相互摧残、压迫、倾轧、榨取的生活方式,是人类命运中最不可取的东西,或者说,是工业进步的各阶段中最令人厌恶的一个阶段。[6]

穆勒以自己的方式表示他同意马克思一个极为正确的观点,那就是工业资本主义与生俱来就含有一种不稳定的倾向。他们之间不同之处在于马克思看到了革命的不可避免性,而穆勒则看到改革的可能性。事实证明穆勒是正确的。资本主义的崩溃并非不可避免。甚至东方集团的经济学家也同意这一观点。匈牙利的经济学家尤金·瓦尔加就认为第二次世界大战延长了资本主义的寿命,[7]为此他被斯大林剥夺了在学术界的地位。国家向更加主动的方向发展意味着不会再回到资本主义像脱缰野马似的那种无政府状态,也就意味着资本主义将变得更加稳定。资本主义作为防止共产主义的堡垒,现在比以往运作得更加良好,人们的不满情绪也已经不像中欧落下铁幕的年代那样普遍,因此近来已经不大听人提起尤金·瓦尔加了。

不过,现在经常听到的是另一个匈牙利人乔治·索罗斯。据说他以疯狂的投机活动赚了10亿英镑,结果迫使英镑脱离了汇率机制。在这以后,他对现代资本主义提出了类似波普尔的批评。他在一篇刊载于《大西洋月刊》的文章中警告说,开放社会需要不同思想之间的碰撞。[8]与此形成鲜明对照的是,自由放任主义已是无处不在,这一事实把西方引向了一条通往封闭的、不宽容的社会,在这种社会中,只有物质上的成功才是要紧的。

关于英镑和汇率机制,索罗斯是正确的;关于当代资本的弱点,他又是对的。在某种程度上,他既是投机家,又是一个致力于挽救资本主义的人,他确实是我们这个时代的凯恩斯。不过最重大的区别在于大萧条时间之长,程度之深,使从政者和其他经济学家即使不是自觉自愿地也都被迫地听从了凯恩斯的主张。1930年,正当西方开始估计1929年证券市场出现泡沫所付出的代价时,凯恩斯已经超前地看到有一天对金钱的喜爱会变成一种占有的满足,这与金钱作为一种享受和实际生活所需是截然不同的。那时人们会认识到追求金钱以满足占有欲的本质是一种令人嫌恶的病态,一种半犯罪性、半病态的倾向,于是人们就带着恐惧把它交给精神病专家来处理。[9]

虽然凯恩斯用了弗洛伊德的精神分析学的术语,事实本身却是不可动摇的。经过了三年,失业率达到了25%,情况与1933年富兰克林·罗斯福在就职演说中所讲的完全相符。"货币兑换商已经从我们的文明庙堂的高座上逃之夭夭了。现在我们可以按照古老的真理来重建这座庙堂。我们不能仅仅看重利润,而要用更为崇高的社会价值观作为重建庙堂的标准。"

罗斯福发表就职演说时,希特勒在德国掌权还不满六个星期。这时,苏联开始执行它的第二个五年计划。有些人相信康德拉季耶夫周期理论①,认为世界经济的波动曲线每50年或五十多年为一个周期,那么当时资本主义就正处于25年下滑到最低点的时刻。这次危机标志着从紧缩转向复苏,以及以汽车、收音机和耐用消费品为基础的新技术的诞生。90年代中期的情况与此相类似,可以被看作自1973年石油危机以来经济长期下滑已到最低点,将再次以新技术的出现得到恢复,这一次是以电子计算机为基础,只要制定出更为适应的经济政策来驾驭新技术的发展,经济就会按周期复苏、繁荣。不幸,这一前景看来离我们还有一段距离。共产主义是70年代和80年代经济衰退的牺牲品之一。现在已不必担心苏联式的指令性经济的增长,也没有失业会给西方带来冲击了。索罗斯和历来的预言家一样,受到的待遇仍然是"不予理睬"。

反面的论点是以福山(Fukuyama)的著作《历史的终结》为基础的。他在书中声称,自由资本主义和自由民主主义就像加里·加

---

① 康德拉季耶夫(Kondratieff),俄国经济学家,主要研究较长的经济周期,提出从1790～1940年的150年间西方国家的经济每50年有一个周期,即繁荣－危机－萧条－复苏。因研究经济周期的学者各有自己的解释和理论,于是就在各个理论前以其名冠之。——译者

斯帕罗夫[1]一样,已经把对方棋盘上的棋子吃光了。国王已经被擒,不仅在现时现地,在90年代,而且是永远。有些人说自由市场和赚钱在某些地方是行不通的,也不应该行得通。这些人已被当作远远脱离"现实世界"的乌托邦梦幻人而遭摒弃。有些人说,以牺牲少数富有者为代价让大多数人富起来的制度是有缺陷的,这些人被告知,一种给有才干的人以物质刺激的制度已经开始开花结果,只要不再让"忌妒心态得势",这种制度将会给世界带来更大的繁荣。有人说目前全球的经济状况比不上战后的黄金时期,对于这种论点的还击则声称,资本主义真正的黄金时期并不是1945～1973年,而是1870～1914年,这是更早的全球化时期,如果不是20世纪上半叶的战争、保护主义和民族国家执行国家计划和控制经济的政策把繁荣拦腰切断的话,本来是可以为经济带来飞速增长的。

关于不受制约的现代资本主义挖空了西方文化和社会的原因和后果,我们将在其他章节中加以探讨。这里我们仅对自由放任革命在不平等、贫穷、增长和投资几个方面的记录作一评判。1923年,凯恩斯曾说过,他所维护和培养的资本主义只是"取得有限成功的"资本主义。时至今日,他大概也不会变得慷慨大方起来。

的确,西方的失业率已经达到30年代以来的最高水平,贫富之间的差距比100年前更加扩大了。对此凯恩斯会惊恐不已。不过,这位战后经济模式的主要设计师在获知不平等的状况更加严重和领取救济金者的队伍不断扩大是新右派的短期政策目标时也会大惊失色的。诺曼·拉蒙特关于福利国家出现之前的传统资本

---

[1] 加里·卡斯帕罗夫(Gary Kasparov),俄罗斯国际象棋大师。——译者

主义有一句令人难以忘怀的名言,那就是"付出这样的代价是值得的"。艾伦·巴德爵士在担任财政部的主要经济顾问之前,电视台为制作有关英国经济的纪录片《潘朵拉盒子》时,曾对他进行过一次特别采访。当时他说,对于80年代初期的大规模失业现象,马克思主义的解释是,决策者曾经有意创造出一支失业大军作为后备劳动力,以此对有组织的劳动力施加压力。"陪审团"可能还在那里讨论撒切尔执政早期出现的失业现象究竟是阶级斗争的表现还是过于愚蠢所致,但是自由放任主义对待不平等的态度却再也不会引起这样的疑问了。在英国和里根时期的美国,这都是有意识地制造出来的。在英国,收入不平等的扩大超过了任何国家,仅次于新西兰(这个国家是右翼思想的试验田,连撒切尔夫人都望尘莫及)。在右派看来,反平均主义是为纠正70年代那种把一切拉平的倾向,这件事早就该做了。据说,那些雄心勃勃想做大事的人被再分配税收制度捆住了手脚。这种制度就是从富人那里拿走钱,或者直接给了穷人,或者被用来养活那些受国家补贴的工作岗位上的懒汉。于是就提出了一个战略来取代它,这个战略被称之为"滴入论"①。根据这一战略,降低所得税和国家开支就会使不怕冒风险的人释放出他们的创造性冲动。由于有了正当的物质刺激,企业家就会开办企业,投入更多的资金,雇用真正的"实干家",从而提高了增长水平。借用《私家侦探》(*Private Eye*)里的一句不朽名言,这是"通赔双倍"的好事。财富创造者富了自己也就富了

---

① "滴入论"(trickle-down),有时也译为"积极投资",源于美国,指鼓励将资金,尤其是政府的资金投入经济活动,通过大企业将所获利润进行再分配,会刺激经济增长,这比将资金投入福利和公益事业更能有效地刺激经济增长,从而为公众带来好处。——译者

众人。财富就会像涓涓细流甚至像滔滔洪水流入人们的收入之中。就像80年代和90年代的其他各项政策一样,这一战略也自有其号召力:"你能让穷人富起来,但也不必让富人变穷呀。"

人们并不需要都成为卡尔·波普尔才能看清这只是一种假设而并非科学。但是,多年来不断地重复,特别是一些"积极投资"的主要受益者拥有的报纸不厌其烦地重复,把这种假设变成了铁的规律。对高税率会损害冒险者的积极性深信不疑,这已经成为政治语言的一部分,尽管在英国,一些右翼人物已经看到,在执行撒切尔主义的两届政府执政时期(当时对富人的所得税还没有从60%降低为40%)是保守党战后执政的黄金时期。工党对"滴入论"的经济理论是持批评态度的。英国有20%的家庭缺少一个劳动力,这部分家庭构成了下层阶级。1997年工党上台伊始就把解决这个问题作为其工作重点,采取的措施是缩小贫富之间的差距。但是,工党并不愿意沿着再分配这条线继续进行下去,从而回避了对年收入超过10万英镑的人提高边际税率这个问题。在托尼·克罗斯兰所著的《社会主义的前途》一书中,再分配是他主要讨论的问题。这本书标志着工党从主张国有化过渡到主张把实行凯恩斯学说而增长起来的经济实惠进行更为平均的分配。但是在布莱尔的现代化派看来,再分配是向选民发出了一个错误的信息,因为这使选民感到工党要限制人们取得成就,束缚他们的进取精神。从本质上看,这还是老工党的那一套,但布莱尔和布朗已经把这些做法从工党的词汇表中删去了。布莱尔和布朗认为,在当代世界上,机会平等比成果分配平等更为重要。工党有自己的警句,叫作"举起手而不要伸出手"。工党极力主张通过实行"按劳得福利"计划,由国家对就业、教育、义工和环保工作队的工作场所提供补贴,把下层阶级的成员纳入劳动力市场,这才是帮助下层阶级的惟一途径。

关于"积极投资"和"机会投资"这两条政策,有意思的是它们都与当前盛行的正统经济理论完全吻合。正统经济理论认为,如果出现问题,那么这些问题一定出在经济生活中的供方。这样,一旦出现失业,那就不是政府有意或无意地造成劳动力需求不足,而是因为工人的工资过高,懒惰而且效率低下,或者不具备参与世界经济竞争的技能。人并不比五、六十年代更懒、更笨,但是他们已不能受到工会同样多的保护,法律也发生了变化,把控制雇员的权力交给了雇主。另一方面,20年来,经济运作一直倾向于紧缩,同时,在低增长的情况下,分配所得也向较富有的人倾斜。由此可见,凯恩斯以后的经济理论基础已经暴露出其本质,那就是一个披着真理外衣的神话。

更多的是神话而不是成就:
原原本本的真实记录

让我们从有关"积极投资"的种种神话谈起。神话之一:由于奉行70年代中期以来的政策,盎格鲁-撒克逊社会的经济已经向良性发展。根据这一论点,美国和英国的经济已经恢复了活力,这是把降低通货膨胀率、降低税率和改革劳动市场相结合带来的结果。

下面是实际情况。不平等现象急剧扩大已是不争的事实。据财政研究院三位经济学家的一部近作称:"从1977年开始,不平等现象日益严重。……与此前的20年相比,其变化和日趋严重的情况是前所未有的。即使我们把它作为一个较长时期的现象来看,这种变化在历史上也是少见的。"[10]

荷兰经济学家扬·彭(Jan Pen)首创了一种形象而生动的办法来描绘不平等状况,叫做"巨人列队行进"。在一个小时以内,每个人都要通过一个特定的高度点,每个点则根据他(她)的收入确定一个尺码,用这种办法来反映收入的分配。根据IFS[①]最新发表的数字,英国平均收入相当于5英尺9英寸。列队游行开始。第一批为数不多的人通过时是头朝下,脚朝上的,他们是个体经营者[②],他们入不敷出,而且没有福利待遇。在他们后面,小矮人出现了。在最初的12分钟内走入视线的人不满2英尺10英寸,这说明全部人口中有1/5的收入还不到平均收入的一半。在30分钟时,通过的人高度增至4英尺9英寸,表明他们的收入远没有达到平均水平。在36分钟时,高度是5英尺9英寸。这就是平均收入的高度了。在这以后,高度开始迅速上升。在48分钟时,游行队伍通过视线点的人都达到7英尺8英寸,相当于最高的篮球运动员;到54分钟,通过的人身高达到10英尺,而最后一分钟,通过的是高达15英尺6英寸的巨人。在最后的几秒钟内,商业银行家和大企业的首席执行官们走入视线,不过你得仰起头才能看见他们。他们的身高就像纳尔逊圆柱[③]那么高。

这并不仅仅说明现代英国存在不平等现象:在彭制作的游行行列中,巨人们的身材越发高大了,而小矮人的数量则增多了。第

---

① IFS可能是国际测量员联合会,即International Federation of Survayors的缩写。——译者
② 个体经营者,原文为the self-employed,即不受雇于他人的人。——译者
③ 纳尔逊圆柱(Nelson's column),伦敦特拉法格广场的纳尔逊海军上将纪念碑,碑身为一个圆柱,顶部为纳尔逊铜像(高5.18米),面对白厅。圆柱全高达51.8米。——译者

二次世界大战后英国人收入差距缩小反映在家庭雇用帮佣减少，这是因为在边际税率很高的时期，中产阶级上层也担负不起了。70年代初期的电视节目《楼上楼下》(*Upstairs Downstairs*)之所以受到欢迎，部分原因是它反映的是看上去就像是爱德华七世时期，待客侍女、专司供酒的男仆和厨师成群结队，一派繁荣奢华的景象。在六、七十年代，收入分配仍然极为稳定，只是在70年代由于再分配和收入政策，差距还略有缩小。但是1979年以后情况大变。1976～1978年，即执行收入政策的最后三年，收入最低者仅占总收入的4.4%，到了1991～1993年，更下降为2.9%。尽管对于事业最成功的人缺乏物质刺激怨声载道，1976～1978年间，10%的高收入者仍然占总收入的21.3%。可是到了1991～1993年，他们已占总收入这块蛋糕的26%。

人口的重心也有所转移。在60年代初期，收入集中程度最低降到平均收入的80-90%。这就是说，当时英国的收入分配同今天欧洲大部分国家相当，千百万人居于中间地位。到了90年代初期，情况发生了剧变，分配的最高集中点下降到平均数的40%-50%，90年代初期有1/4人口的收入不到平均数的一半，而1977年只有7%，1961年也不过是11%。在高收入的那一部分，收入为平均数三倍的人数几乎增加了一倍，从60年代初期的60万人增加到90年代初的100万。那么有什么证据表明"滴入论"战略使英国从上到下都富有起来，富人和穷人都富了呢？什么证据都没有。财富是滴下了，但只是从超级富人滴给了富人们。低收入和贫困倒是高速蔓延开来。

"滴入论"的根据就是肯尼迪总统所说的"水涨船高"概念。但是这种情况根本没有出现。还是用这个比喻，这条船的一头抬高到了水面以上,而另一头则沉入了水中,因而这条船看来是越来越不稳了。据统计,1 410万人只能靠平均收入的一半或不到一半艰难度日,从1977年以来,这部分人已从7%增加到了25%。

贫困这张账单的一部分是由国家支付的。国家承担了最贫困者80%的收入和在收入分配中居中间地位的第五类人收入的1/4。70年代末期有一种论点认为,鉴于自那时以来社会保障的开支迅速上升,国家开支就挤占了更多生产性投资,现在听来倒有一些讽刺意味。

社会保障制度虽然是具有再分配性质。正如国际测量者联合会(IFS)已经注意到的,在每家每户收入的各组成部分中,只有社会保障这一部分具有拉平差距的作用。在工党的大臣们下次调整他们的新纲领时,他们倒是可能接过这样的一个论点,即仅仅为了提高穷人的福利向富人征税从长远来看是不会有什么效果的。这一论点的逻辑是,对于穷人来说,减少福利反倒是件较好的事情,但是,其结果只会是收入分配将比现在更为不公。

近年来有一个经常援用的论点,我们这里不妨再重复引用一下:即使目前还不是每个人都从新时期的繁荣中得到好处,但是从整体上说,经济却从这种不平等中尝到了甜头。这种观点也难以证实。增长率、投资率和劳动生产率都低于"黄金时期",而且增长率的发展趋势,即潜在的增长率也下降了。在据称是"不堪回首"的70年代,英国的经济增长率是2.4%。到了80年代,却下降为2%。虽然上述的论点认为,80年代初进行的大改组对清扫前进道路上的障碍是必不可少的,但是增长率降低为2%,怎么说也不能算是出色的表现。不过还可以争辩说,罗马城不是一夜之间建成的,"滴入论"要见效果也不是一朝一夕的事。话虽如此,可是

90年代的平均年增长率只有1.2%,低于战后的任何时期,英国的这种增长记录使上述论点显得苍白无力。罗马城可能确实不是一夜之间建成的,可是也不能在罗慕路斯和雷穆斯死后的500年里仅仅在台伯河岸留下几柄铁锹吧?①

也许这只是英国独有的特点所致。也许在别的国家,"滴入论"产生了较好的效果。例如在美国,50年代平均所得税率最高几乎达到90%,以后每十年递减,60年代为80%,70年代为70%,80年代为39%,90年代为35%。那么企业家精神的新浪潮是不是为经济增长的动力开放了口子呢?看来并非如此。在艾森豪威尔执政时期富足的十年中,年平均增长率为4%,到了60年代,稍有上升,达到4.4%,在危机四"起"的70年代下降为3.2%,在罗纳德·里根和乔治·布什当政的前十年里进一步下降为2.8%,90年代上半期继续下降为1.9%。边际税率和经济增长之间有一定的联系,但是这是一种负相关关系。降低向富人征收的最高税率和扩大贫富之间的差距已经导致增长放慢。

除了发达的西方以外,其他地方也存在着类似的关系。对13个国家所作的研究发现,在印度尼西亚,人口中最为贫困的10%占有的国民收入不到1%。[11]但是,在1980~1993年这一时期,印度尼西亚的年增长率为5%,而巴西则为负增长。执行反贫困战略的国家的经济增长比那些高度不平等的国家要快得多。前者主要是南亚和东亚国家,而后者主要是拉美国家。

---

① 来自古罗马传说。阿尔巴隆加国王被其弟阿穆利乌斯废黜。其女却与战神马尔斯(Mars)生下一对孪生子,即罗慕路斯和雷穆斯。篡位者怕这对兄弟为其外祖父复仇,遂将他们抛入台伯河内。这对孪生子未死,漂流至后来的罗马城所在地获救,长大成人后终于杀死篡位者,恢复了其外祖父的王位。后来他们兄弟两人在台伯河岸获救处兴建一座城池。后雷穆斯为其兄罗慕路斯所杀,该城即以兄长的名字命名为罗马城。——译者

最近有迹象表明,那些为自由放任主义"信条"作宣传的坚定的"传教士"在仔细研究了经济统计数字之后,对于不平等问题的看法已有所变化。1997年夏,主张自由市场的经济合作与发展组织(OECD)在其年刊《就业展望》(*Employment Outlook*)中提出了离经叛道的观点:"有些国家对劳动力和产品市场管制较松,那里的相对流动性并不显得比其他国家高,这些国家的低工资工人也没有向高处流动。要讲公平,关心的自然是增加收入,而仅仅凭借提高劳动力的流动性并不能消除不平等。"去掉那些难懂的行话,实际上就是承认"我们搞错了"。

经济合作与发展组织接下去还承认,对许多工人来说,低工资是一种慢性病,在高收入与低收入之间差距扩大到可观程度的盎格鲁-撒克逊经济中则尤其如此。英国和美国的低工资持续时间则更长,成了一种顽疾。这两个国家并没有从这一趋势中获得什么好处,甚至可以说毫无结果。当低工资被界定为低于平均工资的2/3时,1986~1991年,丹麦的低工资工人的低工资延续期不到两年,而在英国和美国则为四年以上。这本来是一种周而复始的效应,但是这种周期性效应并不像那些"滴入论"的支持者曾经想象的那样。工人的工资并没有从低向高发展,而是从低工资发展到没有工资。正如经济合作与发展组织漫不经心地承认的那样,这种现象不但对于贫困和生产能力具有一种潜在的负面后果,而且对整个经济也是如此。

经济合作与发展组织在信仰上发生圣保罗式的转变[①]远非到

[①] 圣保罗式的转变(Pauline conversion),圣保罗(Paul the Apostle)活动于1世纪,犹太人,受犹太教育,信奉犹太教,并参与迫害基督教。后在赴大马士革途中见异象,改而信奉基督教,并宣传基督教义。上面说OECD离经叛道与此处的说法都说明OECD认识上的转变。——译者

此为止。劳动力市场不仅变得更为不平等,而且"在80年代与90年代之间就意识到就业不安全的现象变得更为普遍了,人数也急剧增加了"。经济合作与发展组织对此无法理解。它认为这是一种悖论,因为以90年代与80年代相比,就业同样是稳定的,所以它只能怀疑其原因在于人们感到脱离工作岗位及其经济后果对他们是一种风险。换句话说,他们担心的不仅是失去工作,而且还害怕找到了新工作,工资却比原来的低。"至于新的工作岗位具有何种特点,北美的实际情况表明在新的工作岗位上,收入会大幅度降低,而且一般来说,现在似乎更难找到令人满意的、与原来的收入相当的工作了。"这一发现看来使经济合作与发展组织感到震惊,这也许是因为这个组织的经济学家们从来不怀疑在多边组织日益增多的情况下总可以找到一个赚钱的工作岗位,或者在一个信贷公司找到这样的好工作,因为这样的公司是愿意为那些可以提供内部情况的人慷慨解囊的。但是,对多数人来说,丢掉工作因而在经济上受到惩罚毕竟是太实际了。

一项对美国经济领域裁员的研究发现,12%的冗员彻底离开了雇员队伍,另有17%则失业两年或两年以上。[12]在其余的71%的劳动力中,有13%的人工资削减25%或25%以上,另外有32%的人则削减工资1%至25%不等,还有37%的人重新就业,工资没有损失。如果一个雇员在上升的阶梯上已经爬到了高层,工龄达到15年或15年以上,但生活在低增长地区并且又被迫改行,那么其结局就更不堪设想。遇到这种情况,个人一般要损失以往工资的50%。这就是为什么教育程度最高的人处境反而最不安全。他们遭受的损失最大。意味深长的是,有些国家工会力量强大,可以集中进行工资协商,失业工人又享受国家提供的优厚福利待遇,凡是这样的国家的就业不安全和不平等的程度就比较低。

所以,假如不平等现象日趋严重,在经济上(且不说社会的)带来了不良后果,那么就必然要提出一个问题:对于这种状况应该怎么办?无论是基督教民主党和社会民主党,还是克林顿政府或布莱尔政府,一致的观点是,这些政府的目标应该是保持微观经济的稳定,这样就会保持低通货膨胀率。低通货膨胀率是高增长率的先决条件。同时各国行政当局还要提高教育水平以发展新技术,这样,发展中国家那些因竞争而下岗的技术不高的工人就可以在新兴工业中找到较好的、工资较高的工作。

有关稳定的神话

没有什么证据表明低通货膨胀率一定会带来高水平的经济增长,也没有多少证据表明通货膨胀率达到15%左右就一定会导致低增长率。英格兰银行曾经委托美国经济学家罗伯特·巴罗进行一项研究来证明情况确实如此,但是,尽管他竭尽全力搜集可资利用的数据,也未达到预期的结果。法国自1983年实行"强化法郎"政策以来,其经历表明法国大约在15年内确实保持了稳定,但是与实行经济扩张和通货贬值时期相比,低通货膨胀率却导致低得多的增长率和高得多的失业率。

80年代中期,组成经济合作与发展组织(OECD)的西方富国增长率的目标为3%,现在是2.5%,而90年代的实际增长率大大低于2%。五、六十年代的实际增长率为4%,70年代也达到3%。一位评论家这样评论道:

> "在过去七年中,经济合作与发展组织成员国只是在很短的时期内达到预期的或可能达到的增长率。增长记录如此不佳,公司一直在裁减人员也就不足为奇了。问题是这种行动是自我助长的,要想刹住十分困难。"

上述引文并非摘自一位狂热的革命家,而是来自帝国化学工业公司(ICI)的首席经济师理查德·弗里曼。他接着写道:

> "看来,目前的政策重点是追求经济稳定,这种重点的转移已经背离了原来对增长和就业的重视。我认为这表明各国政府和学术界发觉求增长过于困难而求稳定则并不困难。这种看法大概比较符合实际。但是就我所知,实践证明稳定与增长之间并没有太密切的联系。各国政府和中央银行似乎坚信稳定本身就是一种疗法。
>
> 政策制定者大概是受到工商企业家的误导。
>
> 要说工商企业家们有什么一致意见的话,那么这就是他们认定稳定会使他们更放心地增加投资。不错,在相当长的时期内,大多数 OECD 国家已经取得了相当稳定的局面,但是生产性的投资记录却是可悲的。我深信,导致 OECD 一致不愿冒险的主要因素是低增长率。"[13]

关于技术的神话

在过去的十年中,美国的硅谷繁荣昌盛。以"新泰坦"(the New Titans)为人所知的各公司发展起来了,微软和英特尔这样的公司继柯达和福特之后被视为新的经济巨人。不过对于这种增长必须给予恰当的估计。微软公司和英特尔公司雇用的人员不超过5 000人,而所有"新泰坦"公司的在编人员总共是12.8万人,不到福特设在国内的公司的1/3。

"新泰坦"被用来证明裁员并不要紧。这仅仅说明有些美国人被迫去寻找更好的工作——通用汽车公司开除了你,但是微软公司却雇用了你,而且微软公司的工作还更好一些。但是,正如美国作家爱德华·勒特韦克所写的那样,通用汽车公司开除你,微软公司雇用你,这是不真实的。[14] 1995年,计算机和数据处理行业雇用的人员总数,其中包括从设计软件到维修家庭电脑的一切人员,仅为100万稍强,而美国受雇人员高达1.14亿。实际上,美国的电子和其他电器设备生产行业雇用的美国人在90年代还稍有减少,从1 700万人下降为1 600万人。

新近有证据表明,在美国和英国,由于高技术产业中技术人员短缺,这些产业的工资可能有所提高。工程师是这些产业中能够解决难题的人,正是新兴产业所要的人。对于这些工程师在较长时期内的工资走向,上述证据是很不确凿的。工程师的平均工资,其中包括额外的种种津贴,在1968~1995年之间,从实际所得来看,下降了13%。无论在美国还是英国,近年来工作机会是增加了,但都是工资待遇不高的服务性工作,如个人服务、保安、零售、保健等以及不受雇于人的个体劳动,例如,有人被裁减下来,只好去当擦窗玻璃的工人或体力劳动者。这种情况本身就扩大了不平等,因为富有者的收入增加得很快,使他们能够雇一个人来收拾屋子,保护他们的财产,照顾他们的孩子,在大饭店里侍候他们。在过去几百年中,他们是在乡间别墅里雇人侍候他们,现在改在大饭店里了。在美国1.14亿受雇人员中有7 750万人不是做管理工作的,每小时的平均工资1978年为8.4美元,到了1994年降低为7.41美元。

关于教育的神话

在增长率降低、收入差距扩大的背景下,不易看到"教育、教育、还是教育"的政策会有什么实在的效果。教育就其性质而言也许是可取的,而且可以肯定地说是必要的,不过其前提是实行名符其实的教育而不是企业要求提供的一纸培训证书。也许教育和培训在提高经济效益的一揽子计划中占有一席之地。但是就教育自身而言,提高教育水平不会是确保高增长率的灵丹妙药。

为什么这样说呢?首先,供给不一定带来需求。如果确实如此的话,那么建立一所培训学校,培养出一批宇航员和火箭专家,英国是不是就一定要制定出自己的航天计划呢?在低增长时期,实际情况是即使具备条件的人也难以得到好工作。他们在就业时往往大材小用,于是就把一些人挤到了阶梯的更低层次。有证据表明,处于阶梯底层的人处境十分不利,因为这些人的文化和数学基础都不高,而政府的教育计划并非为这些人制定的,因为其目标是为了改善总体的经济效益。

第二,同上面提到的稳定和低通货膨胀率一样,也很难证明教育水平与增长水平之间的联系。伦敦经济及政治科学学院(LSE)经济效益研究中心的彼得·罗宾逊在最近的一项研究中说,一旦人口中大多数成人的文化程度都达到称职的水平(这种情况在大多数发达国家已存在多年),文化和数学基础与经济效益之间的联系就不容易反映出来了。[15]他说,近来做了许多工作来进行跨国比较,结果表明,英国14岁的少年在数学上远远落后于新加坡、香港、韩国和日本。不过这又证明了什么呢?美国的人均国内生产总值是世界上最高的,但是美国少年的数学学习成绩同英国少年一样糟糕。这些学生至少要两年之后才能离校,他们的表现对经济效益又可能会产生什么影响呢?1982～1983年进行的一项研究则更能说明问题。这项研究表明,香港和新加坡的孩子的数学成绩并不明显地高于英国孩子。"这些地区在过去十年左右的时间里取得了出色的经济效益是因为过去就有优秀的数学基础,但是这一概念并不能拿来作为证据证明什么。香港学生的数学水平得到相对的提高是经济增长带来的,并不是数学水平的提高加速了经济增长。"

早在1964年举行的数学竞赛表明,英国在12个参赛国中成绩居中,这就难以把数学技能单拿出来作为此后30年中英国经济效益不佳的理由。最后,英国在数学上相对薄弱的状况在与之类似的自然科学中并没有反映出来,在自然科学方面,英国学生的成绩相当出色,我们不得不遗憾地说,科学与增长之间也没有必然的联系。

结　束　语

文明就是由极端的不平等承传下来的,而一部历史就是由这种文明构成的。在古代埃及、美索不达米亚、罗马、印度、中国、欧洲和日本,收入和财富分配的巨大差距毁灭了一度富有而文明的社会。最好的结果是严重的不平等酿成了和平变革;最坏的结果则是导致流血和暴力,沙皇俄国、苏联、中国、1789年革命前的法国,以及整个中世纪封建主义制度都属于上述范畴。

现代世界则要复杂得多。上述这些例子都发生在没有实行民主制度的时代,而民主制度本身就十分复杂。正如莱斯特·瑟罗所说,由于市场经济没有带来与民主制度相称的经济平等,所有的民主国家都认为有必要采用多种多样的计划来"干预"市场,目的是促进平等,防止不平等现象进一步发展。这些计划包括有关美国军人的诸项法案、反托拉斯法、累进税制、失业保险、福利国家、充分就业等等。

> 历史地看,是民主政治而不是市场造就了中产阶级。……这些计划告诉你,无论资本主义制度如何亏待你,民主国家是站在你这一边的。民主国家对资本主义的经济不平等是关注的,而且正在努力缩小这种不平等。两者结合起来还是起作用的。资本主义力量和民主力量之间潜在的冲突并没有爆发。……历史还告诉我们,资本主义的"适者生存"原则是行不通的。20年代实行自由市场的国家发生的大萧条是资本主义的自我爆炸,从而不得不由政府来重建。也许有人能使奉行适者生存原则的资本主义良好地运作,但是至今还没有人做到这一点。[16]

莱斯特·瑟罗对克林顿的经济政策作了如下归纳:

> 对没有受到高等专业学校教育的人进行技术培训是一种解决问题的办法,但是必须与经济增长政策齐头并进才能起

作用。经济增长创造了就业机会和紧缺的劳动力市场,这样,实际工资才会再度开始上升。不知道政治上的左派是不懂得如何将这些政策结合起来呢还是不愿意这样做,总之政治上的左派已经没有什么可卖的了。

在英国工党的蜜月过去之后,他的话在布莱尔身上的应验也许就会明朗化了,正如他对克林顿的评价已经应验一样。我们所处的这个时代,是精英政治占统治地位的时代,这样一个时代不但无法解决权力和控制这类大问题,在消除不平等现象方面也不可能有所作为。虽说如此,却有一个想象中充满机会的社会。只有机会(不是财富)才能泽及民众,道理就像一位工党研究者所称,"在搞现代化的人看来,平等是一种过时的观念,(据说)其要旨就是把一切拉平,结果是一个毫无生气的千篇一律的局面。……它(工党)必须毫不动摇地确认其真正的目标就是通过提供更广泛的机会来加强个人的自由。但是,正如当代一位社会民主党人(罗伊·哈特斯利)所说,只有在人们有条件进行真正的选择的情况下,自由才具有实际效用,而要具备这一条件,就需要实行实质性的再分配。否则,正如一位更为传统的社会主义者(托尼)所说,有没有上升的机会不仅取决于道路畅通,而且需要一个平等的起点。"[17]

在美国,要求改变方向的呼声越来越高。有一位经济学家以"沉寂的萧条"[18]来描绘现状,有数字为据:90年代美国的国内生产总值是30年代以来增长最为缓慢的时期。从1989~1995年这几年中,家庭实际收入下降了6%,其中只有一年收入有所增加。30年代美国的实际工资上升了17%,到了1935年就恢复到1929年的水平。30年代对于几百万失业者来说,是有切肤之痛的,但在总人口中,这也仅仅是一部分人;90年代美国出现的"沉寂的萧条"却影响到80%的在职工人和至少50%的家庭。这次萧条的表现不是失业而是收入减少。90年代半数美国家庭的收入都下降了。

除非能够找到解决这个问题的办法,否则真要受到平民主义的威胁了。心怀不满的人纷纷投向罗斯·佩罗特和帕特·布坎南①就是证明。勒特韦克认为需要"一种新的政治经济学",这种政治经济学能保证正受到提高工作效率和失业威胁的广大职员、店员、产业工人和政府雇员有更多的经济安全。[19]这种新政治经济学要求对90年代中期以来的大部分情况进行批判。这就是说,要懂得不平等对经济效益起了拉后腿的作用,必须通过制定扩张性的微观经济政策以提供就业机会,并制定更具累进性的税收制度来加以解决。高通货膨胀率的时代已经过去了;1973～1974年以来,历次通货膨胀率高峰一次比一次低。技术进步成为促进繁荣的关键因素,这样的时机已经到来,就像战后那样,汽车和喷气式引擎是那个时期经济繁荣的关键所在。但是这一切都不是偶然发生的。二战后的30年中,经济增长,收入、投资和劳动生产率扶摇直上都不是因为交了好运才出现的。欧洲和日本都出现了一个追赶先进的过程。结果是在重建时期拉近了与美国的劳动生产率之间的巨大差距,但是阿齐特·辛格强调,这并不能解释为什么第一次世界大战后没有出现追赶先进的过程,而那时劳动生产率同样存在着巨大的差距。[20]原因在于二战以后在政治上曾有过保证充分

---

① 罗斯·佩罗特(Ross Perot)和帕特·布坎南(Pat Buchanan)两人均为美国持独立见解的总统候选人。他们寻求选票的对象是那些在经济和社会变革中觉得受到损失的群体。——译者

就业的承诺,支撑这一承诺的是一项社会契约,按照这一约定,雇主们都同意经济增长的成果应与工人分享,企业负有为福利国家提供资金的责任。

有人可能会争辩说,由于美国和英国的人均国内生产总值都达到了超记录的水平,因此没有必要为此担忧。但是,要知道,真正重要的不是国家财力的水平而是如何分配财富。美国曾经出现过四次真正的萧条,即18世纪80年代,19世纪40年代,19世纪70年代和20世纪30年代。1870年仅占1%的最富有人口拥有全国财富的27%,1929年拥有36.3%,1939年下降为30.6%,1949年又下降为20.8%,1969年略有上升,增至24.9%,到了1987年回到了1929年的水平。现在占全国人口1%的巨富拥有全国财富的40%强。

由此可见,在市场体制下,当不平等现象失控时就会出现萧条。在天平的一端是穷困人口的增长,由于人们总是要竭力维持自己的生活水平,反过来就导致债务的增加。他们不是借贷就是减少消费。在天平的另一端,由于富有者手头有用不完的钱,不平等就鼓励富人疯狂地投机。投机导致了泡沫经济,而泡沫经济又导致崩溃。墨西哥和泰国的居民无疑已经证实了这一点。最终,不平等对任何人都没有好处,甚至对富有者也不是什么好事。

第 八 章

重大抉择

　　金钱显然是至关重要的,但是,对于少数人和没有钱的人却是例外。对于他们,钱不是最重要的。

查尔斯·汉迪

一个落后的、凋敝的省份,
有一条隧道把它与一个广阔的、繁忙的世界联系起来,
当然,它没有吸引力,
现在它还是那样吗?
W.H.奥登:《石灰岩赞歌》(In Praise
of Limestone),1948 年 5 月

　　如果人类的劣根性,比如贪婪、嫉妒,受到系统的培养,那么不可避免的结果就是人类灵性的崩溃。一个受贪婪或嫉妒驱使的人会丧失看到事物真相的能力,丧失全面、完整地看事物的能力,那么,他的成功无异于失败。
E.F.舒马赫:《小的是美的》(Small is Beautiful)
Blond & Briggs 公司出版,1973 年

伯金说道:"嗨,告诉我,你为什么而活?"杰拉尔德一脸困惑。"我为什么而活?"他重复了一句。"我想我活着是为了工作,为了创造出一些东西,就目前的情况来说,我是一个有目标的人。除此之外,我活着就因为我是个活人。"

"那么,你的工作是什么呢?就是每天从地球上多挖出上千吨的煤。那么当我们已经有了足够的煤,还有豪华的家具、钢琴,兔子肉也已炖熟并且吃掉了。我们身上穿得暖暖的,肚子吃得饱饱的,我们还在欣赏着年轻女士弹钢琴。那么我们还需要什么呢?

这是80年前,D.H. 劳伦斯在《恋爱中的女人们》中提出的问题。在20世纪行将结束时,这个问题还在等待着答案。资本主义和民主制度在与共产主义和集权主义的斗争中赢得了胜利,主要是因为它已被证明比其他任何与之对立的制度更能够为人类带来"好处"。劳伦斯在创作《恋爱中的女人们》的时候,正是爱德华七世的时代开始走向恐怖的第一次世界大战,也是建立在煤炭基础上的工业化阶段开始让位于另一个以大生产为中心的工业化阶段的时候。但是他提出的"我们还需要什么"这个问题对现在仍然适用。

埃里克·霍布斯鲍姆用他那本著作的副题《极端的时代》来为这个短暂的世纪命名,在某种意义上是十分恰当的。从萨拉热窝暗杀事件①到东欧出现高速汽车、放荡女人和暴发户,②仅仅过去

---

① 萨拉热窝暗杀事件指1914年6月,奥地利太子斐迪南在萨拉热窝遇刺由此引发第一次世界大战。——译者

② 此处指1989年东欧巨变。——译者

了75年。全球化并不是什么新现象。从1870～1914年这一时期,资本流动和技术的飞速发展与我们这个时代十分相似。要了解19世纪最后几年的英镑和伦敦金融商业中心的情况,看一看美元和华尔街就行了;要了解汽车和电话的发展,看一看远程喷气式飞机和全球网络就行了。1914年前的那个时代,维多利亚中期的一切常规秩序遭到挑战,从而导致艺术、设计、音乐、文学领域的革命,那么在20世纪即将过去之际,我们也在探索,想弄清现代的全球化将把我们所有人引向何处:是不是世界已经解决了生产问题,所有的民族都将分享和平和繁荣?或者是一个由没有灵魂的、标准化的物质主义统治的世界,在这个物欲横流的世界上,少数备受上帝宠幸的富有权势人物的贪婪会把我们这个星球推向毁灭的边缘?

劳伦斯怎样回答这个问题是不言而喻的。杰拉尔德这个人物被描绘成一个典型的迷信机械的人物。在小说中,读者看到他强使他那匹母马在交叉路口站住,等着隆隆作响的货车通过路口,让母马吓得心惊肉跳。他要把他的煤矿里的最后一块煤都挖干净;他想成为统治者。最后,他却对自己的生命也失去控制,孤独地冻死在阿尔卑斯高山上。

这就是劳伦斯要说的后来发生的事。今天,大火可以烧毁加里曼丹岛上的雨林,把这个岛屿变成但丁在《地狱篇》①中描绘的地狱;年轻人在金融机构的交易室里通过全世界资金转移获取毫无意义的千百万利润;欧洲1 800万人失业,而另外的10亿人口缺少生活的必需品——食物、干净的水和蔽身之所。劳伦斯会把

---

① 但丁的《地狱篇》(Dante's Inferno),但丁所著的《神曲》中的第一篇。——译者

这些看成令人不寒而栗的人性丧失,看成是机器的胜利,而他是正确的。这些年来,劳伦斯已经不再时兴了,他过于夸大其词了,坦白地说,在现在这些年里,他还显得有一点无产阶级的味道。但是在许多方面,他都可以称为典型的先驱者,在许多现代作家中引起反响。以查尔斯·汉迪为例,他在他的一本最新著作中说:"如果我们多相信一点我们自己,多相信一点我们的良心,少相信一点教条,我们就能再度掌握那些真正重要的东西。"[1]

多年来,"真正重要的东西"并没有发生多大的变化。人们需要的还是稳定的工作,过得去的工资,健康的生活环境,个人的自由,以及在艰难时刻有个可依靠的人。一句话,他们需要安全。但是,安全恰恰是现代制度所无法提供的东西。更有甚者,现代制度还为它不能提供安全而自豪。安全不是好事。国际竞争这个巨神要求竞争,西方的商业文化要服从经济规律,而经济规律证明,从裁减银行职员到砍伐雨林都是正确的,而安全这个东西却是这一切的障碍。对于那些有竞争能力的人,这一切当然都是好事;对那些强大的国家,那些让小的民族国家望尘莫及的大公司,那些解决难题的能手,那些分析家,那些设计权威以及其他构成全球精英阶层的人物,当然也都是好事。在这个金钱和追求金钱成为生活的惟一依据的时代,这些人总是事业有成。但是,对于其他的几乎每个人,那些在你死我活的竞技中没有竞争能力的人,这种论点实在令人不寒而栗。

汉迪引用了一些令人震惊的统计数字,这些数字与每年有4%的亚马孙雨林遭毁,世界上贫富差距日益扩大一样令人不安。美国是世界上最富的国家,也是惟一留存的超级大国。当柏林墙拆除之后,东欧那些死气沉沉的城市里的居民把纽约和洛杉矶视为美好生活的样板。但是在美国有42%的工人声称在一天工作结束后已是精疲力竭,69%的人想过一种比较悠闲的生活。那么我们可以肯定地说,美国是为全世界治病的医疗中心,而分析家们却利用人们的不幸发了大财。汉迪引用的麻省理工学院的一项研究发现,目前这种萧条每年付出的代价是470亿美元,与医治心脏病的费用相当。另一项美国管理研究所的研究发现,经理当中有77%的人声称他们的工作是痛苦的,77%的人为他们所担负的工作影响了家庭生活而忧虑,74%的人担心会影响他们与合作伙伴的关系。

规范的经济成就衡量标准中从来不注意上述的任何一个方面。有一种传统的方法来衡量经济上取得的成就,也就是用人均国内生产总值作为衡量标准,按此衡量,那么我们就从来没有比现在更富有。从第二次世界大战一结束开始,经济增长图表上的箭头一直稳定地上升。用任何公认的标尺来衡量,从50年代开始,也就是为战争之需实行的定量供应取消之后,我们消耗的卡路里更多了,我们都有电视机,大部人拥有录相机、洗衣机和电话,汽车拥有量急剧上升,过去我们的家庭是去布莱克普尔、马普特和斯卡勃罗度假,现在我们是去本尼多姆、马贝拉和索伦托。[1]

但是,用人均国内生产总值评估社会的富有程度是一种很粗糙的办法,忽略了生活水平中的质量。人均国内生产总值之所以变得如此重要,原因之一在于衡量产出、在商店中的消费金额和在

---

[1] 这里所举的六个度假地英文名分别为 Blackpool, Margate, Scarborough, Benidorm, Marbella 和 Sorrento。前三个地方是英国国内的度假地,在20世纪前半叶,是英国劳工阶级青睐的休假地;后三个都是欧洲大陆的地方,是20世纪后半叶富裕起来的劳工阶级钟爱的度假胜地。——译者

职人员的收入简单易行,但是对于犯罪率上升、社会的弊病、环境污染、用于自我提高的开支等,要用数字来统计就十分困难。经济学家愿意利用客观事实和数字。对于许多人来说,仅凭人们与20年前相比富裕多了这个概念,难以抵消他们在生活中感到的不安全和焦虑。即使如此,经济学家仍然觉得难以接受那些模糊不清的概念。近年来,一些激进的经济学家试图把一些"模糊概念"纳入全面衡量生活质量的标准中去,这种新的衡量标准叫做"可持续的经济福利指数"(简称 ISEW[①])。从统计学家的立场来看,ISEW显然存在着种种缺点,比如说,如何估计生存环境的损失和不平等的加剧所付出的代价。尽管如此,它还是较好地反映了自二战以来的50年中西方究竟发生了什么变化。在五、六十年代,ISEW的标准和人均国内生产总值的衡量标准是一致的。那个时期,不仅收入提高了,而且社会也更为平等,犯罪率很低,就业充分,福利国家有所发展。但是70年代中期以后,这两种衡量手段开始分道扬镳。人均国内生产总值继续增长,势不可挡,但 ISEW 却因为领取救济金的队伍扩大,加上犯罪率大幅度上升,社会的排斥性[②]增强,生存环境遭到破坏,生态环境恶化以及环境和焦虑带来的疾病等原因而开始下降。90年代初,ISEW 几乎回到了 50 年代初的水平。我们毫不怀疑,ISEW 引导我们更清楚地看到自70年代初期以来全球经济发生的变化及其变化的轨迹,有助于我们了

[①] ISEW 为 Index of Sustainable Economic Welfare 的第一个字母构成的缩写形式。——译者

[②] 所谓社会排斥性(social exclusion)指的是一部分人长期处于严重的非正常生活环境,如失业,没有正常的家庭生活等等,因此而难于融合进主流社会,遭到社会的排斥。——译者

解为什么在撒切尔和里根时期右翼抬头,后来又向左摆,最终导致1996年11月～1997年1月的7个月中,克林顿、布莱尔和若斯潘在选举中获胜。没有人能保证选民这种转向是永久的:任何地方的选民都是心存恐惧、立场游移不定的,他们随时都会因为某一政党未能在90年代的暴风骤雨中为他们提供一个他们深切期望的避风港湾而对它进行惩罚。正如每个评论家都一致同意的,90年代是动荡的、分崩离析的十年。我们可能比以往富有了,但是我们感到幸福吗?

劳伦斯、舒马赫、甘地和汉迪都会异口同声地作出否定的回答。有些影响他们观点的因素是很难加以量化的。例如70年代末以来,英国每七个孩子中就有一个患哮喘病,而人们认为污染加重了他们的病情;究竟有多少人无家可归;为什么犯罪成倍地增加?尽管劳伦斯绝非马克思主义者,但他却深信机器的时代会因其内在的矛盾而毁灭,深信那时世界将出现一批新精英(劳伦斯,他的追随者,以及一批"高尚的野蛮人"[①])。他们已经证明自己是当之无愧的力挽狂澜的人物。甘地与劳伦斯同样为人类成为机器的附属品而感到担忧。他曾说过这样的话:

> 我要让生活在我们这块土地上的千百万无声无息的人活得健康、幸福,我要让他们在精神上也成熟起来。……假如我们觉得我们需要机器,我们一定会有的。凡是有助于个人的机器都应该有它的地位。但是,把权力集中于少数人手中,并

[①] 高尚的野蛮人(noble savages)源于18世纪浪漫主义文学作品中描绘的未开化的野蛮人,这些人因为没有受文明恶罪的玷污而具有纯真、善良的品格。——译者

把广大群众变成只会开动机器的机器,这种机器就不应该让它们存在,尽管这些机器不会让人失业。[2]

弗里兹·舒马赫深信,我们这个世界,或至少是富有的那部分世界,是在入不敷出中生存着,他敦促尽早停止为享乐而消耗不可再生性资源的行为。他在作于70年代初的《小的是美的》一书中作了一些可怕的预测,不幸的是大部分预测还都估计过低了。同劳伦斯一样,当他得知他的警告遭到冷遇时,他也一定会感到震惊的。

汉迪一方面同意丘吉尔的观点,认为在所有坏的制度中,民主资本主义制度是坏处最少的一种制度,同时他又对这种制度的前景怀有深深的怀疑。他同样也看到精神的枯竭,看到人们因此而成为"金钱神话"的奴隶,因此他认为妨碍经济增长的障碍与其说是环境和经济因素,倒不如说是心理和哲学因素。我们并不同意汉迪的论点。他提到的四个因素都已证明或将会证明全是增长的障碍。但是我们确实在一点上与他的意见一致,那就是不安全时代的根源是金钱这部机器,而且只有使金钱恢复到它应有的从属地位,失业、贫困、排他和环境恶化这些根深蒂固的问题才能得到解决。

走向黑夜的尽头:90年代和以后的年代

回顾过去,20世纪似乎是在一片争吵声中走进了它的头十年,人们看到的是索姆河[①]上带刺的铁丝网和机关枪,纽伦堡上空

[①] 索姆河(the Somme),位于法国北部。——译者

的探照灯和斯大林在俄国的大清洗。同样,20世纪也是在一片不和谐声中走进它最后的十年。80年代自觉地与过去凯恩斯式的30年富足繁荣唱反调;90年代常给人一种"虚无"的十年的印象,在这十年中,历史被抛到九霄云外,传统则是一钱不值,一切都处于动荡变化之中。

对于那些幸运的精英分子,那些富有的、有才干的、消遥自在的知识分子,拿着罗兹①奖学金,从哈佛大学和斯坦福大学获得哲学博士学位的人,对于他们,一切都是那么激动人心。他们就像狮心王理查一世②再世,一副十字军气概。他们周游世界(坐的是飞机,至少是公务舱),他们拿的不是长矛,而是便携式电脑,他们抓起的不是盾牌而是移动电话和活页文件夹,里面只有一个词:变化。公众没有一天不被告知他们必须变化,改变他们的工作方式,改变他们的投票方式,改变他们的通讯方式,改变他们表达感情的方式,改变他们照顾自己身体的方式,改变他们对福利的思想方式。一句话,我们生活中的一切都能改变,而且必须改变,惟一不能改变的是经济制度。

自由贸易、资本自由流动、低税率、私有化、灵活流动的劳动力市场,这一切都是不容怀疑的。很简单,这些都是不容争议的。当今的正统理论并没有讲20世纪末的自由资本主义已经达到了完美的状态。这样讲确实十分愚蠢,因为一部机器要高速运转总是

---

① 罗兹(James John Rhodes, 1848~1927),美国历史学家,又是煤炭钢铁企业家。——译者
② 狮心王理查一世(Richard I the Lionhearts,1157~1199)英格兰国王(1189~1199),在第三次十字军东征中以其骑士风度和勇武成为后世传奇中的英雄人物。——译者

需要一小批有专长的技术员维修才行,否则还要这些专家干什么?相反,一种机制总是有需要修修补补的情况,这里需要多一点竞争,那里需要一点教育和培训,对于送来检修的福利制度也需要重新评价。这也就是为什么书店里还陈列着一排排有关管理的书籍的原因。它们就是要告诉你如何解决这些问题。

但是,正因为当今的发展模式据说是无所不能而且无处不在的,因此,对于这部机器究竟是做什么用的,万一机器出了毛病会怎么样,就不必进行什么分析,或者根本就不用去分析。在我们看来,这是一个严重的错误,除非立即采取行动,否则最终会酿成致命的错误。低增长率、高失业率、对发展中国家造成严重损害的债务负担、生存环境的丧失,犯罪率上升、不断出现的外汇严重动荡,这一切说明,并不是只要加一点润滑油,或者用时髦的比喻说法,重新编制一个程序就可以使这部机器正常运转的。这部机器更像《中国综合症群》中讲到的那座核电站,原则上讲是个好主意,但是被设计上的严重缺陷弄糟了,并因为地质上的错误而难以进展。在本书前面我们已经详细地讲过,有人认为全球性的资本主义是完美无缺的,但是,欧洲长期的失业,美国的社会分化,特别是1997年夏末和秋季东南亚的外汇危机和污染烟雾吞噬了整个地区,使这种自封的完美无缺遭到毁损。外汇投机使泰国、马来西亚、印度尼西亚和韩国的四小虎经济名誉扫地,由森林大火造成的污染性烟雾笼罩着雅加达、新加坡和吉隆坡,使人们意识到,由于亿万美元在不受管制的金融市场上流动,全球化的底下埋藏着金融的不稳定,以及对生态环境的漫不经心态度。

受损害的永远是当地的老百姓,因烟雾而呼吸困难的是他们,面对国际货币基金组织强加的今后多年经济紧缩局面的也是他们。英国在 90 年代这十年中,自由市场这个"爆破队"最终摧毁了二战后建立起来的"家园"。1990～1996 年这段时期里,抵押贷款公司收回了 39 万处房产,致使 100 万人丧失了住房。据 UBS 证券集团 1996 年的估计,另外还有一百多万处房产因"抵押资产负值"而受到处理。在英格兰和威尔士,个人破产在 1992 年达到 36 794 起的最高峰,到了 1997 年似乎稳定在每年 22 000 起,但这个数字仍是 70 年代中期战后出现的第一次衰退中"危机"水平的三倍。根据破产事务管理部门的数字和颁发行政命令的数字,1990～1996 年底,企业因资不抵债而破产的总数达到 23 439 家,即使这样庞大的数字(由 Deloitte & Touche 会计事务所编制)也是过低的,因为苏格兰企业破产情况只统计了 1991 年这一年。失业成为主要的社会问题:据统计,1997 年下半年,每五个男人中有一人失业,每八个女人中有一人失业,在他们的工作经历中至少失业过一段时间。

难怪有些人要问,到底还有没有较为明智的方法来管理世上的事务。我们相信,这样的办法是有的,本章的其余部分将用来探讨我们能做些什么,应该做些什么。

劳伦斯在他生命的最后时刻所写的诗歌《机器的胜利》中提出的问题,他自己作了回答。他意味深长地期待着那一天的来临,那时"机器坏了,最后的一个工厂汽笛发出了它最后一次疯狂而绝望的叫声"。然后劳伦斯说,世界再也不受工业主义的束缚了。作为一首诗,真是了不起的作品,作为一种政治"处方",它确实提出了许多可向往的东西。他在诗中一点也没有鼓励人们回到工业化前的状态去。写到这里,不禁想起波尔布特统治下的柬埔寨。按 1997 年的观点,西方资本主义看来不大可能就此崩溃,如果真的崩溃了,我们中间的大多数人都会被牵连进去。那么,该做些什么呢?

第一种选择:躺下来想一想关贸总协定[①]

各种答案中有一个答案是把一切都交给市场。自由市场的支持者长久以来一直坚信资本主义是一种能够自我调节的机制,只要让它自己运作,也不要让成事不足败事有余的政客们来横加干预,那么它就会达到一种良性的平衡。关于这个论点,即使近来获得的大多数证据表明市场机制的不完善所带来的不平衡已经导致难以容忍的失业、浪费、贫困以及对社会和生态的破坏,我们还是要为它说几句公道话。左派是不容易看到为什么市场机制病情日益严重的病根的。但是让我们看一看自然界的现象:狮子的数量增加,就意味羚羊的日益减少。但是,只是有了足够的羚羊供其食用,狮子才会繁荣起来,所以,狮子逐渐减少,羚羊就开始多起来了。好,让我们把狮子看成资本,把劳动力看作羚羊。自从70年代中期以来,资本一直处于强于劳动者的地位。工会就像马萨伊草原[②]上的羚羊因被捕食而数量减少,力量日益削弱,失业增加,不安全程度增强。但是到了一定的时候,紧缩就成了资本主义发展的一大障碍,因为资本主义制度的生存靠的就是满足消费者日益增长的需求。跨国公司需要口袋里有钱的消费者,于是钟摆就

[①] 原文为 Lie back and think of GAAT-land,根据另一句英国流行用语杜撰而来。本来 GATT-land 应为 England,指女人对性生活不满意,此时就对她说"躺下来为英国着想,你就不会抱怨了。"因为至少可以为英国多生几个孩子。——译者
[②] 马萨伊草原(the Masai),位于肯尼亚与坦桑尼亚,羚羊栖居地。——译者

逐渐摆向较充分的就业和较强大的、能够重新回到原来放牧地的工会组织。

这一论点之所以有吸引力是因为它是动态的。这个论点承认有各种相互冲突的力量彼此之间一直处于斗争状态，它与那种认为有一种人人都拥护的至善至美的发展模式的概念是背道而驰的。另一个吸引人的地方是它承认70年代后期与80年代初期发生的自由放任主义革命中强调购买力已经营造出一种局面，在这种局面下，被解放了的消费者能够让其解放者作出让步。例如，放松金融管制已使更多的人拥有自己的住所，他们可以取出个人养老金，并开始实施自己的储蓄计划。这些人中有不少是十分幼稚而易于上当受骗的，结果许多人遭到毁灭性的打击。这就是为什么人们对于金融部门中的不轨行为感到极为愤慨，其中有巴洛·克洛斯、罗伯特·马克斯韦尔，有计划有步骤地将个人养老金出售给那些有图谋的个人同样也令某些人感到愤慨。这种愤怒情绪最终在80年代导致人们的对抗行动。金融部门知道，那些不达目的绝不罢休的公司会失去它们的顾客，使他们倾向那些适可而止的公司。最终，市场上各种势力的面目都会暴露无遗。与此类似的是壳牌石油公司。德国的消费者掀起了一场杯葛行动，迫使壳牌石油公司放弃了原来想阻止布伦特·斯帕公司在北大西洋建立石油钻塔的计划。人们，特别在年轻人中间，越来越关心产品是如何制造出来的，制造这些产品的工人的工作条件如何，结果是许多公司最怕因此丧失他们"一贯正确"的形象。例如，耐克制鞋公司想最大限度地获利，将其生产的跑鞋和训练用鞋的价格定得过高。实际上这是十分敏感的做法，人们会谴责它所谓的追求利润是以牺牲印尼工人为代价的。在这些印尼工人工作的工厂里，工会是被法律禁止的,工人每天的工资只有1美元。

有一位经济学家认为,购买力意味着有可能因劳动标准不同而构成需求的变化,形成一条曲线。西方的消费者对于产品的生产方式并不是漠不关心的,他们宁可多花一点钱去购买劳动者在公正待遇下生产的产品。以两种完全相同的T恤衫为例,一种是在一个种族排他性的村子里生产的,另一种则是在正常劳动条件下生产的,在那里,工人可以自由地加入工会,并享有罢工的权利。"两种T恤衫的价格相同,顾客们会选择在工作条件较好的厂家生产的那一种。大多数顾客宁可以较高的价格购买这种短袖衫。但是,如果价格过高,那么购买者的数量就会下降。这就是我们所说的消费需求因劳动标准而形成曲线。"[3]

弗里德曼先生的论点是,政府应当考虑在商品的商标上讲明这些产品是如何生产的。这样做并不会开罪那些认为自由市场神圣不可侵犯的人,因为市场要正常运转,就必须为消费者提供完美无缺的信息。这样,我们最终将会把消费者视为奥地利经济学家约瑟夫·熊彼特所说的"创造性破坏的风暴"。在这种风暴中,企业不受制约的权力将受到挑战,最终会被70年代后期和80年代自由放任政策释放出来的购买力所摧毁。90年代末已经可以看到一些明显的迹象。英国的牛群中爆发了疯牛病,结果导致对食品生产和动物卫生的清理整顿。如果不是80年代放松了对屠宰场和动物饲料生产的管理,这种病本来是可以防止的。新一届工党政府在不正当出售养老金问题上也采取了弗里德曼路线,公布了那些没有迅速采取行动来赔偿受经济损失客户的公司名单。这些客户曾经经人劝说加入了个人养老金计划。为了给本世纪自愿地承认犯下严重错误划上一个圆满的句号,由财政大臣亲自负责这次清理整顿,而这位财政大臣恰恰就是养老金欺骗行为最严重的罗伯特·马克斯韦尔公司的前任经理海伦·利德尔。

第三条道路:探索在继续着

教科书上有关自由市场的理论可能是无懈可击的,但是在实践中,世界根本不是那样运作的。消费者并不能获得一切信息,理想的竞争也需要大量不能垄断市场的小公司。微软公司和英特尔公司是计算机技术这个大池塘里的米诺鱼①吗?丰田、宝马和通用汽车是那种不能在他们之间瓜分市场的微不足道的公司吗?戈德曼·萨克斯和P.J.摩根②在全球金融中真的只是无足轻重的角色吗?

实际上,自由放任主义有许多荒谬的假设,以至漏洞百出。麻省理工学院的教授保罗·萨缪尔逊曾经写过一篇为自由贸易辩护的绝妙文章,使他在1970年获得了诺贝尔奖。其他经济学家对他的高论是一片赞扬声,但是,对一些与纭纭众生有关的假设却熟视无睹。为了使萨缪尔逊教授的论点能够站得住,那就必须同意以下的假设:没有政府的管理;贸易中的赢家为输家提供补偿;资本和产业乖乖地呆在家里,不到世界各地去拼命地寻找廉价劳动力;国内经济中每种行业的工资都是一样的;国家也没有贸易赤字。

---

① 米诺鱼(minnows)—种属于鲤科的淡水小鱼。池塘里的鱼是西方常用的比喻,比如,"愿作大池塘里的小鱼还是愿作小池塘里的大鱼",已成为反映个人价值取向的一种选择。——译者

② 戈德曼·萨克斯(Goldman Sachs)和摩根(J.P. Morgan)均为世界性的大投资公司,在国内外经营多种金融业务。——译者

既然如此,萨缪尔逊不妨在上述五条之外再加上第六条假设,那就是:月亮是鲜奶酪做的。

自由市场理论有一个漏洞还是上百个漏洞,漏洞是大还是小,这些都无关紧要。一旦原理遭到诋毁,就不会产生完美无缺的结果,就没有完美无缺的均衡可言。国家的作用远远超出了确立产权和制定法规。有了这样的国家,本身就使自由市场理论带有倾向性。现代资本主义的特征就是有各种垄断市场的公司存在,这些公司对于来自消费者的价格反馈无动于衷,实际上这些公司是在通过广告和销售技巧来左右消费者对其产品的需要。市场理论家永远相信企业是根据消费者的需要提供产品的,实际上却是企业想要他们买什么,他们就买什么。世界贸易体制并不听从大卫·李嘉图和比较优势理论的指导,而是受世界上三大玩家强制性力量的主宰,这三大玩家就是美国、西欧和日本。这不是自由贸易,而是改头换面的陈旧的重商主义。

世上没有什么办法可以创造一个尽善尽美的制度,将来也不会有。明白了这一点,改革派人士倒是恢复了一些信心。他们不再认为政府能够或者应该管理经济,并且接受了70年代中期以来发生的许多变化,例如私有化、较低的边际所得税率、对工会的活动进行较为严格的限制等。尤其值得一提的是他们不再向大企业文化提出挑战了。那些企业界呼风唤雨的人物不仅为新工党所容忍,而且工党还张开双臂欢迎他们进入政府的最高层。克林顿和布莱尔为工商企业界提供了大部分他们所需要的东西,例如北美自由贸易区(NAFTA)、关贸总协定、世界贸易组织、单一货币、弹性汇率、投资交易等等,而劳工方面即使提出最低的有关更加安全的工作条件、工会的权利和较高工资的要求,企业也可以不予满足。

虽然新左派已经认可企业界有权加紧推行其争取更大自由的战略计划,已认可他们有权利这样做,但是新左派还是可以随时提出,自由放任模式并不完善,而且已经为市场带来种种障碍,这些障碍应该由政府来解决。即使是右派,他们也认为国家应该发挥其作用,鉴于此,真正的问题所在已经成为国家究竟应当发挥何种作用。改革派必须承认制度是有毛病的。否则他们就不能把自己称为改革派。但是他们的分析思路是混乱的,论点也站不住脚。提倡第三条道路的人认为现在资本主义有着双重缺陷:长期的高失业率和社会排斥性表明现代资本主义制度不可能产生最好的结果,同时这种制度信奉个人主义,轻视公共领域,已经挖空了西方社会,造成了道德精神危机。有位作者这样写道:

> 我们已经有了一个共同的市场,但这个市场并没有带来休谟和伏尔泰满怀信心期待的文明。全球性市场并没有对共同利益和共同倾向加以肯定,也就是说并未承认全世界人类的基本共同点,相反,这个市场似乎使人们更加意识到种族和民族之间的区别,市场的统一与文化的分裂携手而来。[4]

但是,到了这一步,反对全球资本主义的公案却戛然而止了。没有任何迹象表明,左派理应设法击退企业权力的扩张,并从根本上改变制度的性质。相反,实际发生的情况是撒切尔夫人为西方留下了一份最为险恶的遗产,那就是"没有选择的余地"这句名言。这句名言却被人们作为生活的真谛而接受下来。在英国和美国掌控的改革派肯定会为此感到不安,但是他们对此作出的反应却类似格拉德斯通主张的通过资本主义自身来挽救资本主义,这无异于试图挽救在维多利亚时代伦敦低级酒吧中操皮肉生涯的女人。

比尔·克林顿和托尼·布莱尔当然都是第三条道路的狂热信徒。美国的民主党和英国的工党一方面面对政府权力严重地受到金融市场的权力和自由不羁的资本的制约,已将它作为既成事实接受下来,另一方面却仍然在设法就"有限干预"的主张取得一致意见。"有限干预"的主张是建立在社群主义这一哲学基础上的。"社群主义"这个词是美国作者艾米泰·埃兹奥尼生造出来的。艾兹奥尼先生的全部哲学基础就是要在个人需求和社会需求之间架起一座桥梁。这就不难看出艾兹奥尼为什么受到第三条道路追随者的青睐。

> 当代西方迫切需要重新树立个人和社会的责任感,我们不仅要有这种责任感,而且还必须身体力行。我们必须认识到,个人利益和集体利益是密切联系在一起的。……西方由于个人主义极度膨胀而处于寒冷季节,我们渴望人类关系在集体主义的温暖环境中鲜花盛开。[5]

埃兹奥尼在布莱尔和克林顿心目中的分量就像哈耶克对撒切尔夫人一样重要。布莱尔的一系列讲话中充斥着这类观点,说什么需要平衡"权力与责任",什么个人可以从一整套共有的观念、传统和家庭价值观中汲取力量。为了体现他忠于家庭观念,布莱尔在1997年的选举中获胜后作出的第一项决定就是举家迁居唐宁街(住在唐宁街11号楼上较为宽敞的寓所而不是10号楼上拥挤的住所),使50年来象征权力的走廊上第一次听到孩子的声音。

在某些人看来,在有关布莱尔的事情中确有过多的老派宣讲福音的味道。他就任首相后召集第一次党的会议时发表演说,其中就用了半宗教式的语言如"希望的曙光"等等,听上去就像两百多年前约翰·韦斯利用他那黄钟大吕的嗓音大讲什么他的教友们应当谴责原罪,等待最后审判日之类的语言。工党奉行的新教义无疑就是以韦斯利所理解的那些概念为基础的,例如严以律己、关心他人和勤奋工作之类。在上述三点当中,勤奋工作是最重要的一点。在布莱尔上台的时候,英国的失业率已经开始下降,虽然仍然比1979年5月卡拉汉政府下台时要高一些。不过,失业高度集中在某些地区和某些人群,其中尤以少数民族和年轻人为甚。在工作年龄范围内,每五户中就有一户没有全家失业。更有甚者,离婚率上升和单亲家庭的增加,带来的结果是100万单亲家长靠国家福利扶养200万子女,每年耗费纳税人100亿英镑。工党的论点十分简单。与结构性的高失业率和单亲父母就业机会不足相联系的是房地产不景气、犯罪、男人放弃其应负的责任和难以摆脱的贫困。为人们提供再就业的机会,或者让妇女有就业机会,意味着提高生活水平,加强人们的个人自尊心和责任感,并有助于恢复社区的作用。

为此目的,政府于1997年10月制定了全面的"五点计划"。[6]第一步是提高增长率和保持经济稳定。第二步是增加人力资源的投入,具体说,就是增加教育和培训投资。第三步是帮助人们摆脱对福利的依赖,参加工作。第四步是改善市场运作,其手段是执行更严厉的竞争政策,实行管理改革,废除对弱势产业的国家补贴,这套措施带有强烈的撒切尔处方的色彩。第五步是通过实行最低工资制度、对劳动法稍加修订,只要工作场所有50%的工人要求建立工会,并参加欧共体社会章程,工会有权恢复其组织。

财政部制定的"就业行动计划"集中反映了第三条道路的理念。这个计划把某些右派的东西(市场自由化)和某些左派的东西(由供方采取措施来直接地对付不平等和失业)融为一体,成为某种左右两方都可以接受的东西,也就是经济稳定和经济增长相结合。

新左派的这个计划中有许多内容我们是赞同的;其中有些内容我们还要为之欢呼雀跃。有一种论点认为家庭的真正敌人是与自由市场经济学不成功之处相联系的社会分化,并不是综合教育①和对性关系采取放任态度。这一论点比较符合实际。五、六十年代的西方社会之所以稳定完全是因为就业机会充分,收入可观。从不断增加的实际收入中征收的税收汇入社会工资——教育、保健、养老金以及为年老体弱者建立安全网络,对此劳动者们是心甘情愿的。有一种观念认为,充分就业带来了一种依赖文化,这是完全不正确的。劳动者(常常是有生以来第一次)有能力保护他们自己,并为他们的独立性感到自豪。社群主义者说他们真诚地希望能够回到这种体面的状态,但是他们的想法和他们的行动都与之背道而驰。除非经济发生真正的变化,否则埃兹奥尼先生及其追随者渴望的那种健全的、自力更生的社会是不会出现的。但是经济上发生根本变化,就像大萧条和第二次世界大战强加给西方的那种根本变化,社群主义者对此是无能为力的,因而他们只能建议从另一个极端来解决这个问题。他们只是在一些无关紧要

---

① 综合教育(comprehensive schooling),指英国实行的将能力不同的学生放在同一所学校里受教育。——译者

的方面对资本主义的活动进行干预,却始终在寻求一种新的方法来强制人们去过较好的生活。有人指责社群主义的理论中充满着社会集权主义,这种指责是有道理的。在60年代,国家认为,当工人拿着工资袋回到家里,国家就不应该管了。

社群主义却与此形成鲜明对照。当人们进了家门之后,社群主义还不放过他们,不让他们按自己的意愿生活。它要知道这些人怎么刷牙,怎么洗手,他们的孩子用多少时间做家庭作业,他们吃多少油腻的食品,他们喝多少烈性酒,他们的性生活是否安全,过了安全的性生活之后,他们是否又犯了更大的错误,吸了一支烟。

这一整套做法不禁使人想起已故的拉比[①]雨果·格林关于真正的圣人和时髦领袖之间的区别的至理名言。他说,当后者年岁大了之后,他越来越关心他人的灵魂和自己的肠胃,而前者却越来越关心自己的灵魂和他人的肠胃。当某人读到有关另一位时髦领袖的事迹时,这位拉比的名言又不禁让人想起那家价钱昂贵的饭馆,工党中的富有律师和企业界大亨使这家饭馆名扬天下,他们在那里满嘴仁义道德,一面又喋喋不休地对穷人的生活方式和态度评头品足。

即使对这种管家婆式的、缺乏宽容的做法不去求全责备,这种做法显然也并不是建立社群主义者的理想社会的成功途径,还不如实行战后30年中逐渐形成的指令性经济和社会宽容性的混合体。我们并不认为政策重新调整是不可能的,只不过需要从根本上转变观念。克林顿的民主党最高层和自封的新工党最高层对于

---

① 拉比(Rabbi),犹太教的精神领袖和导师。——译者

排斥性政治都缺乏切身的经历。他们对失业和低工资十分陌生，他们更熟悉的是《米什兰旅游指南》①而不是《共产党宣言》。当然这不妨碍他们探索一种社群主义的解决办法，不管他们是出于社会正义感还是因为犯罪率下降导致保险业不如以往兴旺，而福利费用减少，省下来的钱可以用来增加公立学校和国民保健的投入。这样的环境可以让他们个人从中得到好处。

开明的社会需要"最低限度的文化知识水平"，同时"还需要某些公众接受的共同价值观。"[7]他们懂得这一点，甚至米尔顿·弗里德曼也是明白的。但是，正如 J. K. 加尔布雷斯在其著作《满足的文化》(*Culture of Contentment*)中指出的，此后，因为知道他们个人在全球化进程中获利多多，他们对社会的包容性和家庭所作的承诺便受到考验。[8]换一种说法，边际所得税率越来越低，赚的钱就越来越多。

不幸的是，任意胡为的资本主义是不可能那么有见识的。只有对资本主义的明智产生了更大的怀疑，按照社群主义路线彻底重建社会的希望才有可能实现。这是因为全球化必然会破坏家庭价值观。家庭是以亲密无间的、传统的共同价值观为基础的，而这种价值观是带有地方性的。全球化的市场对这样的价值观是不关心的。全球化市场可能认同这些价值观和传统中的某一点，但是其前提必须是不要妨碍市场全球化进程中的一条不可动摇的法则，那就是为了追求最高回报率可以不择手段。另一位作者这样写道："只要资本主义变得越来越等同于获得眼前的满足，并故意

---

① 《米什兰旅游指南》(*Michelin Guide*)，米什兰公司出版的导游书籍，在欧洲享有盛誉，是有钱到处旅游者的必备读物。——译者

使产品尽早被淘汰①,那么它离家庭生活的道德基础就越来越远了。"9

但是,到了八、九十年代,全球化已经营造出一种氛围,似乎这已是不可动摇的趋势了。现在已经普遍认为跨国公司比政府更加强大,国家看来正在萎缩。1992年,比尔·克林顿发现,作为世界上唯一留存的超级大国国家元首,这一至高无上的地位也没有给他足够的权力来与证券市场较量。正如他的一位最亲密的顾问带着敬畏而又厌恶的情绪所承认的,证券市场比教皇和总统更加强大。如果这一切都是真的,那么我们对于一些小小的恩惠应当表示感谢才是,而且还应该承认在左派实行谨慎的供方干预主义下,能够进行一些渐进式改革已经是最好的结果了。我们深信,找到效果更为深远的解决办法不仅是必要的,而且也是可能的。

还是那个人:约翰·梅纳德·凯恩斯

一提起凯恩斯,就足以使那些全球当权者浑身战栗。所以我们最好还是一开头就讲清楚我们想说的是什么,或者更准确地说,我们不讨论什么。凯恩斯和凯恩斯主义是有区别的,尤其是后凯恩斯主义。1971年,尼克松使美国经济失控,他居然能够用后凯恩斯主义作为他的挡箭牌。当时他评论说:"我们现在都成了凯恩斯派了。"凯恩斯有了尼克松这样的人做朋友,他确实也不再有敌人了。1973年阿以战争后出现了经济滞胀。这时,凯恩斯已经从

---

① 原文为 planned obsolescence,指企业故意地降低其产品的质量,因其不耐用而很快地被淘汰、被废弃。——译者

右的方面与大国政府所有的过分行动联系在一起了。他受到了指责,说他对预算赤字、通货膨胀和政府开支挤占私人部门的投资采取了漫不经心的态度。虽说不能涵盖西方自二战以来的全部历史,我们也许应该指出,凯恩斯的指令性管理确实使经济达到了较高的增长率和较充分的就业,这不是取代它的缜密的货币主义所能比拟的。但这并不是我们想要说的。我们真正想说明的是,凯恩斯的主要论点是资本主义并非一种自我调节的制度,或者说,如果对资本主义放任自流的话,那么它可能导致长期低失业和低产出的局面。凯恩斯的观点简单明了,对资本主义不能放任自流。我们是同意他的观点的。

在某些方面,凯恩斯还是顺利的。他所著的《就业、利息和货币通论》于1936年问世。西方当时正从大萧条中缓慢地恢复过来,却又正在滑向战争。大萧条和战争这两件大事使凯恩斯的主张取得了合法地位。放任自流,资本主义可以导致前所未有的痛苦和巨大的浪费;在战时,国家把那些大工厂主、煤炭巨子和铁路大亨降到了次要地位,因为国家为了其自身的生存要动员一切可能动员的资源。结果是战争结束后,要恢复大萧条前的状态简直是不可思议的事。凯恩斯是信奉资本主义的,他本人也确实是一个投机商。但是他却认为资本主义必须加以管束和管理,否则就不可能兴旺发达。无论在国内还是国际范围内,在需求不足时,国家不仅要介入进来扩大投资,而且还要通过外汇管制和实行布雷顿森林协议①确定的货币体制,以求对资本流动实行严格的管制。

---

① 布雷顿森林货币体制(Bretton Wood Currency System),二战期间(1944年7月1~22日),44个国家在美国新罕布什尔州布雷顿森林召开货币金融会议,达成协议,决定设立国际货币基金组织(IMF)和世界银行,基本上形成了后来的货币体制。——译者

右派会争辩说,此后的 30 年是世界经济从未有过的最成功的时期,这都是因为战后进行了重建,通过关贸总协定连续几个回合,世界市场开放了,大萧条和战争抑制了 20 年的消费开支也得到恢复。实际上,经济状况良好要归功于一个再明显不过的事实:西方经济状况良好正是因为凯恩斯是正确的,资本主义确实必须悉心加以管理。当然还可以认为,假如凯恩斯的弟子们更谨慎地按照他们的师傅制定的蓝图行事,只在经济下滑时才利用赤字支出,那么五、六十年代的经济上升本来还可以更为出色。事实证明,消除凯恩斯主义带来的弊病所用的解药只是庸医的处方。面对这个现实,右派又提出了新的论点:即使说凯恩斯在 1936 年时是正确的,那么现在世界已经发生了变化。全球化这个妖魔已经从瓶子里被放了出来,难以收回了。同样,对事态的这种解释还是十分值得怀疑的。

让我们还是从英国谈起,问一问我们自己,1992 年 9 月 16 日晚梅杰政府干了些什么。那个黑色星期三不光是英镑被排除出汇率机制;这一天还是凯恩斯经济学在英国再生的日子。那时,唐宁街因遭到爱尔兰共和军迫击炮的袭击正在重新装修,梅杰召集他的大臣们,关在海军总部大楼的一间房间里进行私下会晤。如果凯恩斯在世,他也会让他们那样做的。首先,他们开始放宽货币政策,让英镑贬值 15%,将基本利率在以后的五个月内从 10% 下降为 6%。第二,1992 年 11 月的年度秋季财务报告为各住房协会① 提供 7.5 亿英镑用于购买 20 000 栋空房,为出口商提供出口补

---

① 住房协会(Housing Associations)系非赢利性的团体,其作用是以低廉的费用建造并提供住房。——译者

贴,帮助他们因英镑在汇率机制中定值过高而失去的市场中恢复其地位,购买新汽车不再纳税以刺激消费支出,将公共开支提高到15亿英镑。首相把新政策称为经济增长战略。这其实是凯恩斯的经济增长战略,执行后取得了做梦也想不到的效果。

如果说早该恢复凯恩斯的学说,那么现在英国重新发现凯恩斯也还算适时的,如同其结果所证明的那样,只要执行某种正确的微观经济政策,还是会取得效果的。对于货币主义是否真是一剂一度看好的灵丹妙药产生怀疑的不仅仅是英国一国的决策者。美国之所以能在海湾战争后的衰退中相对迅速地复原,就是因为联邦储备银行有意识地保持零利率达两年之久,这就确保剩余流动资金注入了80年代末期因无节制的贷款而陷于危险境地的银行系统。美国本来早该采用凯恩斯的传统疗法,对此人们不会觉得意外,因为美国从来只是偶然服用一点货币主义的药,甚至在罗纳德·里根时期实行的经济战略也完全可以称之为军事凯恩斯主义,根据这种战略,美国增加军事开支,其双重效果是一方面打了一场冷战,另一方面也刺激了经济的复苏。

更为令人注目的是赫尔穆特·科尔在1990年德国统一之后将德国的两部分合为一体。尽管德国是70年代中期石油危机之后少数没有采纳凯恩斯的解决办法的国家之一,波恩却实行了传统的税收和支出政策,即从西德的富有者那里征税,把钱花在东德的重建计划上。在1997年大选竞选过程中,布莱尔不断强调凯恩斯的税收和支出政策已经过时失效了。好像并没有人把这件事告诉科尔先生。

在这个据称凯恩斯已经过时的时代,最后与凯恩斯相关的一例是亚洲地区。亚洲经济奇迹可分为三个阶段:首先是日本的兴起,第二个阶段是亚洲的台湾、韩国、香港、新加坡等国家和地区小龙经济发展的时代,第三个阶段是印度尼西亚、泰国和马来西亚惊人的发展。但是,当1997年夏这个地区受到货币动荡的冲击时,首先受害的就是东南亚这些新兴经济体。危机最初起于那些被凯恩斯称之为赌场经济的国家和地区。这种瘟疫之所以蔓延开来,并不是因为对信贷和资本流动的管制过严,而是太松。在台湾、日本和韩国,政府成功地确保经济迅速增长是因为保持了低汇率,执行了把资源集中用于少数重点公司的积极工业政策;置关贸总协定的原则于不顾,限制了进口,这样,国内产业就可以摆脱来自海外的竞争,有充分的时间繁荣起来。保护主义还扩展到服务业。按西方的标准,那里的服务业占有过多的劳动力,但是却吸收了大量的剩余劳力,从而保持了较高的就业率。当亚洲经济开始出现问题时,国际货币基金组织和经济合作与发展组织都感到十分意外。以往这两个机构一直将亚洲的小龙经济视为发展中国家的典范。

  琳达·韦斯认为,民族国家的软弱无能被过分夸大了。[10]部分原因是民族国家自己造成的。这些国家总是告诉选民说,它们受到全球市场的左右,别无选择,只好屈从于潮流,以此来为它们实施的不得人心的政策辩解。另一部分原因则是跨国公司造成的。这些公司发现,甚至只要显示一下实际并不存在的力量也能轻易地使政府作出有利于它们的让步。她还正确地补充说,另一个问题是许多民族国家执行的经济政策带来了年复一年的低经济增长率和高失业率,使它们自己的日子很不好过。由于国家的财力都耗费在照顾长期失业者和贫困线以下的家庭上,根本不可能实施积极的财政政策。即使在这种情况下,国家也必须小心从事,不要过分慷慨地进行施舍。历史证明,拒纳税金由来已久,波士顿茶党案、农民起义和邪恶的诺丁汉老郡长①便是证据。当纳税人境况艰难时,税收尤其不得人心,因为在过去他们遭饥荒,而在现代却是实际收入增长有限(如英国)或毫无增长(如美国)。在人民享有政治权利,尤其是享有选举权的情况下,国家财力耗费过度,税收就极为不得人心,这时政府就会伪称其权力已被那些可恶的公司剥夺了。这是再自然不过的了。

我们又要问:得利者何人?谁从民族国家的信心危机中得到好处?在受益者的名单上名列前茅的当然是国际金融和跨国公司。民族国家在与资本打交道时越是畏首畏尾,资本兴风作浪的余地就越大。大企业关于民族国家职能的想法,从它们的业内刊物《经济学家》杂志1991年6月29日刊载的一篇文章中可窥一斑。这篇题为《后现代民族国家是怎样的?》的文章假称写的是加拿大,文章为这个国家的未来作了如下的描述:"未来的加拿大所担负的主要职责也许都是地方性的。……对于那些喜爱冬季运动者来说,加拿大将永远是一个有吸引力的国家(除非受到全球气候变暖的干扰)。在公共场所禁止吸烟这类问题上也是先驱者。……它将为健身专家们提供就业机会。……它将来仍然保留一个好斗的法语少数民族。"

说句公道话,这位(匿名的)作者并不是主张加拿大的未来就是这个样子,他只是根据当前的趋势作了一点推断而已。其他国

---

① 波士顿茶党案(the Boston Tea Party),指1773年12月16日美独立战争前发生在波士顿港的一起反抗高额茶税案。为抗税,当地人将东印度公司的茶叶倾入海中,英国议会为此通过惩罚性法案,裁定赔偿损失,否则将封锁海上贸易。农民起义(Peasant Revolt)特指1381年英国历史上第一次民众大起义,反对强征人头税,起义失败,但推迟了实行人头税。这次起义又以其领袖名字命名,史称"泰勒起义"。诺丁汉郡长(the Sheriff of Nottingham),传奇中劫富济贫的强盗罗宾汉的死敌。——译者

家,包括我们英国在内,也正在被推向一个被吹嘘得天花乱坠的实行地区自治和民族间争吵不休的未来。在大企业董事会成员们看来,一个世界性政治实体正在被分解为成千上万个市政委员会,这些市政委员会在世贸组织的密切注视下,像一群打架的狗一样争夺内向投资(inward investment)。对于这个前景,他们早已垂涎欲滴。世贸组织本来就是大企业的一个国际执行机构。

当然这还只是讲了故事的一半。大企业就像一个狂傲少年,硬说他对隔壁的少女毫不在意,大企业也让大家都知道,有没有民族国家,对他们来讲无所谓,只要国家不妨碍它们"自主经营"和"竞争"就行。但是事实远非如此。一些极端的例子表明,堪称豪富的跨国公司可以把国家抛到九霄云外,几乎是在无政府的状态下运作;矿业大王伦罗(Lonrho)在1990年初期雇佣了1400名武装人员保护它在莫桑比克的利益;在西非,雇佣军维护了钻石产地的"稳定",这里还不得不说明一下,有时当地人还为此感到欣慰。这些都是例外。这种例外之所以可能产生是因为有关的公司在世界上和平的地区依靠法律的保障获得了稳定的利润。总的来说,国际资本同过去一样,极需要国家的保护,靠国家的力量来执行合同,保护财产,提供警察、军队、海关官员、法官和所有文明的手段以及听话的、训练有素的、"态度端正的"劳动力。

1997年6月,据《卫报》报道,伦敦的高等法院审理了丹麦吉斯克银行(Jyske Bank)状告斯堪的纳维亚几名被告的诈骗案。这件案子生动地说明了国际资本是如何依靠它所鄙视的国家力量的。这起案件涉及国际资本在西班牙和直布罗陀的财产。英国并未涉及此案,与英国毫无关系,但是吉斯克银行选择了伦敦作为诉讼地点,于是被告就成了英国纳税人应承担的责任,为此案英国支付了高达1 000万英镑的法律后援①费用。

1996年6月,同是《卫报》发表了艾伦·格兰特的一篇文章,矛头直指据称是称王称霸的自由企业捍卫者英国航空业:

> 虽然表面上各条航线相互竞争,实际上它们都依赖公家大量的但常常是巧立名目的补贴。
>
> 航空公司可不像开汽车的人,每加仑油要纳两英镑税。地面上的商家纳税,烟草、香水和烈性酒的经营者还要缴纳增值税,但航空公司的经营却是免税的。
>
> 飞机设计出来就是要向环境中排放污染物的,但是受污染的是不乘坐飞机的人。这些航空公司,如希思罗机场,还垄断了国家拨给的土地,土地被当礼品赠送给了英国航空公司这样的私人企业。它们不同于生活在地面上的人,是不受有关噪音法规的约束的。为保证航线顺利运作还需要海关、警官,他们的工资却是由公共资金中支付的。

由此可见,大企业是需要国家的,特别是国家的司法和安全职能;它们还需要可贵的免税待遇和补贴,而这些只能由国家提供。如果国家真的逐渐萎缩,失去作用,跨国公司就无法以其现有的形式存在下去,它们就变成另外一种东西了。

但是,资本所依赖的国家并不必一定是民族国家。说实在的,企业更愿意它们不是民族国家,民族国家在法律上享有主权,在实

---

① 法律后援(Legal aid),指在一件诉讼案中,被告方无钱聘用律师或无经济能力支付诉讼费用,受理案件的地方应为其提供经济援助。——译者

践中则拥有政治和社会的统一。只有这样的国家才能向国际资本提出挑战。如果权力分散在中性的城市国家或像欧盟和世贸组织那些为数不多的地区性或世界性组织之间,国际资本就会感到便利得多。除了宣称"过时的"民族国家已经无所作为,难道还有更好的办法来加速这一进程吗?关于国家的无所作为的论点,是有着充分的文字依据可查的,其中特别值得提到的是威廉·格里德的著作《世界是否已经单一化了?》在这部毫不留情的几近500页的报告中,格里德先生给人的印象是,现代资本就像一部无人操作的机器,靠它自己的前冲力持续地运转,引导它的主要是它自己的意愿。[11]

格里德先生的著作生动描绘了这个不安全的时代。它表达的是人们意识到我们这个世界出了大毛病,但是又对此无能为力,因为还没有发展为一种灾难,使人们的态度发生变化,并推出一个像30年代的凯恩斯那样独具慧眼的思想家来扭转乾坤。我们不同意这种观点。我们认为并非毫无办法,主要是因为我们对民族国家仍抱有信心。下面的前提便是我们的出发点:

> 因此,我们支持那些将国家间的经济纷争降低到最低限度的人,而不是那些将之扩展到最大限度的人。观念、艺术、知识、彼此友善相待、相互沟通,这些东西从本质上讲都应该是国际性的。只要合理而且便利和可能,商品都要由本国制造,最重要的是金融也主要局限于国家范围之内。

不必去猜想这些话是哪位有名的经济学家说的,因为我们并不为他颁奖。但是凯恩斯却似乎从来没有说得如此中肯。[12]民族国家还没有萎缩到现代资本主义秩序要我们相信的那种程度,似乎成为已陈旧过时的东西。正如一批左倾的经济学家强调的那样,执行一条"大政府"政策还是可能的;问题不在于要确定一成不变的税收和开支标准,主要是要确定这两者之间的差距。[13]正如一位比格里德先生更为乐观的美国人说的:"收回我们曾经赋予金钱机构的权力,重新创造一个扶植文化和生物多样化的社会,为社会、思想和精神的进步开辟我们现在还难以想象的无限的新机会,这一切都是我们可以做到的。"[14]

关键是要收回那些赋予"金钱机构"的权力。在本章的后一部分,我们将进一步讨论,并提出从总体上削弱金钱的重要性的各种途径。正如丘吉尔所言,主要任务是不让金融界目空一切。要让金融界重新带上手铐,这会有助于限制跨国公司的活动。金融已经变得日愈重要,但它不是民间故事中的那种不可驯服的怪物。例如,琳达·韦斯曾经从跨国公司及其投向外国的直接投资中获取了一些有趣的数据。[15]神话之一是说跨国公司正在集中力量在低成本国家提高生产能力。大多数国外直接投资都是非生产性的,例如饭店、高尔夫球场、百货公司、银行、写字楼群等等。日本自然是东南亚吸收海外直接投资的主要来源,其投资额的2/3是非生产性的,再说,投入制造业的海外直接投资中很可观的数额是用于兼并和购并。更重要的是,资金是以股票、债券的形式流入的,海外直接投资与之相比,简直是小巫见大巫。这种资金流入使墨西哥在1995年面临崩溃的深渊,而泰国、马来西亚和印度尼西亚则在1997年遭到同样的命运。

琳达·韦斯提出的另一个令人费解的问题是跨国公司是否真如我们想象的那样满脑子想的都是成本问题。如果确实如此,那么为什么不更多地向发展中国家投资呢？1991年,81％的海外直接投资投向了高成本的国家,而1976年只占69％。也许是它们的资金在过去的25年中增长如此之快以至他们可以把资金到处投放？韦斯女士不同意这种观点。她说跨国公司更加重视的是固定成本(机器)而不是可变成本(劳动力),新的生产方式把供货商和生产厂家拴在了一起,这样就走向地区性而不是全球性。最后还有一点,那就是"占优势的公司受益于国内的各种联系:国家的各种久已形成的组织架构有利于各种企业同贸易联合会、培训机构、金融机构以及中央和地方政府建立关系。"

那么这一切对西方意味着什么呢？很简单,大企业实际上比它们自己愿意承认的更加脆弱。它们的大部分业务在西方,几乎所有的消费者也在西方,而且它们还十分依赖于西方的政府来为公司利益的兴旺发达创造适宜的条件。在国内,这需要政府对工会严加控制,重新调整教育和培训方向以适应企业的需要,提供物质刺激以鼓励落后地区进行调整,对于大公司垄断某一特定市场,挤垮其对手,则要作出一点象征性的抗议。在国际上,政府在谈判中要照顾一下跨国公司,这可能是有关国际贸易自由化的谈判。1993年关贸总协定乌拉圭回合的谈判在日内瓦结束时,出席者都不会忘记那些来自洛杉矶、里昂和杜塞尔多夫的经理们是如何日以继夜地进行游说活动的。这也可能是指政府起着律师的作用,就像美国在世界贸易组织接手美国契基塔公司(Chiquita)的案子所做的那样。

重大抉择:充满生命力的凯恩斯主义

我们不要单从大企业的角度去看世界,还应该看一看我们愿意看到的那种世界。我们的要求并不高。我们想要充分的就业,要求经济状况允许有高一些的工资而不是低工资,我们要求工作有保障,我们要求国与国之间和国内的收入分配较为公平,我们希望我们居住的这个星球在我们的有生之年不至于消亡。现在要问一句,大企业文化是否有助于这一进程?资本流动、货币主义、自由贸易、推进单一货币、世贸组织是不是已经使我们更接近我们的目标,还是让我们离这些目标越来越远?除非你是从本书的结尾处开始读这本书,而且以此为起点继续往前看,否则答案其实是十分明白的。

英国和美国的政府却都振振有词地坚持说,低工资经济不是西方发展的途径,但是两国政府对于国际竞争的强大势头却采取了纵容态度,这就必然导致这样的结果。其他国家的政府看到他们丧失了生存的环境和全球气候变暖摇头叹息不止,然后却将自主权拱手让给了一些多边机构,这只能加速这一进程。

多边组织无疑是需要的,但是它们应该是解决问题的手段,而不应该自身就成为问题的一部分。有人建议取消世贸组织[16],签订一个在有利于生存的、平等的世贸组织监管下的"可持续的贸易总协定"(General Agreement of Sustainable Trade)。支持这个建议也许是一个良好的开端。这个建议的最主要目标是以公平贸易取代自由贸易。至于根据布雷顿森林协议建立起来的机构,那个世界银行自建立以来就一直在令人丧气地修筑一些谁都不想要的堤坝。这样的机构应该让它们关门。如果说历史上曾经有过这样一个官僚机构,它机构臃肿,开支庞大,自以为是而且还自鸣得意,那么这个机构就是世界银行。国际货币基金组织可以保留,但必须进行改革,使之成为监督全球资本的机构,而且要确保它遵守民族国家制定的规则。多边机构应当存在,目的是控制全球化进程,而不是为全球化推波助澜。正如一份报告所强调的,全球化对于有竞争能力的国家和地区是个好消息,对于落在后面的国家和地区则不是什么好消息。

"鉴于贫富国家在起跑点上有着天壤之别,全球化很可能加深国与国之间的不平等,除非有意识地采取行动来缩小这种差距。发展中国家在竞争力方面正在努力赶上西方工业国家,由于公司为此要降低成本,其结果可能是降低劳动力和生态环境的标准,从而导致环境进一步恶化,加深社会的排斥性并加强经济剥削。"[17]

这还仅仅是开始。在我们看来,在今后的年代,凯恩斯的影响将大大增强。在新千年来临之际,资本主义正处于十字路口。它要么维持现状,但这种状态已经使大企业失去控制,以致故意焚毁森林以扩大耕地,结果是在1997年的秋天,使印尼婆罗州的上空浓烟弥漫;它要么决定放慢全球化的步伐,重新作出安排,就像二战后福特式的大批量生产,让全世界都能从技术进步的新浪潮中获得利益。

当然不乏乐观主义者,他们把布莱尔视为当代的富兰克林·罗斯福,把比尔·盖茨看作亨利·福特再世。但是借用一句劳埃德·本特森对丹·奎尔说过的一句尖刻的话:"首相先生,你可不是富兰克林·罗斯福啊!"从根本上看,布莱尔不是一位干涉主义者,这一点唐宁街的正常消息来源已经讲得很清楚了,比如说,他对1997年在法国选举中获胜的社会主义者莱昂内尔·若斯潘的评价是:"这是一个观念陈旧的危险人物。"那么布莱尔能不能同若斯潘做买卖呢?能,不过他必须扔掉凯恩斯式的虚情假意的废话,说什么要保证就业,维护工人利益等等。如果布莱尔在本质上是一个格拉德斯通式的自由党人,即坚信市场的力量,又热衷于精神道德,那么比尔·盖茨与亨利·福特相比,就更像一个19世纪的强盗头子了。尽管他以穿胶底帆布鞋、戴棒球帽的形象出现,微软公司还是和其他跨国公司一样残酷无情,只要有一点机会,比尔·盖茨会毫不犹豫地垄断全球的软件。他与福特一样富有(也许比福特更富有些),也同样残酷无情,只不过他有着独特的低俗艺人的作风而已。然而,汽车是一种实现平均主义的手段(福特坚持他的工人都能买得起他们自己生产的汽车,在这一点上他确实做到了),家用电脑可不是实现平均主义的手段,也许将来也永远不会具有这种功能。英特网从本质上说是属于精英人物使用的东西,因为电子计算机设备的资本成本高,而要在网上漫游,支出的账单可能是天文数字。

收入分配更加平均会使新技术更快地普及,但是我们对此仍持怀疑态度。汽车之所以有吸引力是因为工人有了汽车就可以在国内各处转一转,兜兜风,或者到海滨去呆一天,以此来摆脱工作带来的种种烦恼,而对英特网有兴趣的人却是那些坚决要把工作带回家去做的人。有些人主张家庭和学校签订合同,愿意派出一批检查家庭作业的"警察部队"去查看7岁的孩子在家里是学习乘法表呢,还是在看录相?对于这些人来说,电脑可能使他们喜出望外,但是,大多数人对于教育只是一种忍受而不是一种享受。他们只求过得去,并不想超过这个限度。晚上可以去酒馆消遣,也可以在网上读新南威尔士大学的一篇有趣的有关土著居民的论文,假如让人们在两者之间作一选择的话,我们猜想,即使布莱尔先生为他们提供了免费的家庭电脑,他们也会选择前者。

坦率地说,即使在比尔·盖茨的帮助下所有的学校都实现了上网"在线"(联机),这一点点小成就同罗斯福、凯恩斯、福特和贝弗里奇在40年代取得的成就相比,似乎相当渺小。有人批评布莱尔用"人人都是股东"来调情,这位批评者是这样说的:

> 首先,在当代英国这样一个国家,除非这个社会是建立在高生产率、高工资和经济平等的基础之上,否则不可能建立一个具有社会凝聚力、相互关怀的股东社会(且不管这样一个社会的实际情况会是什么样子);第二,除非这个社会的首要基础制造业和与之相关的服务业取得了高附加值,否则也不可能建立这样一种经济;第三,坐等企业对市场信号作出反应我们也不能建立这种经济,因为还有国家的决定性作用。[18]

在撒切尔时代的低谷时期,根本就谈不上有什么战略思想和战略性规划。那时的经济政策就是降低通货膨胀率,产业政策就是尽可能多地吸收日本的海外直接投资,而环境政策就是提倡使用无铅汽油和为时过晚地限制在城外设立购物中心。无论在英国还是美国,右翼碰到的问题是在他们执政时期,恰恰遇上康德拉季耶夫周期,也就是经济五、六十年一个周期的下降期,到了最低点就是技术枯竭、不平等现象加剧和限制过严的货币政策。如果康德拉季耶夫是正确的(并非所有的经济学家都确信其正确性),那么到了现在,世界应该正处于上升期的顶峰,这个时期将建立在发展绿色技术的基础之上,依靠绿色技术来医治环境创伤,执行扩张性的经济政策并向不平等宣战。我们认为,这样的战略击中了不安全时代的根源,并为主张改革的左派提供了一个千载难逢的历史性机会。

左派无疑是能够抓住这个时机的。不过我们担心,这需要做许多说服工作。但是,"合抱之木,生于毫末",大事都要从小事做起,鉴于此,我们决定先试图消除一些从政治上和实践上反对我们观点的看法。左派觉得环境保护主义是蹩脚的政治,但是实际调查却证明这种观点是站不住的。调查结果表明,红绿联盟业已存在。最关注环境的人不仅是那些极为关心政治的人,而且还是那些最可能支持工党的人。再说,当他们表达其政治倾向性时,他们是把对绿色的关注置于生活水平之上的。

1997年大选前在英国举行的莫里民意测验表明,尽管环境问题不如失业问题或保健问题重要,但有1 000万未来的投票人却说,有两、三个最重大的问题将影响他们在下次选举中把票投给谁的决定,而环境问题就是其中之一。"3/4的全国人口和8/10的反对党(当时是工党)议员都一致认为'英国的公司对于处理环境问题没有予以足够的重视';保守党议员中只有少数(最近更少了,只有1/4)认为英国公司在关注环境问题上是落后的,两者形成鲜明的对照。"[19]

不过,这里还有一个更重大的哲学观点。布莱尔和克林顿都曾试图建立某种联合力量,这一联盟关系超越了传统左翼路线的界限;用意大利一位马克思主义思想家格兰茨(Gramsci)的话说,他们是在寻求某种霸权地位。过去20年中右派执行的政策为追求霸权的目标打下了基础,因而变得较为容易达到了。这20年中,共和党人和保守党人的所做所为倒更像是激进派而不是保守派。

不久以前,保守党内的"家长主义者"还关心如何保住人们的工作,用迪斯累利的话说,他们还要"教育我们的雇主",但是到了八、九十年代,这种主张已不见踪影。右派鼓吹的是一种特殊形式的个人享乐主义,根据这种主义,一个人在多大程度上能够承受自由市场的冲击成了对人进行评价的标准。

90年代中期,一小批不满现状的环境保护主义者把自己组织起来,在英国建立了一个"保守者党",[①]他们发表的宣言颇能说明问题:

> 主张自由市场的右派几乎已经彻底抛弃了传统的保守主义。结果是在"老"保守主义中,"保守"这个概念已非常淡薄了,而"新"保守主义实行"焦土政策",鼓励恣意消费,以追求经济上的成功,这是他们轻视资源保护的铁证。在他们的信念中再也找不到各种形式的经济保护主义,适度的艰苦朴素精神,节俭和量入为出的生活方式。节制和适度已不再是他们价值观的组成部分了。[20]

---

① 保守者党(Conserver Party),既含有脱胎于保守党(Conservative Party)的意思,又有"保护者"含义,似有保护环境和维护保守主义传统之意。——译者

保守党人恣意撇弃的政治上的宝贵财富,工党伸手就可拿过来。但是传统左派首先要做的是调整其视线,必须把目光从全球转到地区,从国际转到国内。

我们的建议可以归为四个范畴,第一,寻找重新控制经济的办法;第二,寻找保护环境的办法;第三,加强安全感;最后是解放个人。

(一) 控制

货币制度

关键是人民通过政府恢复对资本的民主监督。现在连乔治·索罗斯这样的投机家都对不受制约的金融权力提出了疑问,此时再不采取行动,更待何时?最明显的改革是要节制资本,首先从对外汇投机征收托宾①税开始。詹姆斯·托宾认为,对外汇投机交易征收 0.5% 的税可以起到在国际金融的轮子里灌沙子的作用。鉴于现在日交易额已大大超过 100 亿,他的建议已显得微不足道了。一位美国经济学家这样说:"我们可能需要往轮子里塞石块,沙子是不够了。"[21]

为了强行征收托宾税,政府应当重新实施对资本流动的控制,对投机性交易强制性征税,并限制私人银行为了赚钱对活期存款账户②提出多种条件的权力。对这一论点会有两种反驳意

---

① 托宾(James Tobin, 1918 年生)美国经济学家,他对投资行为的理论在金融市场实践中具有实际意义。——译者

② 活期存款账户(demand deposits),在美国称为 current accounts,指顾客在商业银行开立的无息活期存款账户,这种账户必须在银行保持足够的存款余额,否则尚需向银行支付手续费。——译者

见:不让资本随心所欲地行事对经济有害,再者,在任何情况下都是做不到的。关于第一点是否确实,不必由我们来证实。我们的论点很简单。自从资本自由化以来,世界经济的表现不如资本受到严格控制的时期。资本的自由流动反映了某种经济涅槃①。对此墨西哥和泰国人可能会提出质疑,因为西方千百万人可能就不再那么幸运,难以用每年度的圣诞节奖金开着法拉利跑车到处跑了。第二种反驳论点倒更像个问题。不过,我们还是认为,控制资本更多的是一个政治性问题而不是一个实际操作问题。假定英国和美国之间发生了一场不大可能发生的战争,那时政府会不会把伦敦的每一美分都"遣返"回美国?当然不会。国家仍然还是具有最大管辖权的组织,它能够干脆地宣布,任何蔑视国家对外汇和资本管制的金融机构将得不到英国法律的保护。奥斯丁·米歇尔曾提出对英国海外的活动采取这一战略。1994年10月公共政策研究所的一本出版物也曾就未获准的外汇投机活动提出过类似的战略。[22]

我们要把"消极执行"②(negative enforcement)这一概念的主要应用范围改变一下,按照无懈可击的"市场"理论,这一概念的司法功能是"民族国家独有的卖点"之一。对于所有以金融为手段进行交易的人,或者所有做金钱买卖的人来说,其中的意思十分简单:如果他们不在某地登记注册,就不在该地纳税并受当地管

---

① 涅槃(nirvana),一般理解为"死"或"超脱"。这里似指其佛教或印度教义中的本意,即个人超脱了生死之苦的羁绊而进入一种极度幸福的境界。——译者
② 所谓"消极执行"或"不执行"(negative enforcement)指的是在许多涉及法律的案件中,民族国家为了鼓励个人和企业遵守本国的法律,可以对境外商业交易合同拒不执行,这有助于使个人和企业不会出于逃避管制和纳税而去境外做交易。——译者

理,那么司法对他们也就不起作用了。离开了英国的海岸线,在海外进行交易,或在英特网所及的遥远地方进行交易,法院就无法对其行使权力了。这就像赌场上的债务一样,法院是不管这种"信誉债务"的,但是在新技术的支持下,"消极执行"就有了更强大的威慑作用。准确地说,新技术可以提供"证据",证明民族国家对资金流动失去了控制。"电脑签字"以及其他电子手段的发展将使英格兰银行(或其他相应的机构)可以有效地"冻结"那些公然无视英国法律,通过电子技术手段转移出去的英镑,使之成为类似过期作废的现金卡这样的东西。在国内,恢复国家的信贷系统以及一般可以界定为资金来源系统的控制是一个具有挑战性的问题。自从1971年爱德华·希思实施解除管制的一揽子计划,即那个命名不当的"竞争和信贷管制计划"以来,银行的信贷业务一直是相当自由的,只在经济出现泡沫后的很短一段时间内恢复了控制。

按照我们的理想,信贷应该再度由该管的部门来管,那就是政府。政府只允许银行用取之于公众的存款进行信贷,住房协会向来就是这样做的。作为遥远的长期目标,我们应当有步骤地销毁金融利益武器库中最强大的武器,即复利[①],重新建立单利[②]制。但是,根据现实情况,这只是遥远的目标,眼下,除了上面讲到的对资本进行管制外,我们打击金融利益的手段就是对信贷实行有效管制,并依法对利息实行限制。我们还应当确保在追偿债务和处理无力偿还债务时,贷方要担负其应承担的损失,同时还要自上而

---

① 复利(compound interest),指将前一期的利息与原有的本金加在一起作为新本金,然后在此基础上计息,犹如"利滚利"。——译者
② 单利(serial interest),指只按本金计息。——译者

下地改革有关代理人、回收人①和民事执法人的法律。

所有这些措施的用意都是为了恢复民众对金融系统的控制,使货币政策再度服从于总体经济利益。取消外汇管制与放宽对银行信贷业务的管制却与此相反,使货币政策的运作只对拥有财富的人有利。主张控制资本和信贷并非为通胀型魏玛式②的挥霍扫清道路。采取这种做法总是会让左派政府自毁前程,因为它会引起恐慌,使人们纷纷购买克鲁格金币③、美术作品、老式汽车④和稀有邮票,把钱花在匪夷所思的非生产性用途上。我们提倡着眼于金融和信贷系统的总体利益,使之具有可管理性,通过这个系统,可以提出、推动并实现对国家资产的种种要求。

价 格 制 度

如果说热衷于自由市场的人听到我们以上的建议已将之视为异端邪说的话,那么我们的第二个建议一定会使他们火冒三丈了。我们的建议十分简单:调整与民生密切相关的商品和服务的价格,以富有者的利益为代价,造福较贫困的社会阶层,其基本内容就是要从富人身上"剪下羊毛",用来补贴一般收入或低于平均收入的

---

① 回收人(reprossession men),指分期付款交易中买主未能按约如期付清贷款,售方有权收回已出售的商品,售方即为回收人。——译者
② 魏玛(Weimar),德国东部城市,18~19世纪的文化中心,该城市有着丰富的文化遗产,许多文物、名胜和古迹,此处似指不惜金钱大肆购买非实用的文物或收藏品。——译者
③ 克鲁格金币(Krugerrand),南非一种金币,一面铸有克鲁格头像及 rand(南非货币名)字样。克鲁格(Kruger),南非荷裔布尔人,1883~1902年任德兰士瓦共和国总统。此金币为收藏品。——译者
④ 老式汽车(vintage car),尤指1917~1930年生产的汽车。——译者

社会阶层。女王政府已经在通过国民保健制度中统一处方药品价格的做法大规模地实施这种想法。尽管这一措施的实行可能不包括社会中的某些群体,却使某些特殊的处方药品与市场价格脱了关系。

这样做是考虑到药品供应事关人的生命。"剪羊毛"机制并没有明确规定只适用于处方药品的价格。我们认为这种机制对于其他重要商品同样适用,比如家用煤气、电力、水和电话费,其实适用于一切可用仪表计费的商品。每个人最基本的大宗消费都可以按低于市场价格的标准付费。我们可以设想一个平均数。超过这个平均数,价格将大幅度提高;有些人每天要洗三个滚烫的热水澡,吃一顿正餐要耗费十个普通人耗费的能源,这部分人就必须按高于市场价格的标准付费。

这一方案有两大优点:第一,通过这种价格机制可使转移支付①内化,减轻了福利系统的负担;第二,允许(实际上是鼓励)供应商为发展业务展开竞争。他们现在就是(或应该)这样做的。唯一的改变是国家在供应商和消费者之间退居中间地位。在处方药品领域,国家就是介于两者之间的。还有第三个优点,那就是降低金钱的重要性,拔除了扎在贫困问题上的一根刺,而这一点正是我们首先要解决的问题。

这个原则还可以加以变通,扩大到交通领域。铁路已经私有化了,政府对经营铁路的公司进行补贴,看来是没有道理的了。补贴应当直接补给消费者,让他们每年都可以在定量内免费乘坐公

---

① 转移支付(transfer payments),不以工资形式支付的福利开支,类似我国的各种补贴。所谓内化,指由各行业内部解决,不再由政府开支。——译者

共交通工具。公共交通增加的开支将由较高的汽油和柴油税弥补,同时还可以允许城市和城镇对超过定量(相对来说较小)的使用者征收养路费。免费乘坐公共汽车或使用代金券乘坐火车只限于前往工作地点,一般不超过 30 或 40 英里,这样就可以大大减少使用小汽车作短途旅行的数量。这一措施既有利于环境,也具有财富再分配的性质。

总之,此类对价格制度的干预无异于为每个劳动者提供免税补贴,而且这种干预具有大幅度累进的性质,这样,大用户支付的费用要比小用户高得多。

贸易和投资

应当明确地告诉各公司,要"就地出售产品",并对它们实行严格的限制,使其产品尽可能在当地生产和销售。可以想象,我们最后一句话一出口定会引起一片抗议声,因为这里面包含着"保护"①这个词的意思。这就犯了异端邪说的大错。但是从历史上看,美国凡是实行高关税的时期,其增长率和生产率总是高于低关税时期。关键在于国内的激烈竞争,这种竞争确保经济不会重蹈苏联的覆辙,陷入僵化和失去活力的状态。我们将会受到指责,说我们扰乱了市场机制,但是我们要回答说,市场并不充分反映贸易在环境问题上付出的真正代价。比如说,伊夫舍姆谷(Vale of Evesham)盛产芦笋,那里的商店为什么还要从西班牙大量进口芦

---

① 此处的"就地出售产品"(site here to sell here)、"当地"(local)应指英国国内,而"保护"这个词(the P-word)应理解为实行保护主义,作者主张在贸易上实行保护主义。——译者

笋？为什么法国从斯劳（Slough）进口马尔斯巧克力①而向英国出口巧克力饼干？英国是欧洲大陆海外最大的果园，为什么我们65％的苹果反倒是进口的？这又说明什么呢？

(二)我们共同的生活环境

环　境

有人会觉得我们开出这样一张处方会对世界经济造成极大损害。澳大利亚经济学家格雷姆·斯努克斯说，迄今，世界已经经历了三次技术革命，即旧石器时代（使用工具）、新石器时代（使用畜力和风力）和工业革命时代（使用化石燃料）。他说，以使用太阳能为基础的第四次技术革命即将来临，而惟一会葬送这次革命并使增长和进步停滞不前的一股势力就是那些生态战士的所做所为，因为他们的种种努力将会导致战争，而战争定会对环境造成更大的破坏。[23]

我们并不反对经济增长，我们也没有自诩为所谓的"生态战士"。不过，斯努克斯描绘的只是遥远的前景，除非各种市场势力在受到推动、鼓励和诱导的情况下向这个方向发展。在利用固定资源的前提下，产出的极大增长应该是可能的，有一项研究认为，资源生产率可以提高四倍[24]，但是不能没有积极的管理措施和税收的刺激。

英国目前的税收制度不合情理。政府对人们需要的东西征

---

① 马尔斯巧克力（Mars Bars），英国斯劳生产的条形巧克力，内夹乳酪。马尔斯为其商标名称。——译者

税,比如就业;而对不需要的东西,如污染,反倒征税极少。这种不平衡状况必须加以纠正。据左倾的思想库公共政策研究所的一项研究证实,纠正是可能的,而且对经济增长不会造成破坏。[25]该研究提出了一个一揽子措施,并请剑桥计量经济学研究所的一位经济学家计算了成本。这位经济学家发现,能源税以1997年为1美元,到2005年提高到9美元,那么到2005年即可筹集105亿美元(按美元计算是因为油价是按美元计算的)。废弃物掩埋地的税收从现在的7英镑提高到2005年的25英镑,可筹集27亿英镑。汽油价格每年实际提高8%而不是5%,就可以从开汽车的人身上挤出86亿英镑,采石每公吨征税9英镑,可筹集24亿英镑,在办公地点停车,一个车位每周征税8英镑,其收入也可超过5亿英镑。所有的税收加在一起共计230亿英镑,这些钱可以用来降低就业税,即雇主雇用每一名工人要付给国家保险业的费用。

模拟计算的结论表明,污染会大大减少:碳的释放量降低9%,二氧化硫降低6%,废水降低16%,减少废弃物掩埋地18%。另外,就业率会大大提高,到2005年将增加71.7万个新就业机会。尽管都说征收环保税会有损经济增长,其实国内生产总值将维持不变。

建设绿色经济的第二根支柱是进行更加严格的管理。美国的汽车制造厂家,尤其是加利福尼亚的汽车制造厂,已经开始根据新的排放法开发新技术,这一政策应该也适用于英国。由于西方国家试图挽救它们所造成的环境破坏,下个世纪环保产业将是极为有利可图的产业,而且那些取得突破的行业会获得独家(垄断性的)利润。有了更严厉的反污染法律,就要花更多的钱来发展控制污染的技术,而节省能源就会创造就业机会,减少污染。

安德鲁·泰莱科特写了一本论述长期经济增长的著作。他认为,有关环境的法规将会像40年代的廉价资本一样,在今后的几年内大大刺激经济的发展。[26]他说得很对。现在廉价的资本也不见得就过时了,因为它还有助于加强人们的长期观念,并有助于创造适宜的投资环境。

从我们的建议中可以明显地发现,我们在富人中大概争取不到多少朋友。有些人在过去20年实行"滴入论"经济学时期得到了好处,假定他们的所得还在增长,那么对他们还要提高边际所得税率,将从中筹集的款项,一半用于教育,另一半用于保健。不过,正如泰莱科特所说,通过土地税来打击富有者是一种较好的、也有利于环保的办法。这种办法会使积累财富变得不那么有利可图,而通过土地解冻也会刺激城市的发展。

社区和社会的团结一致

对土地的控制正好引出我们的第二个论点,关系到对社区的再投资。我们强调的是实实在在的金钱和资产的再投资,而不是那种"重振社区精神"的道德高调,也不是与此类似的"无成本"的空话。中小规模的社区逐渐衰落,直接后果是独立门户的学校和邮局被打碎,留下一片散落的残片;火车和公共汽车的线路遭到大刀阔斧的砍伐,就业机会萎缩。自由市场无情的运作"挖空"了旧城区和集镇。如果说居民和商业在别的地方又凝聚为新的社区,那么这种发展趋势还不太要紧,尽管对开阔的乡村和环城绿化地带还是构成了重大的压力。但是,一切证据都在表明我们正不顾一切地向美国人称之为"线性城市"的方向发展,沿着或临近公路干线或其他交通要道,出现了许多市郊开发区,举例来说,比如盖特韦克－克劳利－克罗伊登沿线的综合发展区以及从沃金汉(Workingham)和布雷克奈尔(Bracknell)通向斯劳的东 M4 走廊。①

这些所谓的"社区"有什么实际意义吗？或者还不如说它们都是一些巨大的"反社区"。让我们换一种说法,如果说人们要想在社会地位和收入方面有所成就就必须移居到一个"线性城市"中去,就一定要离开那个正在衰落的旧市区或集镇,那么"线性城市"不都成了"隔离区"②而不是什么"社区"了,只不过这种隔离区里居住的是富裕阶层而不是贫民？社区的实质是各色人等亲密无间地生活在一起;但是在上述环境下,已无居民多样性可言,那里的情况在过去我们只能称之为阶级。线性城市居民的范围是从取得高度成就者到取得中度成就者,再往下就没有了。

"线性"市郊居民总是神经紧张地盯着他的保安摄像机,不时检查他的防盗警报装置是否有效,不放心地等待他的孩子乘坐包租的微型汽车从学校回到家里,当然,他对于在新工党大肆宣扬的新社区观念中充当一名防暴队员的角色可能早有思想准备,也是心甘情愿的。但是我们对此却表示怀疑。当最近的"商店"就是十英里以外的大型零售商城,"附近"的酒馆就是位于另一个方向十英里以外"享用大牛排"的豪华酒店时,"社区"就成了某种毫无实际内容的概念。实际上,在"线性"市郊,人们的日常联系就只限于

---

① 前者(Gatwick-Crawley-Croydon complex)是从伦敦南郊通向伦敦以南的城市,后者(Eastern M4 corridor)是从伦敦西部通往伦敦以西的斯劳。——译者

② 隔离区(ghetto),原来是欧洲城市中犹太人集中居住的地区,贫穷落后,后来其含义延伸为穷而没有社会地位的二等公民的聚居区。——译者

和物业管理人员打交道,主要是保安人员。这种状况恰如其分地对商业价值观的胜利作了一个概括。社区是不会听从政客们的高调和空谈就出现的,就像自然环境一样,它们需要人的关心和照料,实际上可以说社区就是自然环境的人文环境同义词,或者称为人文生态。我们主张小社区并不是因为我们怀有温情脉脉的劳拉·阿什利那样的怀旧心态,而是因为社区是健康的社会-经济制度得以繁荣发达的土壤。在一个真正的社区中,人是至关紧要的因素,而在一个线性城市中却并不是这样。正是有鉴于此,我们才希望扭转那种不愿向社区投资的倾向,并提议为此目的采取主动行动。

交通

指责线性城市是以汽车为中心建立起来的,无异于指责地球是圆的。1990年6月15日,约翰·怀特莱格在《卫报》上发表文章,文中描绘了高速火车(铁路)和使用私家汽车的结合如何加剧了污染和城市的肮脏程度。高速火车为少数人的高速流动提供了条件,同时也培养了对其他高速方式的依赖心理,以此来鼓励人们旅行时多乘坐高速火车。大多数来往于火车起点和终点之间的旅行很可能是靠性能良好的汽车来完成的,这是因为那些利用高速铁路的旅客在别的地方还是不得不利用"慢速"的交通工具,所以他们并不能获得高速火车为他们带来的好处。他们尽可能避免发生这种情况。在本章的前面部分,他还呼吁将用于发展高速火车和汽车的资源投入"高质量的地方公共交通"的发展,这种交通工具的时速大约在每小时20至40公里之间。

我们同意他的意见。发展社区级公共交通的重大任务是生产低速的包厢火车而不是高速列车;有轨电车、轻轨火车以及可靠经济的公共汽车的运营,实行有执照、受管理的计程车式的服务。由此带来的良性循环远远超出环境改善的范围:安全而有足够工作人员的火车站会造福女性乘客、老年乘客以及所有不敢在深夜站在空无一人的车站等车的人。对于火车自身也具有同样的效果:铁路公司再也不用花力气去发展没有保安人员、没有乘务员,甚至没有驾驶员的交通工具了,因为这样做已毫无意义。重新为公共交通配备工作人员还会创造稳定可靠的就业机会。这是为社会带来的又一个好处。

设施

社区内集中了各种各样的社区性机构,如邮局、派出所、学校、医院。没有这些机构,社区就变成一堆建筑物,线性城市就是这样的。在新型的地方议会和行政机构的体制下,政治家狂热地鼓吹权力下放,同时又在默许高度集中,比如把郡级警察部队都集中到几个城堡式警察总部大楼里去,实在是荒谬可笑。在政府开支中出现这类重点偏差要加以纠正,那就是向社区投资,而解决这种偏向的办法就是采取有力的纠偏措施,使可资利用的资金向社区一级倾斜。

服务

1997年以前的七年中,有3 000家银行分行和住房协会分会关门。1997年2月,工会支持的一次金融联盟的会议获知,银行从"无利可图"的社区撤离正在使较贫困的人落入高利贷者和当铺老板的股掌之中;同时,另一份来自全国消费者理事会的报告称,较贫困的人从金融机构所得的存款回报是如此之低,以至他们觉得还不如把钱塞在床垫底下。银行撤离仅仅是投资紧缩这个大问题中的一部分,但是这却给了公共事业当局一个采取果断行动再次向社区投资的时机。1990年国有银行私有化时,全国邮政通汇转账制度①这个概念也被扼杀了。现在已到了恢复这一主张的时候了。可以这样说,当前需要公有零售银行的紧迫性已甚于60年代中期初建直接转账银行的时候。英国的四家票据交换大银行毫不掩饰地声称,将来它们要把它们的客户转化为纳入高容量的大市场个人客户,用微型的分行网络、存款电脑登账的手段为他们服务,与这些客户办理业务则通过大型电话中心来进行。

富有者将继续享受银行提供的全套服务,而其他人无例外地都被当成推销令人生疑的"一揽子产品"的对象,例如向他们出售养老金、人身保险和单位信托投资②证券等"一揽子产品"。国家银行拥有正式的分行、经理、顾问。这种银行的业务远不止于确保贫困的人不受高利贷主和当铺老板的盘剥。国家银行的分行有权向个人和小企业发放贷款,它们的作用会成为复兴社区的催化剂。每家分行都是一个专门知识的中心,可以帮助客户做预算,除人寿保险以外的一般保险、纳税、立遗嘱、信贷和外汇等事务。企业顾问们则帮助雄心勃勃的企业家做规划,理财政。在战略高度上,国家银行还是推行经济政策的强有力的手段。不过国家银行的工作人员不是公务员而是公共事业的雇用人员,在一对一的基础上向

---

① 原文为Giro bank, giro一词指的是银行或邮局间的直接转账。而Giro bank则特指英国邮局一度实行的直接转账制度。——译者

② 单位信托投资(unit trusts),由单位信托投资公司征集信托人,将其资金投入各种证券,按比例把投资收益分给他们。——译者

个人客户负责,同富人利用的私人银行的经理一样。

这种银行在金融领域所起的催化剂作用也可以在知识界和艺术界的学校、图书馆这类机构套用。这类机构在国家逐步撤离社区的过程中一批接一批地关门,用行话说就叫做"停业整顿"。这种趋向应当扭转,这种逆转代表了真正的城市自治主义而不是分权论者喋喋不休地鼓吹的冒牌"地区共性"。其实,推动地区自治加剧了社区的各种困难而不是缓解困难。庞大的地方政府的头头脑脑尽是一些江郎才尽的全国性政客和一批野心勃勃的年轻冒险家。他们天生就会倾向于庞大的"重要"单位,如医院、学校、图书馆和警察局,而不是一个个社区。

这不是反动立场。相反,放权和地方主义却以他们的任命权预示着恢复中世纪贵族领地的可能。这才是真正反动的原动力所在。

关于改善我们的共同生活还有最后一点看法。大企业要求取消对工作和营业时间的一切"人为的"限制。对这类的要求进行抵制是谈不上什么反动的。正如拼写一个难字,首先想到的那种拼写往往是正确的,劳工运动起初就反对星期天和夜晚工作,他们作出的反应也是正确的。共同的休息日(星期日和银行休息日)和共同的休息时间(午餐时间和夜晚时间)是共同生活的重要特征。凡是反对这些特征的利益就是共同生活的敌人;他们的目的是要有一支分散的、呼之即来的劳动力大军,要有一个对商业活动没有任何"人为的"障碍的社会。上一届保守党政府对欧共体作出的《关于工作时间的指示》(即规定每周工作 48 小时,一天休息,通常是星期日)愤怒地加以反对,对那些会毁掉整个英国渔业的措施却表示默认。从中即可看到两者之间形成的鲜明对照。

我们认为,一切侵犯公共休假日、星期日和黑夜时间的交易、合同和其他商业协定在法律上都是无效的。我们倒不是想维护一位过分活跃的企业界大亨的家庭生活,我们要保护的是侍候他的大批秘书、职员、通讯员的家庭生活。更重要的是,采取这样的步骤是向全社会发出一个信号:我们这个国家的政府已经让商业价值观成为脱缰野马;金融活动应当被约束在一定范围之内;这类金融活动固然重要,却不过只是人类生活中一个很狭窄的方面,而不是生活的全部。

(三)安全

多样化的社会

对福利制度的名声造成最大破坏的莫过于认为贝弗里奇创立的东西根本谈不上是什么按一套公开的严格规定筹集和分发资金的巨额互助基金,他所创建的只不过是一个现金摸彩桶①,只有加入"福利文化"行列的人才有资格通过繁琐的程序去摸彩,这种看法自60年代末以来甚为盛行,且日益增强。杰里米·西布鲁克关于城市神话曾作过这样的描述:一个黑人把他的跑车进行了一番豪华昂贵的装修,他让加油站②把发票送到社会保障部门去,让他们付费,还描写了一个好心的局外人想打破这种神话遇到了多少困难。[27]

---

① 摸彩桶(bran-tub),直译为糠桶,指装有糠或锯末,其中埋有彩头的桶,用于摸彩。——译者

② 加油站(garage),英国的加油站兼营汽车维修、装饰业务。——译者

"每个人都知道"福利制度是个骗局,这种想法对于社会保障制度的破坏性不亚于"凡是警察都腐败"这种想法对法律和秩序造成的破坏。在这种氛围中,新工党决心对福利来一个"知其不可为而为之"的举措(这是对普遍削减福利开支的委婉说法,这种"不可为性"很少涉及增加福利开支)。到了 1997 年底,后座议员席上爆发了一场大叛乱,使政府陷入了困境。这一事件的起因是政府决心削减单亲父母的福利。在公司利润丰厚、董事们财源茂盛的时期削减福利开支,在道义上有亏。此外还表明用削减开支来代替思考往往是徒劳无功的。

削减单亲父母的福利这一计划的背后有一个指导思想,那就是"福利只给予劳动者"。这一指导思想也是不实际的。正如实际情况表明的,这一计划使大约 50 万单亲父母走上了工作岗位,而这一时期,劳动力市场的需求本来就相当疲软。不仅如此,这一计划从道义上讲,或从选举的角度上看,也并不比原先的制度更站得住。以往,纳税人出钱是让单亲父母坐在家里照看孩子,今后就是为他们雇佣临时保姆出钱了(或者用官方的正式语言讲,就是为了"优育")。

"福利只给予劳动者",以及工党实行的脱离实际的一般福利改革,都将重蹈覆辙,同现行制度一样,具有繁琐复杂、不合逻辑、公众不拥护等一切毛病。更严重的是一旦私营部门介入养老金和长期生活照顾保险领域,将会像我们前面说过的,只会削弱而不是加强人们对福利制度的信心。1986 年撒切尔政府的社会保障大臣诺曼·福勒提出的一揽子计划就像是一部 X 级电影[①]。我们不

---

① X 级电影(X-film)是英国早先实行的电影等级划分法。X 级电影只适合 18 岁以上的成年人观看,含有色情或恐怖内容。这里当指令人感到恐怖的影片。现已改为 12、15、18 各种等级。——译者

仅看完整部电影,知道它的结局(滥售40亿养老金的丑闻),而且我们还注意到官方在把农田投入股票市场的问题上态度产生了某种分歧。由于1997年11月亚洲的证券交易发生了动荡,投资调节机构金融服务局的主任霍华德·戴维斯在英国工商业联合会的一次早餐会上保证说,英国各银行在股票市场上没有受到多大冲击,不太可能遭到东亚同业所遭受的那种灾难。银行由于其自身的弱点容易受到多变的证券市场的冲击,而人民养老金却因其强大也容易受到冲击,这两种现象怎么能够同时存在,还有待论证。不管怎样,大西洋两岸的福利制度私有化的势头却正在加速。杜格·亨伍德写道:

> 美国关于社会保障(国家养老金)制度实行私有化的想法已经在民众中广泛地谈论,对于福利国家的打击之严重莫过于此了。……民主党总统甚至任命了一个委员会来专门制定一个私有化进程。这是鼓吹自由主义的右派曾经梦寐以求的。当巴里·戈德华特在1964年提议社会保障应建立在自愿的基础之上时,他的这种想法被认为足以证明他神态不清,……而现在的媒体却正在做向公众推销这个计划的重要工作。
>
> 由于这个主意不可能以其自身的价值被推销出去(人们会想,为什么要毁掉一个普遍实行、深受群众欢迎而且行之有效的制度呢?),因此只能依靠不正当的手段来推销。这个骗局的核心是说福利制度已不可避免地面临破产,而且为期不远,也就是下个世纪头一、二十年的事了。[28]

亨伍德在这段话的后一部分说,"破产"的恐惧是基于一些数字,这些数字表明美国的平均经济增长率甚至低于30年代大萧条时期。他总结说:"这一切都是荒诞不经的。金融市场的特征除了风云变幻和充满种种丑闻以外,别无他物,却被描绘成坚如磐石;政府在过去60年中从未间断地发放养老金,不见有什么丑闻,却被说成是风雨飘摇。"他这段总结性的话在英国人耳中也引起可怕的回响。

在我们看来,应当严格限制私营部门插手国家的养老金和其他社会保障事业的运作,它们基本上只能做一些管理工作。按理福利属于一种政府职能,政府应在议会公开确定的限度内履行这一职能。政府职能是在法律的框架内履行的,在这一框架内,人民能够为自己营造一个生存环境,而政府在履行一个"信托公司"的职能时,公民就变成了既是出资者,又是受惠者。福利就介于这两者之间。福利要有透明度,而且基本上不允许任意行事。这些特征构成了正常运作的福利制度的基石:如果议会经表决决定给断腿人发放五英镑津贴,那么只有断了腿的人才有资格接受这项津贴。一个社会管理者阶级握有可以任意施为的权力,又介于福利和受惠者之间,这才是公众对福利制度丧失信心的一大原因。

福利也不属于法院正常的管辖范围。近来法官们作出了一些裁决,其用意是要让一些原来被认为并不属于受益者范畴的个人和群体也享受福利待遇。这种做法对社会福利的理念也具有破坏作用。这同一批身份不明的社会工作者和公务员随意把上百万英镑发放给本不该受益的骗子具有同样的破坏作用。欧洲人权大会也纳入了英国法律之中,那么又会作出更多的裁决,其数量之多,与上述法院所作裁决相比,真是小巫见大巫了。美国早期的社会主义者许诺的"适度和节俭的照顾"将会变成骇人听闻的国家彩票,福利将随意发放给一批有能力聘请最杰出的法律顾问的人。

我们认为,议会(实际上是代表民众)恢复对福利制度的控制权是正确的,即使这样做意味着从总体上看福利待遇不可能那样优厚。不过我们又认为这是不大可能产生的结果。相反,在目前这种好打官司、动辄保密、官僚主义盛行的氛围中,福利款项被当成国家资产,为了实现某些目标可以随意动用福利款,而当初筹集福利资金时可能根本想不到福利款还会有这样的用途。以"求职补助"(这是失业补助的一种新的委婉说法)为例,只要"求职者"有其他收入可以替代福利补助,那么只能付给一半。如果一家保险公司试图用这种办法不履行其义务,那么这家保险公司就要面对反诈骗工作人员接受问话了。

福利是属于每个人的财产,也是每个人都有权管的事情。为了整体利益交给国家管理是一种信任或委托。战后的福利制度曾经是西方社会民主的骄傲;共产主义这个竞争对手刚刚垮台,突然之间福利制度就要破产了,就需要"动大手术"了(应理解为"削减")。我们对此是难以苟同的。但是我们也不认为现有的福利支出水平就是现代生活自身的一种一成不变的特征,它是"健康的"经济政策带来的副产品,也就是失业和普遍的社会排斥性造成的。

毋庸讳言,货币主义已经使公共财政消耗殆尽。真正健康的经济对于"应急"福利开支的需要小得多。我们现在就是要寻求这种健康的药方。

经济的多样性

如果一系列法律诉讼案不能挽救福利制度的话,那么真正的就业保障也无能为力。近年来,工会领袖们站在皇家法院或上议院的台阶上春风满面,为他们在法庭上又一次"胜诉"而兴高采烈,没有什么比这种景象更让人沮丧的了。正如我们在前面看到的,这种所谓的"胜利"往往根本谈不上是什么胜利,实际上还可能损害了有关工会会员的利益。即使每一次或所有根据就业法作出的有利裁决是有关工人取得的毋庸置疑的胜利,真正的就业保障也并没有因此就前进了一步。从定义上讲,一项法院的裁决总是狭义的、具体的,而现代劳动力市场的任务、条件、公司业主和工人的类别则像一个千变万化的万花筒。即使一项裁决是普遍适用的,关键问题仍然是"得益者何人?"规范性的就业法,无论是法官制定的还是议会制定的,其作用都是为自由出入设置障碍,而且加强了大公司的垄断地位,使之有能力雇用大量的律师和遵命办事的专家,靠他们来保证每一个行动都符合规定。相比之下,中小型企业的选择范围就很有限。他们可以认输(其结果是增加失业),他们也可以投入"黑色"经济(结果是腐蚀了税收的基础),他们还可以寻找就业的替代品,如自动化或到外面去物色劳动力(或者是第三世界,或者是自家后院里的第三世界,即家庭佣工)。

总之,他们以及他们的老大哥们,可以采取简便的签订短期合同的办法,把自己贴上顾客的标签,把工人贴上供货商的标签。这一点我们前面已经提到过了。一旦雇佣人员变成了"企业",那么他们之间的关系就变为企业对企业的关系。雇主对这家"新企业"

就不承担任何责任,就如同他不必对帝国化学工业公司(ICI)负责一样。

上面所说的一切与创造大量就业机会或工会的核心功能都毫无关系。大量的就业机会或者工会的核心功能就是要确保工人能在公司这块蛋糕中分得最大的一块,而且真正能够吃到口。这块分得的蛋糕包括收入、休息时间、工作条件和外快。世界上一切有关就业的规章不能营造一个宽松自由的劳动市场,在这种宽松自由的劳动市场上,雇员可以满怀信心地换工作,可以争得更有利的条件,而且还可以不时地扔下手中的工具举行罢工。只有积极的、扩张性的经济政策才能带来这样的环境。这种经济政策还要同简化税收与其他文书要求相结合,而且对雇员和雇主一视同仁,我们的目标是名符其实的灵活性,有了这种灵活性,雇员和雇主一样,也有能力作出"自由选择"①。法律和判决都不能真正地解放工人,只是当工人确信有工作等着他,才能做到这一点。

在这样一片平坦的赛场上,工会才可能再次就工资和福利问题进行调停,举行谈判,作出双方都可以接受的安排。这种劳资双方的交易只要双方都认为有益、确当,就可以维持下去;等到举行下一次谈判时,手头的任务和有关的人员可能都已发生了变化。我们经常听说,这种变动是现代工作场所与生俱来的特点。这一点我们同意。但是我们不明白,为什么这种变动不可避免地带来的不安全应该全部由劳动者来承担。"最高纲领主义"的货币政策部分地纠正了财富拥有者和出卖劳力者之间的不平等状况。这种

---

① "自由选择",原文为 up-sticks,意为携带全部财产迁居他处。这里指工人可以自由找工作,就同雇主可以自行选用工人一样。——译者

政策培养了信心,提高了安全感。实施这样的政策才是真正的保护就业的行动。

民族的多样化

那些掠夺成性的大企业不喜欢独立的、民主的民族国家,就像吸血鬼闻到大蒜味和看到削尖的木桩①一样。詹妮特·戴利在1997年11月4日的《每日电讯报》上写道:

> (大公司)讨厌一切妨碍他们建立不受约束的市场统治地位的障碍:国家疆界、文化的多样化、无规则的民主多变性、多种货币制度,凡此种种,对于他们的扩张来说,都是令人厌恶的障碍物。他们需要的理想状况是全世界的人都是千人一面,有着统一的口味,具有可以预见的习惯,也就是一块毫无起伏的光滑平面。在这块平面上,他们可以无阻碍地推行他们那些冷酷无情的战略。

正如我们在前面讲到的,国际资本对民族国家分解为许多被剥夺了权力的城市情有独钟,用委婉的说法就是民族国家解体为"城市国家"。实际行使权力的是国际资本的执行机构,例如世界贸易组织、欧盟以及任何能够控制拟议中的"多边投资协定"(可称为一部跨国公司大宪章)的机构。英国以及其他地方的左派似乎

---

① "削尖的木桩"(sharpened wooden stake),指十字架。据西方传说,吸血鬼惧怕大蒜味道和十字架,见到这种东西则避之唯恐不及。——译者

认为，这些机构之所以代表大企业行事是因为左派未能推动改革，也因为他们认为只要能够对这些机构加以正确的引导，它们会成为进步的巨大推动力。

这是幻想，虽然足以令人自慰，但终究是幻想。以下这个事实就可以使左派丢掉这个幻想：我们在本书中所提的建议几乎都会被否定，因为根据欧盟的法律，这些建议都不合法，或者与英国的世贸组织成员国地位或其他自由贸易协定的签字国地位相矛盾。对有些人来说，我们的看法是邪恶的。这些人可能将此作为坚决维护这些机构的最有力的依据。但是对于那些不明朗地表示同情的人来说，因为他们缺乏洞察力，不能把激进观点视为一种警告。凡是一个独立的民主国家，思想化为行动的机会最为微小；没有一个负责任的中央政府，我们对自由、法律、经济等这些重大问题的内部争论就只能是一种在豪华艺术中心的表演，当然，在幕间休息的时候少不了有高级点心供人享用，但是，归根到底，这种内部的活动和外界的生活是完全脱节的。

为了维护我们的国家并重新将其命运掌握在我们自己手中，我们要提出的是只有一句话的"独立宣言"，那就是议会的权力高于任何国外的法院和立法机构以及一切条约义务。这不仅对于我们恢复法律上的独立自主极端重要，而且可以结束那种"自不量力的"外交政策，而这是有百利而无一害的。我们不想让英国参加大国游戏，不管是为了我们自己的利益还是作为欧盟这个新"西方帝国"的股东。我们赞同列昂-弗朗索瓦·雷维尔的意见，认为一个国家的外交政策服从国内政策更具有社会主义性质，而反之则不然。我们不应以"施加影响"的欲望来处理我们与世界的关系，而应本着为世界做好事的愿望来处理对外关系，特别是在对付人类面临的两大挑战:一是从道义上要让受饥馑之苦的人吃饱肚子,二是要务实地改善环境,则更必须这样做。迎接这两大挑战,恰恰需要实施我们提出的有秩序贸易战略而不是自由贸易战略。重新控制工业和出口就会排斥那些污染制造者,而种种自由贸易协定只会使那些较贫困的国家只能享有一小部分它们所创造的财富。

与此形成对照,世贸组织却以"取消大量美国的反污染立法"的裁决相威胁,使那些较贫困的国家为了自身的生存不得不去种植罂粟。这并不是我们的预见,而是《金融时报》的专栏作家乔·罗格利在该报刊物1997年11月1/2期合刊上所作的预测。关于成立世贸组织时签订的条约,他写道:"大多数参与国政府都是根据国内大公司的需要来制定贸易政策的。……世界贸易和解决成员国之间争端的组织本质上代表的都是公司的利益。"

(四)"只有一个人的群体":个人生活

我们最后要讲的是单独的个人,把个人放在最后并不是因为个人就像某些"左派"的小册里所说的那样,他们只是最后才想得起的人,在那些大谈什么国际大团结和人类大同的言论中只能捎带地一笔带过,而是因为个人是(或者本应是)一切世俗社会纲领中的核心。我们坚定不移地主张个人自由,拥护文艺复兴时期关于个人具有独一无二潜力的理想。我们的重点是手段而不是目的,是工作、工资、安全的家庭,而国家当仁不让的任务是为个人创造这些条件,并使之实现。不过到了星期五晚上,雇员们领到了工资,走出工作单位的大门回家时,国家的职能就应当到此为止了。

新工党和新民主党却不同,它们对于宏观经济环境撒手不管,却十分热衷于干预人们在休闲时间的行为。托尼·布莱尔和他的同僚们老惦记着星期五,请注意,他们念念不忘的是你如何度过星期五。他们关心的是如何确保你把钱花在吃低脂肪的食品,在各种场所不吸烟,而且饮酒也只能"适度"。你如何挣钱养家糊口是你的责任,而你怎样花钱都是他们要管的事。这就是新的指令性经济的核心:承担一切风险的是普通的雇员而不是资本,而雇员作为公民,其行为总要受到严格的约束。

夹在暴虐的雇主和暴虐的政府之间的公民被推来搡去,备受折磨,他可能难以将两者明确地区分开来。或者,正如艾伦·克拉克在《观众》(Spectator)杂志上所写的,是谁对他们拳脚相加并不重要。工人阶级的忠诚正在出现一块空白。对于他们来说,在跨国公司冷酷无情的"效率"和"关怀备至的"地方当局的信仰偏爱中得到保护,与他们是否有自由在自己的住房里安装从韩国进口的漆得光亮的桃花心木大门相比,前者已经变得更为重要了。我们想把这个等式颠倒过来:让公民享有自由,让资本再度受到控制。正如我们在前面谈到的,在法律和秩序方面采取坚定而温和的态度,而在文化上却实行控制,这两者是相悖的。前者的重点是货真价实的犯罪和受害,而后者却只是想象出来的第三方,国家却以他们的名义对于完全合法的行为以及其他方面严加管制,这种行为除了作恶者本人以外,并无其他受害者(反毒品斗争就是一个重要的例证)。

发生在公民身上的情况同时也发生在俱乐部、餐馆、旅店以及其他提供竞争性个人服务的经营者身上。这些单位的啤酒里按品脱、夸脱、①公升还是罐装出售;这些地方是否辟有无烟区;这些完全是他们与顾客之间的事。关门时间、赊账的办法,是否公布价目表同样也与当局无关。

总之,对于目前通称为"休闲"的生活和我们认为属于社交性质的活动,我们主张一律解除管制。我们不但主张公民下班以后享受完全的自由,而且在工作场所也应当受到保护,以免个人尊严受到侵害,比如测试他是否吸毒、是否饮用含酒精的饮料和接受心理测试。一名雇员的"态度"纯属个人事务;雇主的作用应当仅限于确保该员工能按双方同意的标准完成手头的工作,确保员工的外表和行为符合公司的要求。员工脑子里想什么是他个人的事;雇主无权充当接受信徒忏悔的神父或洗脑人。

警察也无权对个人行为事无巨细都进行干预。20岁以上的成年人必须参与"反毒斗争"应予废止,除非有证据表明现在颁发执行的麻醉剂最高限量没有得到执行。没有宽容就没有服从。

大麻制品合法化,恢复药剂师配发安非他明②的权力,这些问题是否可行有待讨论。更重要的是,用于追查吸毒者的公共开支应当大量缩减,警察因执行"反毒斗争"的需要而攫取的闯入个人住宅的权力应当取消。实行身份证制度的计划应当废止,公民被要求证明身份的事件应当减少到最低限度。我们应当停止执行强制性的体格检查、艾滋病测试、系安全带、戴防护头盔,保留的仅仅是人口调查时一些必要的细节。应当杜绝警察在没有许可证的情况下搜查住宅、进行监视和电话窃听,在警方头目的胁迫下部长们

---

① 品脱(pint)、夸脱(quart)均为容量单位,英、美制容量大小有所不同,按英制,1品脱=0.568升(相当于美制的1.201品脱),1夸脱=1.136升。——译者
② 安非他明(amphetamines),苯异丙胺类药品,用作兴奋剂。——译者

同意使用的监控和侵犯个人权利的各种仪器同样应当取缔。要求公民填写选民登记表的制度应当废除。隐私权和匿名权应当在广泛的范围内再度受到尊重。

让我们借用前财政大臣奈杰尔·劳森的话来说明我们的目标,那就是在一个拱形框架内享受最大可行程度的自由。惟一的区别在于他说的是资本,我们讲的是人。

第 九 章

安全的时代

"你知道吗,阿里埃蒂,"他呆了一会儿接着说。"说实在的,斯皮利说得越少越好;那个人叫什么来着,什么,什么小姐?""孟席斯。""有件事永远也不能让她知道,我确实认为永远不该让她知道,——就是不让她知道我们生活的地方究竟在哪里。"

"我只是想让她知道我们现在很安全。……"

波格林回头瞧了她一眼,歪着嘴嘲讽地笑了笑。

"我们安全吗?"他温和地说。"我们安全吗?我们安全过吗?"

玛丽·诺顿:《遭报复的借贷人》
Kestrel Books 出版,1982 年

推销"总体安全"的人是个谎精,是个骗子。在读这本书的时候,一个受人爱戴的人,要么因为战争、饥荒,要么因为在西方拥挤的马路上发生事故,死了或者受伤了,我们全国的生活,全世界的生活就都毁了。至于企业破产了,考试失败了,婚姻破裂了,工作丢了,梦想破灭了,这些倒较少带有悲剧色彩。人类的境况本来就是不安全的。

鉴于情况就是如此,我们认为我们建立起来的人类结构就应该为人们提供保护,使他们能够避免这类不安全的生活,因为自由放任的经济制度否认有保护之必要,要把不安全说成是一种优越性,在我们看来,就如同奥克尼群岛①当局宣布他们打算拆除防范飓风的"人工"屏障一样,实在是异想天开的念头,是不可救药的愚蠢,是难辞其咎的疏忽。这是加利福尼亚死亡崇拜的疯狂,绝不是理性经济思想的逻辑。

我们希望我们已经证实了两大重要论点。第一,国家还是有前途的,如果我们想让它有前途的话。商业不是万能的,现在已是对削弱国家权力的神话提出质疑的时候了。

第二,希望还是有的。许多论述全球化的著作使读者感到沮丧、绝望。我们希望本书不是这种情况,因为正如约翰·福尔斯②曾经这样写道:"真正处于危险之中的并不是自然本身,而是我们对待自然的态度。我们现在的行为好像是我们生活的世界已经只剩了一小块,而未来的世界仍然是我们设想出来的毫无希望的世界。这不是活生生的现实。"[1]

---

① 奥克尼群岛(the Orkneys),或称 the Orkney Islands,位于苏格兰北部沿海,由70多个大小岛屿构成。为保护居民免受飓风之灾,设有人工防风屏障。——译者

② 约翰·福尔斯(John Fowles,1926年生),英国小说家,其小说《法国中尉的女人》及《丹尼尔·马丁》均为广为人知的著作。——译者

注 释

前 言

1. George Orwell, *Nineteen Eighty-Four*, Penguin, 1954, p. 199.
2. Régis Debray, quoted in the *Guardian*, 15 June 1994.
3. Austin Mitchell, *Competitive Socialism*, Fabian Society, 1989, p. 14.

第 一 章

1. Richard Cockett, *Thinking the Unthinkable*, Fontana, 1995, p. 333.
2. Aneurin Bevan, *In Place of Fear*, Pickering & Chatto, 1996, p. 58.
3. Tom Stoppard, *Arcadia*, Faber & Faber, 1993, pp. 56, 59.
4. J. B. Priestley, *Men in Three Suits*, quoted in Charles Barr, *Ealing Studios*, Cameron & Tayleur, 1977, p. 50.
5. Neville Cardus, quoted in Barr, *Ealing Studios*, p. 97.
6. Hugh Dalton, *The Fateful Years*, Muller, 1957, quoted in Ben Pimlott, *Hugh Dalton*, Macmillan, 1985, p. 425.
7. Pimlott, *Hugh Dalton*, p. 457.
8. Kenneth Morgan, *Labour in Power*, Oxford University Press, 1984, p. 180.
9. Ibid., p. 370.
10. Barr, *Ealing Studios*, p. 103.
11. Richard Hoggart, *The Uses of Literacy*, Chatto & Windus, 1957; Penguin edn, p. 246.
12. Betty Friedan, *The Feminine Mystique*, W. W. Norton, 1963; Penguin edn, p. 13.
13. Ian McDonald, *Revolution in the Head*, Fourth Estate, 1994, p. 7.
14. Ibid., p. 177.
15. Ibid., p. 25.
16. George Melly, *Revolt into Style*, Penguin, 1970, p. 98.
17. John le Carré, *Tinker Tailor Soldier Spy*, Pan, 1974, p. 173.
18. Ibid., p. 136.
19. Alexander Walker, *National Heroes*, Harrap, 1985, pp. 15–16.
20. Michael Pye and Lynda Myles, *The Movie Brats*, Faber & Faber, 1979, p. 211.

第 二 章

1. Auberon Waugh, *A Bed of Flowers*, Michael Joseph, 1972, p. 32.
2. Robert Heilbroner, *Business Civilization in Decline*, Marion Boyars, 1976, p. 13.
3. David Marsland, *Seeds of Bankruptcy*, Claridge Press, 1988, p. 1.
4. Arthur Hailey, *The Moneychangers*, Michael Joseph, 1975.
5. Jeffrey Archer, *Not a Penny More, not a Penny Less*, Cape, 1976.
6. Frederick Forsyth, *The Dogs of War*, Hutchinson, 1974.
7. Heilbroner, *Business Civilization in Decline*, p. 47.
8. N. H. Stacey, *Journal of Economic Affairs*, 1981.
9. Marsland, *Seeds of Bankruptcy*, pp. 24–5.
10. Ian Angell, Address to Conference on Financial Crime, Lisbon, June 1997.
11. Jim Slater, *Return to Go*, Weidenfeld & Nicolson, 1977, p. 199.
12. Tony Benn, *Against the Tide: Diaries 1973–76*, Hutchinson, 1989, p. 421.
13. Arnold Wesker, *Journey into Journalism*, Writers and Readers Publishing Co-operative, 1977, p. 73.
14. Fritz Schumacher, *Small is Beautiful*, Abacus, 1974, pp. 24–5.
15. Tony Benn, *Arguments for Socialism*, Cape, 1979, pp. 148–9.
16. Jimmy Reid, quoted in Peter Evans, *The Protest Virus*, Pitman, 1974, p. 131.
17. Schumacher, *Small is Beautiful*, p. 11.
18. Anthony Burgess, *1985*, Arrow, 1980.
19. Benn, *Arguments for Socialism*, p. 67.
20. Andrew Swarbrick, *Out of Reach*, Macmillan, 1995, pp. 122–5.
21. Christopher Booker, *The Seventies*, Allen Lane, 1980.
22. Sir John Hicks, 'The Permissive Economy', in *Crisis '75*, Institute of Economic Affairs, 1975.
23. Evans, *The Protest Virus*.
24. Sir Michael Edwardes, *Back from the Brink*, Collins, 1983, pp. 75–7.
25. Tom Baistow, *Fourth-Rate Estate*, Comedia, 1985, p. 67.
26. Martin Pawsey, *The Private Future*, Pan, p. 156.

第 三 章

1. Milton Friedman, *Free to Choose*, Pelican, 1980, p. 67.
2. Susan Crosland, *Tony Crosland*, Pelican, 1980, p. 25.
3. Robert Moss, *The Collapse of Democracy*, Temple Smith, 1975, p. 118.
4. Rodney Atkinson, *The Failure of the State*, Compuprint Publishing, 1989, p. 87.
5. Sir Michael Edwardes, *Back from the Brink*, Collins, 1983, p. 52.
6. David Graham and Peter Clarke, *The New Enlightenment*, Macmillan, 1986, p. 50.
7. Thomas Hoving, *False Impressions*, Deutsch, 1996, p. 22.
8. Christopher Lasch, *The Revolt of the Elites*, Norton, 1995, p. 6.

9. Ibid., p. 28.
10. Jonathan Cohn, 'Perrier in the Newsroom', *The American Prospect*, Spring 1995.
11. Roy Greenslade, *Maxwell's Fall*, Simon & Schuster, 1992, p. 1.
12. Joshua Wolf Shenk, 'Hidden Kingdom: Disney's Political Blueprint', *The American Prospect*, Spring 1995.
13. Paul Johnson, *Enemies of Society*, Weidenfeld, 1977, p. 258.
14. Jane Jacobs, *Systems of Survival*, Hodder & Stoughton, 1992, pp. 23–4.

第 四 章

1. Gerald Fairtlough, 'Focussing the DTI on Networks', *Demos Quarterly*, Issue 8, 1996, p. 50.
2. See the *Guardian*, 31 July 1997.
3. George Orwell, 'The Lion and the Unicorn', *The Penguin Essays of George Orwell*, Penguin, 1984, p. 151.
4. Margaret Thatcher, *The Downing Street Years*, HarperCollins, 1993, p. 626.
5. Nigel Lawson, *The View from Number 11*, Bantam, 1992, p. 1035.
6. Robert Hughes, *The Culture of Complaint*, Oxford University Press, 1993, p. 5.
7. Edward Luttwak, 'Buchanan Has It Right', *London Review of Books*, May 1996.
8. Rudi Dornbusch, *Centrepiece*, October 1996.
9. Paul Krugman, *Peddling Prosperity*, W. W. Norton, 1994, p. 191.
10. Robin Ramsay, *Lobster*, no. 33, Summer 1997.
11. Lester Thurow, *The Future of Capitalism*, Nicholas Brealey, 1996, p. 257.

第 五 章

1. Philip Willan, *Puppetmasters*, Constable, 1991.
2. Charles Grant, *Delors: Inside the House that Jacques Built*, Brealey Publishing, 1994, p. 219.
3. Will Podmore and Phil Katz, *Sovereignty for What?: Why Stopping European Monetary Union is Just the Start*, Podmore, 1997.
4. John Laughland, *The Tainted Source*, Little, Brown, 1997.
5. Grant, *Delors*, p. 159.
6. Podmore and Katz, *Sovereignty for What?*.
7. Richard Hoggart and Douglas Johnson, *An Idea of Europe*, Chatto & Windus, 1987, p. 123.
8. *Daily Telegraph*, 23 April 1997.
9. *A Dictionary of Politics*, 7th edn, Penguin, 1973.
10. Robert Jackson, *Tradition and Reality: Conservative Philosophy and European Integration*, undated.
11. Benn, *Arguments for Socialism*, p. 93.
12. Eric Deakins, *What Future for Labour?*, Hilary Shipman, 1988, p. 167.
13. Treasury Select Committee Report on Preparations for EMU, 1996.

14. Ibid.
15. Barbara Tuchman, *The March of Folly*, Michael Joseph, 1984.
16. Podmore and Katz, *Sovereignty for What?*

第 六 章

1. Anthony Arblaster, *Socialism and the Common Good*, Frank Cass, 1996, pp. 3–4.
2. Booker, *The Seventies*.
3. David Owen, *Negotiate and Survive*, Campaign for a Labour Victory, 1980.
4. James Buchan, *Heart's Journey in Winter*, Harvill, 1995, p. 102.
5. *Evening Standard*, 14 March 1995.
6. Will Hutton, *The State We're In*, Cape, 1995.
7. Anthony Howard, *Sunday Times*, 27 August 1995.
8. Andrew Marr, *Ruling Britannia*, Michael Joseph, 1995.
9. Simon Jenkins, *Accountable to None*, Hamish Hamilton, 1995.
10. Clive James, *From the Land of Shadows*, Picador, 1983, pp. 196–7.
11. Brian Walden, *Sunday Times*, 8 July 1990.
12. Laughland, *The Tainted Source*, pp. 174–5.
13. Bernard Connolly, *The Rotten Heart of Europe*, Faber, 1995, p. 225.
14. Anthony Crosland, *A Social-Democratic Britain*, Fabian Tract 404, 1971.
15. Tony Parsons, *The Times*, 3 October 1992.
16. Martin Amis, *London Fields*, Cape, 1990.

第 七 章

1. David Korten, *When Corporations Rule the World*, Kumarian Press, 1995. Quoted figures from various pages.
2. Karl Popper, *The Open Society and Its Enemies*, 2 vols, Routledge & Kegan Paul, 1945.
3. Ibid.
4. Frederick Engels, *Condition of the Working Class in England*, Blackwell, 1971.
5. John Stuart Mill, *Principles of Political Economy*, Kelley, 1970.
6. Ibid.
7. Eugene Varga, *Changes in the Economy of Capitalism Resulting from World War II*, quoted in William Barber, *A History of Economic Thought*, Pelican, 1967, pp. 156–7.
8. George Soros, 'The Capitalist Threat', *Atlantic Monthly*, February 1997.
9. John Maynard Keynes, 'Economic Possibilities for Our Grandchildren', quoted in Kevin Jackson, ed., *The Oxford Book of Money*, Oxford University Press, 1995, p. 465.
10. Alissa Goodman, Paul Johnson and Stevan Webb, *Inequality in the UK*, Oxford University Press, 1997, p. 91.

11. Oxfam, *Growth with Equity: an Agenda for Poverty Reduction*, 1997.
12. William Carrington, 'Wage Losses for Displaced Workers: Is It Really the Firm that Matters?', *Journal of Human Resources*, 1993, p. 454.
13. Richard Freeman, 'Growth and Behaviour', *Centre Piece,* Issue 3, October 1996.
14. Luttwak, 'Buchanan Has It Right'.
15. Peter Robinson, 'Literacy and Numeracy and Economic Performance', paper for the Centre for Economic Performance, September 1997.
16. Thurow, *The Future of Capitalism*, pp. 246–57.
17. Eric Shaw, *The Labour Party since 1945*, Blackwell, 1996, pp. 227–8.
18. Warren Petersen, *Silent Depression*, Basic Books, 1994.
19. Luttwak, 'Buchanan Has It Right'.
20. Ajit Singh, 'Liberalization and Globalization', paper at the conference 'Full Employment without Inflation', Robinson College, Cambridge, 1996.

第 八 章

1. Charles Handy, *The Hungry Spirit*, Hutchinson, 1997.
2. Gandhi, quoted in Fritz Schumacher, *Small is Beautiful*, Abacus, 1974, pp. 27–8.
3. Richard Freeman, 'A Hard-Headed Look at Labour Standards', paper for the Centre of Economic Performance, 1996.
4. Lasch, *Revolt of the Elites*, p. 93.
5. Amitai Etzioni, *The Spirit of Community,* Fontana, 1993.
6. HM Treasury, *An Action Plan for Jobs*, HMSO, London, 1997.
7. Milton Friedman, quoted in Lasch, *Revolt of the Elites*.
8. J. K. Galbraith, *The Culture of Contentment,* Sinclair Stevenson, 1992.
9. Lasch, *Revolt of the Elites*, p. 95.
10. Linda Weiss, 'Globalization and the Myth of the Powerless State', *New Left Review,* no. 225, September/October 1997.
11. William Greider, *One World Ready or Not*, Simon & Schuster, 1997, p. 11.
12. John Maynard Keynes, Dublin lecture, April 1933.
13. Nexus Group, 'The Politics of Globalization', *Renewal*, vol. 5, no. 2, 1997.
14. David Korten, *When Corporations Rule the World*, Kumarian Press, 1995, p. 13.
15. Weiss, 'Globalization and the Myth of the Powerless State'.
16. Colin Hines and Tim Lang, *The New Protectionism*, Earthscan, 1992.
17. Nexus Group, 'The Politics of Globalization'.
18. Jeffrey Henderson, 'Whatever Happened to Industrial Strategy', *Renewal*, vol. 5, no. 2, 1997.
19. MORI poll cited in Robert Worcester, paper for 'Greening the Millennium' conference, September 1996.
20. Robert Johnston, 'Escaping from Childishness; The Need for a "Conserver Party"', April 1994.
21. Paul Davidson, 'We May Need Boulders, Not Sand', *Economic Journal*, no. 107, 1997.
22. Dan Atkinson and Ruth Kelly, *The Wrecker's Lamp*, Institute for Public Policy Research, October 1994.
23. Graeme Snooks, *The Dynamic Society*, Routledge, 1996.

24. Ernest von Weizsacker, Amory B. Lovins and L. Hunter Lovins, *Factor Four*, Earthscan, 1997.
25. Institute for Public Policy Research, *Green Taxes*, 1996.
26. Andrew Tylecote, *The Long Wave in the World Economy*, Routledge, 1992.
27. Jeremy Seabrook, *What Went Wrong?*, Gollancz, 1978, pp. 73–4.
28. Doug Henwood, *Wall Street*, Verso, 1997, p. 303.
29. Jean-François Revel, *The Totalitarian Temptation*, Secker & Warburg, 1977, pp. 20–21.

第 九 章

1. John Fowles, *The Tree*, The Sumach Press, 1979.

索　引

（页码为原书页码，请参照正文中边码使用）

A

阿登纳，K.　192
阿拉伯联合酋长国　176
阿特金森，R.　95
艾德礼，C.　7，25，26，27，28，29，31，135
艾森豪威尔，D.　236
埃文斯，C.　111－112
埃文斯，P.　69－70
埃文斯－普里查德，A.　178
埃兹奥尼，A.　257，259
爱德华兹（爵士），M.　74，95
爱泼斯坦，B.　22
安布勒，E.　189
安德森，L.　39
安吉尔，I.　61，171
安全　20，65－66，93－94，247，266，283－289
　安全结构　65
　安全问题　214

安全与保障　79－80
　经济多样性　286－288
　民族多样性　288－289
　社会多样性　283－286
奥登，W. H.　245
澳大利亚　175，178
奥尔丁顿－琼斯协议(1972)　104
奥威尔，G.　1，15，32，52，134，146，217

B

巴德(爵士)，A.　231
巴尔，C.　30，32
巴罗，R.　238－239
八国集团首脑会议　223－224
败德行为　94－106，132
班布里奇，M.　158
班尼斯特，M.　112
半封建主义　200
鲍尔斯，E.　134，135，138
鲍伊，D.　86

保守党 9,144
 奥尔丁顿－琼斯协议(1972) 104
 大企业 68,84
 党内温和的反对派 147
 "滴入论"经济学 232
 工作时间指令 283
 关于欧共体 143,167,182,183
 汇率机制 145
 集体主义 26,32,34
 经济与货币联盟 185
 警察法案 7
 绿色凯恩斯主义 272－273
 《马斯特里赫条约》 162
 民族传统部 116
 企业文化 17,21
 文化控制 208,209
 宪制改革 196,199,205
 向租用户出售公建房 91
 养老金私有化 136
 自由市场制度 86,88,198
报业 108－109,112－113
本,T. 22,63,66－67,142,181,196－197,213
本尼特,W. 152
本特森,L. 270
北爱尔兰 2,177
北美 62,69,226
 并见加拿大,美国
北美自由贸易区 142,171
贝弗里奇报告 25－26,147,229,271,283

并见新贝弗里奇一揽子计划
贝斯托,T. 82
贝文,N. 20－21,25,32
比利时 176,185,203－204,207
比钦,T. 38
俾斯麦,O. von 220
波德莫尔,W. 158,167,172,188
波蒂罗,M. 183
波珀,K. 220,228
波西,M. 82
伯吉斯,A. 66
伯基特,B. 158
伯恩斯(爵士),T. 134
博斯沃斯－戴维斯,R. 98,100－101
补贴 266
布坎南,P. 243
布克,C. 69,192
布莱尔,T. 1,4,56,143,256,257,270
 布赖顿工党会议 6
 大选前与英国电讯公司达成协议 77
 反毒战争 212
 公有部门裁员 7
 关于电脑化 81
 关于犯罪 137,213
 关于凯恩斯的税收和支出政策 263
 关于欧盟 167
 关于欧洲社会主义领袖人物 124

418

关于权利和责任 215
关于瑟罗,L. 243
关于社区 31
机会平等 233
"艰难的选择" 28
建立霸权 272
阶级问题 5,211
禁止烟草公司赞助 9
可持续经济福利指数 249
欧盟条约中的就业条文 140
失业问题 258
苏格兰地方自治 205,207-208
投票办法 189
威尔士权力下放问题 205
为工业培养年轻人 97
文化转向 137,213
指令经济 290
中产阶级 41
主办英法首脑会议 142
布莱尔与克林顿的伙伴关系 2-3,133-134,141-143,146,153-157
布朗,G. 6-7,28-29,134-135,136,138,142,158-159,233
布雷顿森林会议 262,269-270
布什,G. 122,143,144,152,236
不安全 130-131,253
不平等与不稳定 123,219-244,272
　滴入论 233-238
　技术神话 239-240
　教育神话 240-242

为资本主义正名 222-226
稳定 238-239
现代经济学 226-233

C

财政部:就业行动计划 258
财政转移 186-187
产权 266
产业法(1972) 213
产业政策 271
出版业 39,50-51,65,71,108,113,114
促进平等 50,242

D

达尔文,C. 227
大伦敦市政会 92,199
大企业组织 56-58,172,186,266
　70年代 62,63
　90年代 62
　安全与保障 79-80,288
　倒闭的复杂性 73-75
　对大企业的抨击 63
　对大企业的态度 62-63
　返璞归真 70
　服务 282
　广告、公共关系和设计 82-83
　立法钓线 78

419

能源危机和高通胀率 68-73
司法 78-79
乡村主义 70-71
小企业和个体经营的优点 71-73
行政钓钩 78
依靠技术解决难题 80-81
大生产 37
大众文化 33,139
戴安娜之死 5-6
戴利,J. 288
戴维斯,E. 214
戴维斯,H. 96,136,138,284
丹麦 161,162,237,266
丹宁报告 38
单亲家庭 258,284
"单一法规" 176,180
单一货币 10-11,156-157,159,161,164-166,176-177,184-186,269
单一市场 7,170,172,176,177,183,186
倒闭的复杂性 73-75
道格拉斯·霍姆,A. 38,39
道森,G. 61
德布雷,R. 1
德昂尼,J.I. 105
德国 2,34,140,201
　巴德尔-迈因霍夫帮 43
　不平等与不稳定 221,222
　福利国家改革 10-11
　并见东德,西德

集体主义 35
家庭与冒险相结合 21
经济学 228,230
经济与货币联盟 185
《马斯特里赫条约》 162
失业 10,106
统一 247,263
宪制改革 203,205-206,207
德拉布尔,M. 196
德洛尔,J. 162,172,203
电脑化与英特网 81
电视 39,45-47,51-52,54,71-72,109-111,116,139,151-152
电影业 47-52,54,65,116
地方政府 199
地方主义 282
狄更斯,C. 228
迪金斯,E. 181-182
迪斯累里,B. 273
滴入论经济 232,233-238,243,279
定量供应 30,32
东南亚 220,224,251,264,268
　并见东南亚有关国家
杜鲁门,H. 133
多边投资协定 13,288
多边组织 223-224,269,270
多尔,B. 143
多尔顿,H. 25,28,29
多恩布什,R. 156

E

恩格斯,E. 228-229

F

法国 2,4,201,242
 不平等与不稳定 221
 大企业 75
 福利国家改革 10—11
 家庭与冒险相结合 21
 经济与货币联盟 185
 《马斯特里赫条约》 162
 强化法郎政策 239
 市场规模 170,172
 文化转向 18
 宪制改革 202-203,206,207
 资本主义 224
法兰特,R. 96
法律与秩序 (见犯罪)
反当权派 44
反平均主义 232
反美情绪 33
返璞归真 70,73,74-75,87
反企业文化 61
犯罪、法律和秩序 7,65-66,136-137,196,213-216,290
 并见安全
放弃社会目标 169

费尔德,F. 6
弗赖丹,B. 37
弗里德曼,M. 17,90-91,260
弗里曼,R. 239,254
弗里希,M. 189
弗林,P. 173
福尔斯,J. 294
福勒,N. 284
福利 57,137-138,285
福利国家 61,62,83-84,95-96,147,225,286
 不平等与不稳定 222
 福利国家的各种计划 138,221,223
 改革 283-284
福山,F. 19,231
福特,H. 35,271
服务水平协议 56
服务业 118,281-282
富特,M. 90,152,209
妇女地位 37-38,43-44,50,195

G

改革 32,194,197
 并见宪制改革,福利改革
盖茨,B. 270-271
盖茨克尔,H. 32
甘地,M. 249
干涉主义(有限的) 257
高通货膨胀 68-73

421

戈德华特,B. 285
戈德温森,H. 3
戈尔,A. 133,153
戈尔巴乔夫,M. 220
格拉姆西,A. 272
格拉德斯通,W. 257
格兰特,A. 266
格兰特,C. 165,169-170
格兰西,J. 142
格雷德,W. 267
格林(拉比),H. 259
格林斯莱德,R. 126
格林斯潘,A. 135,177-178
格洛弗,S. 115
个人主义 31,37-38,42,93,147,256,290-292
个人自由与经济自由的联系 90-91
根西岛 170
工党 7,9,135,253
 安全 284
 不平等与不稳定 243
 "滴入论"经济学 232,233
  并见布莱尔
 犯罪问题 137
 改组 180-181
 干涉主义(有限的) 257
 个人主义 290
 关于星期日和深夜工作 283
 "技能法案" 97
 集体主义 25,26,30,32
 阶级问题 27,28

绿色凯恩斯主义 272,273
企业文化 21,38,40,50
穷人的生活方式和态度 260
社会保障制度 235
社群主义 280
文化部 116
文化控制 208-215
宪制改革 195,199
向苏格兰下放权力 217
养老金不当销售 254
英格兰银行 136
 与货币联盟 187
 与欧共体 167,169,181,182
增税 146
"终身租赁"计划 91,92
工会 51,64,67-68,102-103,123,147,253
 安全 287-288
 "长臂理论" 67-68
 封闭性车间 67,68
 纠察线暴力行为 67
 强制性会员制 50
工作苦闷 247-248
公共关系 82-83
公共交通 35,208,276,280-281
共产主义 26,181,220,221,222,227,230
共和党 3,17,143,144,152,272
公民权利 124-125,221
公平贸易 269-270
公用事业责任拨款 91,92
公有部门裁员 7,101,103,113,

128,238,240

股东社会 211,271

古尔德,P. 143

雇主与雇员的合作伙伴关系 206-207

官僚机构 51,52

关贸总协定 172,207,252-254,262,264,269

管制自主的个人 88-94

广告宣传 49,82-83,116

规模 (见市场规模)

国际主义 179-184

国际货币基金组织 48,52,224,251,264,270

 韩国 12

 结构调整手段 122

 强制性削减开支(1976) 2

 泰国 11

 意向书 2

国民保健制度 54,111,276

国外直接投资 268

国有化 32

H

哈代,T. 75

哈曼,C. 219

哈米特,D. 56,133

哈特伯,P. 128

哈特斯莱,R. 142,143

海尔布伦纳,R. 59,60,63

海耶克,F. von 17,18,90,122,257

海因斯,C. 165

韩国 11,12,241,251,263,264

汉迪,C. 245,247,249-250

豪森,G. 86

荷兰 185,207

合作社运动 116-117,118

赫德,D. 164,166

赫顿,W. 131,198-199,200

赫塞尔廷,M. 145,162-163,164,182

黑格尔,W. 159,183

黑色星期三(1992) 144-145,262

黑匣子 94,95,100,101

怀曼,P. 158

怀特利格,J. 280

环境主义 13,19,20,69,271-272,277-297

汇率 186

汇率机制 144-145,156,160,163-164,172,185,187,229-230,262-263

会员制组织 116-117

货币联盟 (见经济与货币联盟,单一货币)

货币制度 273-275

霍布斯鲍姆,E. 219,246

霍尔(爵士),P. 68

霍格特,R. 33,173

霍华德,A. 199

霍华德,M. 120

"获取时代" 8

423

霍温,T. 115

J

基本利率 29,145
基督教民主党人 238
机构改革 194
纪律法庭(私设公堂) 100-101
吉斯卡尔,(d'Estaing,V.) 2,192
集体主义 24-36
 贝弗里奇报告 25-26
 定量供应 30,32
 工业化 34-36
 阶级 27-28
 《蓝灯》 32-33
 美国化 33
 青少年解放 33
 《去皮姆利科的护照》 30-31
 英格兰银行 28-29
吉斯卡尔,2,192
吉乌利亚尼,R. 136
技术/技术的 34-35,148-150,249,271
 货币制度 274
 技术模式 53,230
 技术神话 239-240
 技术转型 44
 依靠技术解决难题 80-81
加布里埃尔,R. 86
加尔布雷思,J.K. 60,260
加勒比 13,224

加拿大 18,175,265
家庭 35,37,87,257-260
家庭所有制 53,79,195,251
家庭与冒险相结合 20-21,22,23,40
甲壳虫乐队 22,38,39-40,41-42
贾格尔,M. 22
价格制度 275-276
教育制度 92,115,240-242
金,M.L. 38
金边证券交易人 101
金里奇,N. 143
金诺克,N. 149,152,169,185,210
经济合作与发展组织 226,237-238,239,264
经济结构 139-140
经济与货币联盟 10,159,160,166,172,184-187
经济政策 79,271
就业 34,97,103,105,132,140,214,240,269,287
 安全保障 156,269
  并见劳动力市场
 不安全 123,237-238
 机会平等 50
 职业阶梯与地位 128

K

卡茨,P. 158,167,172,188

卡达斯,N. 27
卡拉汉,J. 48,52,73,152,191,204
卡斯尔,B. 91,182
卡特,J. 2,143,152
凯恩斯,J.M. 25,26,107,178,229,230,231,261-269,271
　《就业、利息和货币通论》 261-262
凯恩斯主义 18-19,41,147,169,261
　大企业 64
　"滴入论"经济学 232
　汇率机制 145
　伙伴关系与宽容 23
　集体主义 25
　绿色凯恩斯主义 269-273
　能源危机 69
　企业文化 50
　战后凯恩斯主义 48
康德拉季耶夫,N. 160,230,272
康兰(爵士),T. 140
康诺科,B. 203
考尔德,J. 215
科恩,J. 125
科尔,H. 3,192,221,263
科基特,R. 19
科克菲尔德(勋爵) 183
科滕,D. 223
可持续经济福利指数 248-249
"可逆转性"(放弃) 77-78
克拉克,A. 290
克拉克,K. 142,164,182

克利普斯,S. 28,29,31,35
克林顿,B. 4,133,142,144,190,256,257
　访问联合王国 2-3
　工人"要竞争不要退却"政策 171
　并见布莱尔与克林顿的伙伴关系
　关于犯罪 137
　关于美国工人 124
　建立霸权 272
　经济政策 242-243
　可持续经济福利指数 249
　跨国公司的权力 261
　排斥性政策 260
　收入税信贷 138
　文化转向 18
　在牛津 138
克林顿,H. 125,139
克鲁格曼,P. 156
克罗斯兰,A. 69,90,92,209-210,232
克罗斯曼,R. 86
克洛斯,B. 253
肯尼迪,I.F. 65,155,190,235
控制文化 23,90,210,273-277,290
　工作时间 291
　并见社会集权主义
　货币制度 273-275
　价格制度 273-276
　贸易与投资 277

425

闲暇时间 291

库克,R. 164-165,205

库珀,Y. 138

跨国公司 261,264,265,266,268,269

奎尔,D. 49

L

拉丁美洲 13,200,224,237

拉夫兰,J. 168,203

拉金,P. 68

拉蒙特,N. 144,158,163-164,231

拉什,C. 124-125

莱克,F. 92-93

莱文,B. 51

莱文森,M. 133

赖克,R. 138

兰德,A. 122

劳动力市场 25-26,87,102,187,195,254

劳工阶级 21,28,33,39,40,41,43,65

   控制文化 209,210,212,213

劳伦斯,D.H. 39,245-247,249,252

劳森,N. 122,148,184-185,292

勒卡里,J. 45-46

勒特韦克,E. 155-156,240,243-244

雷德伍德,J. 183

雷维尔,J.F. 289

离婚 258

里德,A. 122

里根,R. 17,137,146-147,192,232,236,249

   关于饮酒年龄的限制 178

   经济战略 263

里卡多,D. 255

理查森,J. 39

里斯莫格,W. 22

利德尔,H. 254

利弗(勋爵) 73-74

利里,T. 38

利率 29,100,102,135,136,144

   复合计息(复利) 275

   货币联盟 187

   太平洋国家 12

   (与)依法限制利息 275

利森,N. 96,136

利森兹,K. 22

联邦发展公司 7

流行文化/音乐 39,40,42,44,54

卢森堡 177,185

伦农,J. 38,41-42,43

罗伯茨,H. 22

罗伯茨,T. 39

罗格利,J. 289

罗斯福,F.D. 133,221,230,271

M

马丁,G. 39-40

马尔,A. 199
马哈蒂尔(博士) 11
马克思,K. 59,220-221,226,228,229
马克斯韦尔,R. 41,113,126,127,136,253,254
马昆德,D. 41
马来西亚 11,96,175,200,251,264,268
马林广播(违规)法 22
马米特,D. 113
马斯兰,D. 60-61
《马斯特里赫条约》 159-165,166,176
马歇尔计划 221
玛格辛纳,I. 138
码头工人 75-76,104,141
迈尔斯,L. 49
麦克卢汉,M. 42
麦克米伦,H. 34,38
麦克唐纳,I. 39,42
麦克尤恩,I. 196
美国 256,257
　不平等与不稳定 236,237,243,244
　裁员 238
　从海湾战争后的衰退中恢复 263
　大企业 59
　"滴入论"经济 233
　反污染立法 289
　公民权利 125,221

硅谷 239-240
国际货币基金组织 2
国际资本主义 14
环境问题 13,278
汇率 186
活力 140
集体主义 26,29,33,35
技术神话 241
家庭与冒险相结合 21
阶级偏见 125
经济表现 140
就业无保障 123
军人法案 221
控制文化 216
劳动力市场 247
联邦储备银行 134-135,263
联邦主义 174-178
绿色凯恩斯主义 269,272
贸易与投资 277
纽约社会研究所 59
破产 285
企业文化 17,41,42,44
"气象员" 43
契基塔公司 264
青少年解放 36-37
社会分化 251
市场规模 170,171
水门事件 65
税收 265
伍德沃德,路易斯 8
　并见英国左派
宪制改革 204

427

养老金制度 285
宅地法 221
资本主义 223,224
梅杰,J. 144,145,163,165,185,262
梅利,G. 43
媒体 113,116
 并见报业,广播,电视
蒙代尔,W. 152
蒙哥马利,D. 110
米尔,J.S. 228,229
米尔恩,A.A. 189
米利班德,D. 138
米切尔,A. 5,274
密特朗,F. 191
民主 73,228,231,245-246
民主党人 13,181,257,290
 并见克林顿
民族国家 264,265,266,267,270,274,288
命令和控制(见社会集权主义)
摩根,K. 29-30,31
莫德林,R. 41
莫蒂默,J. 196
莫勒姆,M. 138
莫里斯,W. 35
莫桑比克 223
莫斯,R. 93
莫斯科,J. 129
墨西哥 171,222,224-225,244,268,274
默多克,R. 147

穆尔,C. 163

N

南也门 223
能源危机 63-64,68-73
尼尔,A. 107-108
尼克松,R. 192,215,261
女性主义 44
诺兰委员会 197
诺曼,M. 135

O

欧共体 9-11,62,183,184,201,229,246,256
欧共体社会宪章
 (见《马斯特里赫条约》)
欧盟 13,14,202,226,267,288
 并见英国左派
欧盟委员会 161,166,184
欧文,D. 92,192
欧洲大陆 201
欧洲议会 161,166,184

P

帕尔,M. 212
帕菲特,J. 180

帕克,K. 93
帕森斯,T. 212
派伊,M. 49
佩罗特,R. 143,144,243
彭,J. 234
皮里,M. 142
品牌会计和估价 119-120
品牌推销 109-110
平特,H. 68,196
普里斯特利,J.B. 26
普罗富莫,J. 38,39

Q

契基塔公司 13,269
"77宪章运动" 195-196
企业文化 15,55
 60年代 38-40
 70年代 44-47
 家庭的重要性 20-22
 建设性的紧张关系 19-20
 体育、电影和文化变迁 47-51
 "我们"这一代 54-55
  并见集体主义
 战后 51-54
乔治,E. 136
青少年解放 33,36-38
情感文字 5-6,213-214
琼森,D. 173
丘吉尔,W. 25,220-221,268
全球化 226,227-228,246,251,
260-261
权力下放 203,286

R

人头税 199
日本 12,34,171,207,241,256,
263,264
 不平等与不稳定 244
 家庭与冒险相结合 21
 资本主义 226
容格,C. 227
瑞典 10
瑞士 176
若斯潘,L. 3,4,105,249,270

S

萨达姆·侯赛因 145
萨默斯,L. 10-11
撒切尔,M. 17,30,50,73,74,143,
146,152,192,257
 安全 93
 对霍华德的评论 199
 关于不平等 232
 积极进取的资本主义 221
 可持续经济福利指数 249
 税收革命 99
 为企业培养年轻人 97
 与欧盟 163,183

429

在布鲁日的讲话 167
撒切尔主义 7,11,18,53,211,232
塞缪尔森,P. 255
桑普森,P. 255
瑟罗,L. 157,242-243
沙,E. 147
商业道德监督机构（PIRC） 8
商业价值观 57,74,283
商业伦理 58,65,83
商业/市场道德准则 57,58
商业文化 22-23,24,31
社会民主党/自由联盟 147
社会民主党 195
社会民主主义/社会民主党人 3, 4,5,13,43,91-92,147,190,191
 安全 286
 不平等与不稳定 238
 大企业 64-67
 欧洲大陆 192
 与欧共体 168,182
 自由市场 123
社会领域 172-173
社会秩序 123
社会政策 21
社会政治结构 193,210
社会保障 235,285
 并见福利
社会工资 91
社会集权主义 14,105,126,190, 194,195,208-217,259,290
 法律与秩序 214-215
 股东社会 211-212

劳工阶级 209-210,212,213
美国 216
 情感的正确性 213-214
 下层阶级 212-213,216
社会主义 25,26,60,67,75
社区和社会凝聚力 279-285
社区再投资 279
社群主义 257,259,260,280
 服务 281-282
 交通 280-281
 设施 281
申克,J.W. 126-127
生产率 21,236,244
生活水平 21,34,97
施莱辛格,J. 39
施密特,H. 2,182,190-191
史密斯,C. 138
史密斯,J. 210-211
史密斯,T. 57
市场
 市场规模 165-173,174,186
 市场价值观 57
 市场检验 58
 市场势力 252-253
 市场制度 123,124,125
 市场秩序 96-97
市郊 35,55
 并见线性城市
世界银行 270
世界贸易组织 13,171,265,267, 269,288,289
 世贸组织与加勒比地区 224

世贸组织与契基塔公司 269
石油生产与输出国 53
失业 19,21,29,41,59,63,131,144,147,185-186,252,256
　不平等与不稳定 231,233,243
　德国 11,160
　高失业率 264
　关贸总协定 253
　控制文化 212
　欧共体 10,123,251
　失业率下降 258
　宪制改革 195
收入 243
　收入差距 240
　收入差距缩小 234-235
　收入分配 235,236,269
　收入政策 53
舒马赫,F. 60,63,64,245,249
舒姆彼得,J. 254
斯大林,J. 11
斯蒂芬奥普勒斯,G. 138
斯蒂文斯,J. 173,181,182
斯卡吉尔,A. 145
斯凯芬顿委员会报告(1969) 62
斯努克斯,G. 277
斯塔格,N. 50
斯泰西,N.H. 60
斯特劳,J. 9,136,137
斯托帕特,T. 23-24,50
斯威尼,J. 222
斯沃布里克,A. 68
苏格兰 203,211
　自治 205,207-208,217-218
苏联 170,175-176,191,221,242
　共产主义 220
　经济学 228,230
　贸易与投资 277
　资本主义 223
索尔仁尼琴,A. 51
索罗斯,G. 11,115,121,229-230,273

T

塔奇曼,B. 187-188
台湾 11,263,264
泰国 11,12,13,222,244,251,264,268,274
泰莱科特,A. 278-279
泰勒,A. 124-125
太平洋国家 11-14
特比特,N. 148
特纳,A. 138
甜头 98,99
通货膨胀 21,41,59,135,147,238,239,241
通胀刺激经济 230
投票制度 189,207
投资 21,236,277
团结 279-285
托宾,J. 273-274
托德,R. 169
托夫勒,A. 56-57

431

托尼,R.H. 243

W

瓦尔加,E. 229
外汇投资 273-274
外汇危机 251
外交政策 83-85
威尔逊,H. 38,40,41,42,91,190
威兰,P. 163
威廉斯,I. 177-178
威廉斯,S. 73
韦尔奇,C. 92
韦克斯,A. 62
韦斯利,J. 257-258
维达尔,G. 196-197
文化 19,20,31,43,75,87,111,132,139
  报业 108-109,112-113
  出版业 108,113-114
  广播 110-112
  戏剧 109
  新经济秩序下的文化 115
  音乐制作业 114
  政治文化 194
  并见商业,企业
稳定 34,87,238-239,241,258
沃尔登,B. 201
沃克,A. 49
沃克,M. 11
沃特豪斯,K. 67

无线电广播 110-112
五点计划 258
伍德沃德,L. 8
伍斯利,J. 138
物质主义 20

X

西班牙 201,205
西布鲁克,J. 283
西德 175,186-187,192
西利托,A. 43
西蒙(勋爵) 124,166
希克斯(爵士),J. 69
希拉克,J. 142
希特勒,A. 11
戏剧 109
下层阶级 212-213,216,232-233
现代经济学 226-233
线性城市 279-280
宪制改革 14,190,194-208
  半封建主义 200
  赫顿,W. 198-199,200
  劳动力市场 206-207
  美国 204
  并见苏格兰和威尔士的制度
  欧洲 201-207
  "77"和"78"宪章运动 195-197
限制工资增长率 199
乡村主义 70-71

432

香港 3,11-12,241,263
享乐主义 33,273
向伊拉克提供武器丑闻 145
消除冲突 80
消费主义 31,35,37,44,254
"消极执行" 274
小企业/个体企业的优点 71-73,87
辛格,A. 244
新贝弗里奇一揽子计划(1986) 96-97,284
新加坡 11,96,211-212,241,251,263
新经济秩序 89-90,101,122,123,130,132
新市场制度 87,103,121,129
新西兰 232
行政钓钩 76-78
休斯,R. 133

Y

亚洲 11,263-264,284
  并见东南亚和亚洲国家
雅各布斯,C. 200
扬(勋爵) 183
养老金 284
  不当出售 96-97,136,254,284
  个人的 253
  国家的 285
  私营的 136

叶利钦,B. 3
意大利 10-11,163,185,190,203,204,221
艺术和艺术界 107,113,114-115,116,148
印度 220
印度尼西亚 11,236-237,251,254,264
银行金融部门 11-12,96,120-121,136,281-282
  中央银行制度 155-156
音乐业 52-53,71,114,116,150-151
  并见流行文化/流行音乐
英格兰银行 2,28-29,77,134-136,145,198,238-239,274
英国政治美国化 137
  并见布莱尔与克林顿的伙伴关系
英国左派与欧盟 158-188
  规模的重要性 165-173
  国际主义 179-184
  联邦主义 174-179
  《马斯特里赫条约》 159-165
  欧洲货币联盟及其他 184-187
英国左派与美国 133-157
  布莱尔与克林顿的伙伴关系 140-143,153-157
  个人主义 147-148
  工党与美国方式 134-138
  工党与民主党人 143-148
  技术 149-150
  质量革命 148-151

433

"有形经济" 119-120
约翰逊,L. 42,190,221
约翰逊,P. 50,67,128
约瑟夫(爵士),K. 73

Z

再分配 232-233,235
增长 21,41,140,240,258,264
　增长率 236,239,243
詹金斯(勋爵),R. 22,90,93,189-190
詹金斯,S. 199
詹姆斯,C. 200
政府
　机构 65
　并见国家
　证券 101
证券和交易委员会 136
证券和期货管理局 100
证券和投资委员会 136
知识产权 118-119
职业道德 77
质量革命 148-149
中产阶级 21,28,41,54,127-128,131,132
　大企业 65,67
　商业性和专业性的中产阶级 128-129,130
中国 170,171,242,263
中欧 229

中央银行制度 155-156
资本 253,269,274,275
　资本自由(流动) 89-90,93
资本主义 60,79,139,227,228,245-246
　不平等与不稳定 221,222
　成就 64
　工业(资本主义) 229
　国际(资本主义) 2,4,11,13-14
　开明的资本主义 231
　绿色凯恩斯主义 270
　民主的(资本主义) 249
　欧洲的失业 10
　批评 63
　全球的(资本主义) 251,256
　胜利 63
　私有的资本主义 59-60
　为资本主义正名 222-226
　现代的资本主义 255,256,267
　消费者 64
　资本主义与凯恩斯主义 261,262
　自由放任 2,68,88
　自由市场 220,223
　作为自我调节的有机体 252
资不抵债 (见破产)
自由民主主义 125,146
自由派 19,182,195
自由市场 60,86-132,141-142,255,259
　财产和自主权的联系 125-127

对"自主"个人的管制 88-94
合作社运动 116-122
小企业的衰落 129-132
新经济秩序下的文化 106-116

新市场经济下的道德危机 94-106
中产阶级的复兴 127-132
自治城市单位 125-127

图书在版编目(CIP)数据

不安全的时代/(英)埃里奥特,(英)阿特金森著;曹大鹏译.—北京:商务印书馆,2001
ISBN 7-100-03283-0

Ⅰ.不… Ⅱ.①埃…②阿…③曹… Ⅲ.英国-现代史 Ⅳ.K561.5

中国版本图书馆 CIP 数据核字(2001)第 07284 号

所有权利保留。
未经许可,不得以任何方式使用。

BÙ'ĀNQUÁN DE SHÍDÀI
不安全的时代

〔英〕拉里·埃里奥特 丹·阿特金森 著
曹大鹏 译

商务印书馆出版
(北京王府井大街36号 邮政编码100710)
商务印书馆发行
中国科学院印刷厂印刷
ISBN 7-100-03283-0/F·411

2001年11月第1版　　开本 850×1168 1/32
2001年11月北京第1次印刷　印张 13 3/4
印数 5000 册
定价:22.00元